ДОНЦОВА

Записки
безумной
оптимистки

АВТОБИОГРАФИЯ

ЭКСМО

* * *

"Записки безумной оптимистки"

«Прочитав огромное количество печатных изданий, я, Дарья Донцова, узнала о себе много интересного. Например, что я была замужем десять раз, что у меня искусственная нога... Но более всего меня возмутило сообщение, будто меня и в природе-то нет, просто несколько предприимчивых людей пишут иронические детективы под именем «Дарья Донцова».

Так вот, дорогие мои читатели, чаша моего терпения лопнула, и я решила написать о себе сама».

Дарья Донцова открывает свои секреты!

Читайте романы
примадонны иронического детектива Дарьи Донцовой

Дарья Донцова

Квазимодо на шпильках

Москва
ЭКСМО
2004

ИРОНИЧЕСКИЙ ДЕТЕКТИВ

ГЛАВА 1

Если человек дурак, то это навсегда. Не подумайте, что я говорю сейчас о ком-то из приятелей. Нет, в данном случае я имею в виду только себя, понимаю, кабы не моя глупость и твердая уверенность в том, что дружба — понятие круглосуточное, никогда бы не оказалась сейчас в аэропорту Бангкока, причем с кучей узлов, сумок и тюков. Впрочем, все по порядку.

Две недели назад к нам ввалился Федя Лапиков, сосед с пятого этажа, и, брякнувшись на стул, самым трагичным голосом поинтересовался:

— Лампа, ты мне друг?

— Ага, — кивнула я, надеясь услышать следующую фразу: «Дай в долг».

Но соседушка произнес неожиданное:

— Тогда помоги!

Я сразу же ответила:

— Постараюсь.

Федор засопел, вытащил сигареты и начал сосредоточенно прикуривать от пластмассовой одноразовой зажигалки. Пока он возился с куревом, я попыталась прикинуть, сколько купюр лежит в банке. Только не думайте, что я имею в виду банк как учреждение. Отложенные деньги я держу в круглой железной коробке из-под печенья курабье.

Стоит «сейф» в моей спальне, и никто из домашних туда не лазает, для хозяйственных нужд имеется коробочка на кухне. Вот туда все домочад-

цы частенько запускают руки. Во-первых, им нужен
бензин, во-вторых, деньги на обед, а главный кас-
сир — я. Мне все отдают зарплату, я складываю ее,
отделяю часть на ежедневные расходы, потом...

Ну да это неинтересно! Важно другое: в банке
сейчас лежит почти две тысячи долларов, и вполне
можно отсыпать Лапикову некоторую сумму. Но
что он жмется? Отчего не попросит прямо?

Наконец Федор, покашляв, провозгласил:

— Лампа!

— Да, слушаю.

— Не перебивай!

— А ты говори!

— Не мешай.

— Да начинай, в конце концов!

— Не торопи меня! — возмутился Федор.

— Если тебя не подталкивать, до утра протянешь, — обозлилась я, — а у меня обед не готов,
белье не постирано, короче, сколько?

— Чего?

— Денег!

— Каких?

Я рассердилась:

— Тебе видней: либо долларов, либо рублей.

— Зачем? Мне ничего не надо.

— Да ну? — удивилась я. — В чем же тогда дело?

— Ты должна поехать со мной в Бангкок!

От удивления у меня из рук выпала поварешка.

— Куда?

— В Банкок, это Таиланд.

— Знаю, только зачем?

Федька глубоко вздохнул и зачастил. Год назад
завод, на котором он проработал большую часть
своей сознательной жизни, был перекуплен каким-
то предприимчивым мальчишкой. Новый хозяин

живо выгнал всех старых работников и нанял новых. Федор оказался за бортом. Потыркавшись в разные места и поняв, что абсолютно никому не нужен, Лапиков решил заняться народной российской забавой — торговлей — и начал мотаться челноком в Бангкок.

Маршрут у него отработан до мельчайших деталей, таможенники с обеих сторон прикормлены. Впрочем, ничего противозаконного Федор не возил, в основном это был стандартный набор: кофточки, спортивные костюмы, иногда постельное белье, реже бусы и всякая бижутерия. Особых доходов бизнес не приносил, но и умереть с голоду не давал. Супруга Лапикова, Анька, торговала привезенным товаром на рынке, а Федька вместе со своей сестрой Натой мотался в Таиланд.

Несколько недель назад к нему обратился один очень важный дядечка, Семен Кузьмич, ученый-биолог, и попросил:

— Многоуважаемый Федор Иванович, не возьмете ли у меня заказ?

Наивный Лапиков решил, что профессор хочет что-нибудь из мануфактуры, и с готовностью воскликнул:

— Конечно!

Ученый пустился в объяснения, Федька захлопал глазами, такого он никак не ожидал.

— Близ Бангкока имеется ферма, где разводят крокодилов, вы привезите мне оттуда мозг двух юных аллигаторов.

— Господи, — испугался Федя, — с ума сойти!

— Ничего страшного, — успокоил его профессор, — мне сей материал необходим для исследования. Мозг вам упакуют в специальные контейнеры, ваша задача лишь доставить их сюда.

Федя хотел было ответить решительное «нет», но тут Семен Кузьмич озвучил сумму, которую Лапиков получит за услуги.

Федька дрогнул, согласился, взял аванс и уже успел его потратить. Но, видно, не зря говорят, что человек предполагает, а господь располагает. Вчера Ната, компаньонка Федора, его родная сестра, загремела в больницу со сломанной ногой, и теперь Лапиков на полном серьезе считает, что сопровождать его должна я.

— Отчего бы тебе одному не смотаться? — Я стала осторожно отнекиваться.

— Да ты че! — подскочил Лапиков. — Ваще без понятия. В таком деле товарищ нужен. Там только отвернись, мигом товар сопрут: ни поесть, ни поспать не смогу. Я тебе заплачу, не обижу.

— Знаешь, я не слишком подхожу для такой аферы, — гнула я свою линию, — вот, придумала! Обратись к Алине Роговой из двенадцатой квартиры, она точно согласится!

— Нет, — покачал головой Федя, — Алина не годится.

— Почему?

— Больно красивая, — мечтательно заявил Лапиков, — 90—60—90, блондинка... Моя Анька дико ревнивая, объясняй потом, что вторые девяносто меня никак не заинтересовали. А с тобой безопасно.

Я закашлялась. Ну и воспитание! Сейчас Федор впрямую заявил мне, что я такая уродина, такое редкостное страшилище, что не вызываю приступов ревности у его Аньки. Причем он, кажется, не понимает, что сказал. Может, пнуть его?

— У меня нет визы, — нашлась я наконец.

— Ерунда, — подпрыгнул Федор, — все беру на себя. Паспорт есть?

— Да.

— Неси сюда!

Не понимая, зачем совершаю эту глупость, я отдала документ Лапикову.

— Вот здорово, — засуетился он, — просто классно, первого февраля улетим, всего-то на три дня. От тебя ничего не потребуется, будешь только багаж сторожить.

Я хотела было предложить: «Может, тебе лучше собаку с собой прихватить?», но удержалась.

Вечером я с некоторой опаской изложила ситуацию домашним и неожиданно получила с их стороны полнейшее одобрение.

— Правильно! — воскликнула Юлечка. — Там сейчас тепло, покупаешься, позагораешь.

— И фруктов поешь, — вмешался Кирюшка.

— Креветок китайских, — вздохнул Сережка, — они там десять долларов килограмм стоят.

— А еще купишь часы, — затарахтела Лиза, — они выглядят как настоящий золотой «Ролекс», но стоят всего тридцать баксов! У Леши Котова в нашем классе такие, ни в жисть от родных не отличишь.

— Вообще-то, — попыталась остудить всеобщий пыл Катерина, — не слишком полезно для здоровья лететь из зимы в лето, да еще всего на три дня. Организм не успеет перестроиться. Лучше поехать в мае, недели на две. И потом, боюсь, Лампе роль челнока не по плечу.

Но мне уже самой захотелось в теплые края, к гигантским креветкам и экзотическим фруктам, поэтому я принялась успокаивать Катюшу:

— Ерунда! Я совершенно здорова и отлично себя чувствую, Федя будет все делать сам, я только постерегу вещи в аэропорту.

— Да-а, — протянула Катя, — рисовали на бумаге, да забыли про овраги, а по ним ходить...

— Ой, — налетела на нее Юлечка, — вечно тебе страсти чудятся, езжай, Лампудель, повеселись!

И я в самом радостном настроении отбыла в Таиланд. Действительность оказалась иной, чем радужные планы. В самолете, куда набилось пассажиров на треть больше, чем положено, нервные стюардессы носились по проходам, без устали повторяя:

— Вставайте с кресел только в случае крайней необходимости.

Еды на всех не хватило, питья тоже. Голодная, злая, невыспавшаяся, я оказалась в Бангкоке, мечтая только об одном: добраться до гостиницы, принять душ, выпить кофе...

Но Федор мигом вылил мне на голову ушат ледяной воды:

— Какой отель? Офигела совсем, нам нужно на фабрику, потом на рынок. Устраиваться будем после полуночи.

— Почему? — пробормотала я, чувствуя, как липкая влага змеей ползет по спине.

— Чтобы зря не платить, — пояснил Федя, — за фигом сейчас въезжать? Сразу день насчитают, а после полуночи новые сутки пойдут, докумекала? Мы же не отдыхать приехали, а работать.

Сами понимаете, что ни покупаться, ни побывать в ресторане мне не удалось. Пришлось мотаться с Федькой по рынкам и тупо стоять на солнцепеке, охраняя товар. Креветки я, правда, нашла и даже, решившись купить себе порцию, подошла к грилю. Но потом увидела, какими грязными руками повартаец чистит сей деликатес, и отшатнулась.

Единственное, что оказалось правдой, — это

фальшивые «Ролекс», до противности похожие на настоящие, Бангкок был буквально набит эрзац-часами, и я купила всем по штуке.

Но самый жестокий удар меня ждал впереди. Отлет в Москву был назначен на восемь вечера по местному времени. Утром Федька, оставив меня в дыре, которая тут считалась гостиницей, поехал на крокодиловую ферму за мозгом. Я же, уставшая, словно цирковая обезьянка, рухнула в кровать и попыталась заснуть.

Ни купаться, ни загорать, ни лакомиться фруктами пополам с креветками мне не хотелось. Больше всего на свете я мечтала оказаться дома, в своей комнате, на диване, под пледом, рядом с Мулей и Адой. Катюша была права — роль челнока не для меня.

В комнатенке, набитой тюками, было очень душно и влажно. Старенький кондиционер, дребезжавший всеми частями, совершенно не справлялся с работой. С улицы доносился шум, и я впала в сумеречное состояние: то ли сон, то ли явь...

Уж не знаю, сколько времени я провела, плавясь от жары на грубых простынях, но вдруг дверь распахнулась и появился Федя с картонной коробкой. Я села, попыталась пригладить торчащие в разные стороны лохмы и спросила:

— Ну? Порядок?

— Тьфу, — сплюнул Федька.

— Что-то случилось? — насторожилась я.

— Во, гляди, — мрачно произнес Лапиков и открыл коробку.

Остатки сна мигом меня покинули. На серо-голубой бумаге лежали два крокодильчика, сантиметров по тридцать, не больше.

— Это что? — изумилась я.

— Мозг, — криво улыбнулся Федька, — тот самый, за который Семен Кузьмич аванс отдал.

— Но он вместе с телом, — ляпнула я, — и живой!

— Угу, — кивнул Федька, — тонко подмечено, живее не бывает. Прикинь, что вышло.

Плюхнувшись на ободранное кресло, он стал рассказывать. На ферме, куда прибыл Федька, крокодилов водилось видимо-невидимо, любых размеров. И продавали их весьма охотно всем желающим, но только в первозданном виде.

Федька позвонил по телефону, который ему дал в Москве профессор, и дождался некоего мужика с хитро бегающими глазками. Кое-как на ломаном английском они сумели договориться. Таец ничего не отрицал. Да, он обещал многоуважаемому профессору мозг крокодилят и от своих слов не отказывается. Но человек, который может убить крокодильчиков и достать требуемый орган, сейчас отсутствует, вернется он лишь через две недели, поэтому перед Федькой стоит дилемма: либо ждать четырнадцать дней, либо брать крокодильчиков живьем.

Сами понимаете, что задержаться в Таиланде Лапиков не мог.

— Зачем ты их купил? — вытаращилась я.

— А че делать? — развел руками Федька. — Аванс-то тю-тю. Отдам Семену Кузьмичу крокодилят, пусть у них мозги как хочет достает. Я обещал — доставил, дальше все!

— Как же мы их повезем? — озаботилась я.

Лапиков скривился:

— Ну... в чемодане.

— Ты с ума сошел! Во-первых, тюки «просветят» на границе, во-вторых, даже если крокодильчики благополучно попадут в самолет, они погибнут в багажном отсеке от холода и перепада температуры.

Федька почесал затылок:

— Сама-то ты чего предлагаешь?

— Давай прямо в коробке пронесем их в салон.

— Нет, не выйдет.

— Почему?

— Надо разрешение от ветеринара, а нам его не успеть получить.

Мы пригорюнились и начали думать, как выйти из создавшегося положения. В голову лезла всякая чушь: положить рептилий в дамскую сумочку; примотать веревками к ручной клади и заявить, что это чучело; отправить крокодилят бандеролью в Москву.

— Знаю! — неожиданно заорал Федька. — А ну, Лампа, дуй на первый этаж за скотчем, купи самый широкий.

Недоумевая, что он еще придумал, я спустилась вниз и притащила моток клейкой ленты.

— Во, гляди, — заявил Федька и снял брюки.

Я уставилась на его красные трусы в белый горошек и спросила:

— И что ты этим хочешь сказать?

— Значит, так, — воодушевленно заявил он, — сейчас примотаем Асю и Васю к моим ногам.

— Кого? — попятилась я.

Лапиков хихикнул:

— Это я так их прозвал. Левый — Ася, правый — Вася.

— Они разнополые?

— А фиг их знает, — пожал плечами Федька, — честное слово, мне все равно. Просто Ася и Вася. Давай!

И с этими словами он пристроил одну рептилию себе на бедро. Понимая абсурдность происходящего, я все же замотала его волосатую конечность вместе с крокодильчиком. Потом операция была повторена с другой ногой.

— Нормалек, — подвел итог Федька, — не сползли бы только! Вот что, я прорежу в карманах дырки, спущу туда руки и буду держать их за головы.

Я оглядела гору тюков и поинтересовалась:

— Кто будет грузить хабар?

— А ты на что? — фыркнул Федька. — Действуй, Лампа. Давай, торопись.

Не стану вам рассказывать, каким образом я сволокла вниз неподъемные торбы. Хорошо еще, что жадный Федька нанял такси, а не заставил меня топать десять километров до аэродрома под раскаленным солнцем с баулами на горбу.

У стойки, где происходила регистрация, мы произвели сногсшибательное впечатление. Я, красная, потная, в грязной мятой футболке, ворочала каменно-тяжелые сумищи. Федяшка стоял рядом, засунув руки в карманы.

Видя, что я никак не могу справиться с коробкой, доверху набитой мануфактурой, одна из девушек в форме Аэрофлота не выдержала и обратилась к Федьке:

— Чего стоишь, руки в брюки! Помоги ей!

— Нет, — шарахнулся в сторону Федька, — мне никак нельзя поднимать тяжести!

— Да? — поморщилась девушка.

Я кое-как впихнула коробищу на резиновую ленту и прошептала:

— Сами разберемся, не трогайте его.

Федька, словно изваяние, маячил среди тюков.

— Дура ты! — обиделась девушка. — Зачем позволяешь на себе ездить! Смотри, какую морду отъел, словно собачья будка!

Федор побагровел, разинул было рот, но в ту же секунду ойкнул и присел.

Я ухватила бело-красную сумку, крякнув, зашвырнула ее на транспортер и сказала:

— Видишь, больной он.

— Чем? — насторожилась девица.

Сначала я хотела напугать ее по полной программе и с мрачным лицом заявить: «СПИД у него», но потом сообразила, что нас могут не посадить в самолет, и рявкнула: «Паралич у парня, ноги почти не ходят! С детства! Простыл сильно, и все».

Девица осеклась. Федька, не сгибая колен, побрел к железной арке, сквозь которую обязаны проходить все пассажиры. Издали он и впрямь походил на не совсем здорового человека.

— Извините, — пробормотала проверяющая.

— Ничего, — улыбнулась я, — не беда.

— Зачем вы его с собой таскаете, если он помочь не может? — спросила другая девица, вешавшая на сумки бирки.

Я поднатужилась, подпихнула к ней здоровенный тюк и, утерев пот, шепнула:

— Ревную очень, Федора-то одного оставить нельзя, мигом себе бабу найдет! Вот, приходится на поводке водить.

Девушки переглянулись.

— Да, дуры мы, — резюмировала первая, — все как одна. Вы на толпу гляньте. Те бабы, что сами багаж прут, наши, из России, за остальными мужики чемоданчики несут, вон там американки!

— У них же эмансипация, — удивилась я, — они ведь требуют, чтобы не было никаких различий между мужчинами и женщинами!

— Ага, — кивнула вторая служащая, — требуют, но чемоданы у них все равно парни таскают, эмансипация тоже имеет границы!

ГЛАВА 2

— Могла бы и не нести чушь про паралич, — обиженно протянул Федька, когда мы наконец-то уселись на места.

Я попыталась унять дрожь в отчего-то слишком тяжелых руках и парировала:

— А зачем ты приседал и охал?

— Так царапаются, гады, — пробормотал Федя, — и кусаются! Меня Вася за палец укусил, пока я его голову держал!

И он похлопал себе по левой ноге.

— По-моему, там Ася, — усмехнулась я.

— И еще они описались, — гудел Федька.

— Да? — удивилась я. — Вроде рептилии на такое не способны!

— Не знаю, — бубнил Федор, — мне мокро!

— Наверное, ты просто вспотел под скотчем. — Я попыталась его успокоить.

В этот момент начали разносить воду.

— Может, их напоить? — предложила я.

— Еще чего, — обозлился Федька, — чтобы они меня опять описали?

— Им, наверное, очень жарко и неуютно!

— Мне хуже!

— Вдруг они скончаются от обезвоживания, жалко ведь!

— И хрен с ними! — обозлился Федор. — Тебе-то хорошо! А я с крокодилами, примотанными к ногам!

— Все-таки их надо попоить, — настаивала я, —

аллигаторы живут в воде, представь, как они сейчас мучаются. И потом, если Ася с Васей умрут, Семен Кузьмич потребует аванс назад!

Федька крякнул:

— И как мы их поить будем?

— Ну... приспусти брюки, а я им стакан поднесу!

Федор слегка приподнялся в кресле.

— Давай, дергай штаны вниз.

Я выполнила приказ.

— Мама, а что они делают? — понесся по салону звонкий голос.

Маленький мальчик, лет шести, сидевший через проход от нас, с интересом наблюдал, как я пытаюсь справиться с Федькиными джинсами. Мой вам совет: совершая какие-нибудь действия и желая сохранить их в тайне, вначале посмотрите по сторонам, не маячит ли поблизости ребенок лет семи. Детское любопытство плюс непосредственность — удивительный коктейль.

Один наш приятель, Ваня Рагозин, — отец двух очаровательных близнецов. Жена его не работает, воспитывает восьмилетних проказников. Марина отличная мать. Никаких скандалов у них с Ванькой не бывает, они практически никогда не ругаются. Трения возникали лишь по одному поводу: близнецы обожали среди ночи залезть в супружескую кровать и лечь между отцом и матерью.

Пока дети были маленькими, Ванька стоически терпел незваных гостей, но потом принялся внушать мальчишкам, что им следует спать в своих постелях. Парнишки сопротивлялись как могли, выдвигая разнообразные аргументы: им страшно, холодно, темно... Ванька злился и ругал Маринку, а та, оказавшись меж двух огней, чувствовала себя более чем некомфортно.

И тут Рагозина отправили на неделю в командировку в Америку. Близнецы не растерялись и принесли отцу метровый список с перечислением всего, что они желают получить. Ваня потряс перед ними «манускриптом» и сказал:

— Куплю все, но, если узнаю, что за время моего отсутствия кто-то из вас спал у мамы в кровати, ничего не получите.

Близнецы поклялись, что даже не приблизятся к порогу родительской спальни, и Ванька отбыл в Штаты.

Теперь представьте картину. Аэропорт Шереметьево, огромный зал, набитый людьми. Маринка, разодетая, только что из парикмахерской, держит близнецов, ради торжественного случая наряженных в воскресные костюмчики.

Наконец появляется Ванька, толкающий перед собой тележку с багажом. Близнецы увидели две яркие коробки с роботами-трансформерами и заорали, перекрывая шум:

— Папа, пока тебя не было, с мамой никто не спал!

Все присутствующие замолчали, повернули головы и стали с огромным интересом разглядывать бордовую от гнева Марину. Она потом призналась нам, что хотела придушить мальчишек и с трудом удержалась от того, чтобы надавать им затрещин...

— Мама, — настаивал мальчик, тыча в нас пальчиком, — зачем тетя дядю раздевает? Они спать ложатся?

Мать отвлекла любопытное дитятко:

— В окошко глянь, вон какие тучи!

Ребятенок переключился на другое зрелище. Мамаша повернулась к нам и прошипела:

— Совсем стыд потеряли, тут дети! Вот сейчас стюардессу позову, пусть вас ссадит!

— Да зови кого хочешь! — рявкнул Федька.

Я наконец сумела сдернуть с него брюки и попыталась напоить рептилий. Крокодильчики, примотанные скотчем, выглядели плохо: глаза закрыты, на мордах самое несчастное выражение. Воду они не собирались даже нюхать. Я наклонила стакан.

— Эй, поосторожней, — зашипел Федька, — все на меня льется.

Но я, не обратив внимания на его стоны, попыталась обнаружить у несчастных животных признаки жизни. Тщетно, крокодильчики ни на что не реагировали.

— Кажется, они умерли!

— Во, блин! — подскочил Федька. — Давай их отвязывать, не хочу сидеть с дохлыми аллигаторами.

— А может, они просто спят? — засомневалась я.

— Толку от тебя, — обозлился Федька, — живого от покойника отличить не можешь!

— Фиг их разберет, крокодилов этих!

Федька нажал на нос одной из рептилий. Не открывая глаз, крокодильчик цапнул его за палец. Лапиков взвыл, из укушенного перста закапала кровь.

— Мама, — вновь заинтересовался мальчишка, — а чего он кричит!

— Вообще обнаглели! — возмутилась мамаша и нажала кнопку вызова стюардессы.

Я быстро накинула на Федьку плед.

— Прекрати визжать!

— Так больно же!

— Потерпи.

Тут появилась блондинка в синем костюме. Сначала она выслушала бабу, потом повернулась к нам:

— Что случилось?

Федька молчал, а я мигом сообщила:

— У него приступ язвы, болит очень.

Девушка кивнула и убежала. Спустя пару минут она вернулась, неся стаканчик.

— Выпейте, — велела она Федьке.

До моего носа долетел резкий запах валокордина. От ближайшей подруги, врача, я очень хорошо знаю, что валокордин помогает при язве, как чернослив при косоглазии, но Федьке сейчас надо молча выпить жидкость. Глянув на меня, Лапиков опрокинул в себя содержимое пластиковой емкости и пробормотал:

— Огромное спасибо, мне стало намного легче.

Дальнейший путь мы проделали без особых приключений. Федька тихо сидел в кресле, а я оставила всякие попытки напоить или накормить рептилий.

Дома я отдала всем «золотые» «Ролекс» и лихо наврала, что целые дни не вылезала из теплой воды, покидая приветливый океан только для того, чтобы слопать очередную порцию креветок. Мне очень не хотелось расстраивать домашних.

На следующее утро к нам прибежала Анька, жена Феди, и заявила:

— Лампа, забирай крокодильчиков!

— Зачем они мне? — попятилась я.

— Федька упал, в клинику отвезли, — пояснила Анька. — Тебе придется везти эту зеленую гадость профессору.

— Почему мне? — возмутилась я.

— Я боюсь аллигаторов, — честно призналась

она, — если они у нас еще денек проведут, с ума сойду.

У меня на языке вертелась масса справедливых слов. Во-первых, мозг подрядился доставить Федька, во-вторых, он получил аванс, в-третьих, я ничем ему не обязана, в-четвертых...

— Ну будь добра, — взмолилась Анька.

— Ладно, — кивнула я и получила коробку.

Ни одно доброе дело не остается безнаказанным!

Помня, что на улице вьюжно — ледяной московский февраль, — я замотала рептилий в шерстяной свитер. Ася и Вася вели себя абсолютно спокойно, они вновь были похожи на дохлых. Поместив утепленных крокодилов в коробку, я запихнула ее в сумку, сунула на заднее сиденье и порулила по данному Анькой адресу, очень надеясь, что успею вернуться домой до прихода домашних.

Последнее время езда по Москве превратилась в натуральный кошмар. Пробки возникают даже там, где их по определению не должно быть. Ну почему нужный мне крохотный переулок оказался забит машинами? Я подумала и оставила «Жигули» на стоянке у супермаркета. Пройду несколько десятков метров пешком, ничего со мной не случится. Надеюсь, крокодильчики не окочурятся от холода.

Красивый семиэтажный кирпичный дом оказался пятым по счету. Здание было кирпичным, а не прикидывалось таковым. Понимаете, о чем я говорю? Хитрые строители быстренько ставят домишко из блочных плит, а потом отделывают его панелями, имитирующими кирпич. Издали выглядит безупречно. Я сама видела, как вблизи нашего дома за пару месяцев возникла бетонная башня, трансформировавшаяся, как по мановению волшебной палочки, в кирпичную.

Вход в подъезд стерег домофон, я набрала код, потом взобралась на последний этаж, позвонила в квартиру. Дверь распахнулась мгновенно. На пороге появилась девушка лет двадцати, стройная, хорошенькая, одетая в короткую юбочку и розовый пуловер.

— Меня ждет Семен Кузьмич, — заявила я.

— Да, да, — не дослушала девица, — проходите, вот тапки.

Я сняла куртку, сапожки и была препровождена к большой двустворчатой двери. Девушка распахнула ее и сказала:

— Папочка, к тебе пришли.

В ответ не последовало ни звука. Профессор сидел в глубоком вольтеровском кресле, боком к входу. Мне отлично были видны его ноги, укрытые бежево-коричневым пледом, и какой-то толстый талмуд, лежавший у ученого на коленях.

— Семен Кузьмич не очень хорошо слышит, — вздохнула девушка, — а когда зачитается, вообще беда, ни на что не реагирует. Да вы идите!

С этими словами она исчезла. Я шагнула в комнату и вздрогнула. Такое ощущение, что лента времени, стремительно размотавшись, отбросила меня назад, в детство. Кабинет Семена Кузьмича как две капли воды походил на рабочую комнату моего отца: те же мрачные дубовые шкафы, набитые книгами, огромный письменный стол и куча дипломов на стене.

Кстати, мой папа тоже погружался с головой в работу, и мамочке приходилось звать его к столу по десять раз. Устав от бесполезного крика, мама говорила мне: «Фросенька, дружочек, сбегай в кабинет»[1].

Я влетала в комнату и орала: «Папочка, ужинать!»

Отец вздрагивал, поворачивал ко мне лицо, и я каждый раз поражалась: такими отрешенными были его глаза. Но потом он вздыхал и, превратившись в моего любимого папочку, говорил: «Ох и напугала! Подкралась и закричала! Разве так можно!»

Я осторожно прошла по толстому ковру, приблизилась вплотную к креслу и поняла, что Семен Кузьмич спит. Пожилой профессор пригрелся под теплым одеялом и задремал. Ситуация не показалась мне странной, я сама частенько, в особенности зимой, засыпаю над книгой. Но не могу же я сидеть тут пару часов, поджидая, пока он проснется? Нужно разбудить старика. Сначала я тихонько кашлянула, потом сделала это погромче, затем позвала:

— Семен Кузьмич!

Но он не шевелился. Поколебавшись, я хотела потрясти его за плечо, но тут взгляд упал на кисти ученого, и мне стало не по себе. Когда человек сидя мирно дремлет, его руки обычно расслабленно покоятся на коленях. Но скрюченные пальцы старика, очевидно, сведенные судорогой, вцепились в плед. Мне стало страшно, однако я все же потрясла профессора за плечо.

— Семен Кузьмич!

Тело уехало влево, покосилось, книга свалилась

---

[1] Настоящее имя Евлампии — Ефросинья, история о том, как она его поменяла, рассказана в книге «Маникюр для покойника». Изд-во «Эксмо».

на пол, но ученый не поднял головы, свесившейся на грудь.

На подгибающихся ногах я вышла в коридор и стала заглядывать во все комнаты, ища внучку дедушки. В состоянии, близком к истерике, я ввалилась на кухню и обнаружила девицу мирно пьющей кофе.

— Вы уже уходите? — улыбнулась она.

— Извините, — пролепетала я, — но ваш дедушка...

Девчонка сделала глоток и прервала меня:

— Семен Кузьмич мой муж.

— Простите, но...

— Ничего, ничего, я привыкла.

— Он...

— Замечательный человек и великий ученый.

— Да, конечно, но ему плохо, похоже, сердечный приступ.

Девица вскочила и понеслась в кабинет, я медленно потащилась за ней. Да уж, я хотела поделикатней намекнуть ей, что Семен Кузьмич скончался, а вышло как в анекдоте, когда доктор, отправляя санитара сообщить родственникам о кончине Иванова, просит: «Ты там поосторожней, ну не сразу все им на голову вываливай».

Санитар выходит в холл, видит толпу людей и говорит: «Так, все, кто хочет навестить своих, встаньте слева. А вы, Ивановы, куда прете, вам теперь туда не надо. Ждите справа, я вам сейчас деликатно объясню, что случилось!..»

Из кабинета донесся вопль. Я вернулась на кухню, налила в стакан воды и пошла отпаивать вдову. Да, похоже, мне придется тут задержаться. Не бросать же бедняжку в такой ужасной ситуации одну. Надо же, оказывается, этот старик ее муж, ну и ну, да у них разница в возрасте лет пятьдесят!

Когда я вновь вошла в кабинет, девица прекратила визжать и неожиданно тихо сказала:

— Это не он!

Я подскочила.

— Как не он! В кресле не ваш муж? А кто?

— Нет, там Семен Кузьмич, — прошептала она.

Я протянула ей стакан воды:

— Выпейте и позвоните в «Скорую помощь», вдруг ему еще можно помочь!

Честно говоря, то, что профессор мертв, было понятно сразу, но вызвать медицину все равно надо.

— Это не он, — повторила «профессорша», — не Веня, не Веня, не Веня...

Понимая, что у нее начинается истерика, я толкнула ее на диван, сунула ей в руки стакан и попыталась привести в чувство.

— Конечно, не Веня.

— Вы верите, да? — Хозяйка подняла на меня голубые глаза.

Я увидела на маленьком столике трубку радиотелефона, без спроса схватила ее и, набирая «03», ответила:

— Естественно, сколько лет вашему Вене?

— Двадцать пять.

— А в кресле сидит совсем пожилой, даже старый человек, это не Веня, а Семен Кузьмич.

Девица одним махом осушила стакан и стала слушать, как я объясняюсь с диспетчером. И только когда трубка снова вернулась на столик, хозяйка ожила.

— Это не Веня убил!

— Кого? — вздрогнула я. В комнате, несмотря на горячие батареи, было прохладно.

— Семена Кузьмича.

— Кто говорит об убийстве, — я попыталась ее успокоить. — Ваш муж человек преклонных лет. Очевидно, он страдал сердечно-сосудистыми заболеваниями. Конечно, ужасно, когда близкий тебе человек уходит из жизни. Но, с другой стороны, он покинул этот мир сразу, без мучений и страданий, быстро...

— Даже слишком быстро, — перебила она меня, — вы его лицо видели?

— Нет, — растерялась я, — голова-то свешена на грудь, волосы у вашего супруга достаточно длинные...

Внезапно девица вскочила, подлетела к креслу и убрала с лица трупа прядь седых волос. Я ойкнула и стекла на диван.

Прямо посередине лба виднелась маленькая, аккуратная темно-бордовая дырочка.

ГЛАВА 3

Домой я явилась к ужину, держа под мышкой коробку с крокодильчиками. Ира, так звали молоденькую жену убитого профессора, была настолько потрясена случившимся, что у меня не хватило духу всучить их ей.

И потом, зачем они Ире, если Семен Кузьмич ушел в лучший из миров?

Правда, я попыталась было вернуть Асю и Васю Федору, но дверь в его квартиру открыла теща Лапикова и запричитала:

— Ой, ой, ой! Федора в больницу сволокли! Ну прям беда, Натка со сломанной ногой, и Федька тоже, как сговорились, Анька в клинике, а вдруг я заболею? Кто за мной ухаживать будет!

Сами понимаете, предлагать человеку в такой ситуации еще и крокодилов, пусть даже совсем крохотных, было не с руки, и я потащила коробку к себе.

Узнав, что в нашей семье временно, до выздоровления Федьки, поживут два аллигатора, Кирюшка страшно обрадовался, Юлечка же сурово спросила:

— И где они будут находиться?

— В ванне, конечно, — затарахтел Кирюшка, — в воде.

— А мыться как? — налетела на него Юля.

— Будем в баню ходить!

— Еще чего! — закричала она.

— Зачем ты орешь? — возмутилась Лиза. — Чем тебе крохотные крокодильчики мешают, такие прикольные, Ася и Вася! Надо девочкам показать.

— Ага, — кивнул Кирюшка, — и Петьке тоже!

— Вот! — торжественно заявила Юля. — Вот этим и мешают! Во-первых, сюда, словно в зоопарк, начнут шляться все школьники Москвы и области, во-вторых, не помыться, в-третьих, звери вырастут и сожрут всех: нас, собак, кошек, хомяков и жабу.

Кирюшка покосился на аквариум, где мирно дрыхла заматеревшая от старости Гертруда, и переставил его на холодильник. На лице мальчика читалось: ну сюда-то им точно не добраться!

— Крокодилы у нас ненадолго, — быстро сообщила я, — лишь до выздоровления Федьки.

— А если он там полгода проваляется? — не успокаивалась Юля. — Прикажете мне принимать душ, стоя по колено в аллигаторах?

— Вредная ты, — покачала головой Лиза, — прям сил нет! Какие проблемы?! Когда соберемся купаться, переложим их в таз.

— Они нас сожрут, — не успокаивалась Юля.

— Не волнуйся, тебя не тронут, — утешил ее Кирюшка.

— Это почему? — настороженно поинтересовалась Юлечка.

— Тебе уже двадцать пять лет, — на полном серьезе ответил он, — твое мясо старое, жилистое, невкусное, в общем, фу! Это нам с Лизкой бояться надо.

Пару секунд Юлечка хлопала глазами, потом выхватила у меня из пальцев журнал «Семь дней» и, треснув им Кирюшку по макушке, прошипела:

— Ну погоди, я тебе покажу старое мясо. Только приди, только попроси очередное сочинение написать!

Выпалив последнюю фразу, она вылетела в коридор с такой скоростью, словно за ней и впрямь неслась стая крокодилов, злобно щелкая зубами.

Перед тем как лечь спать, я сунула нос в ванную и полюбовалась на Асю и Васю. В большой белой чаше они выглядели сиротливо и уныло. Я ощутила укол совести. Бедные малыши, привезли их из солнечного теплого Таиланда в снежную февральскую Москву. Вместо бассейна или реки с водорослями — пахнущая хлоркой вода. И, наверное, они голодны. Интересно, чем кормят крокодилов? Надо завтра поехать в зоомагазин «Марквет» и все разузнать. Не удивлюсь, если найду в продаже специальный сухой корм для аллигаторов.

ГЛАВА 4

На следующий день я дежурила на работе. Тем, кто плохо знаком со мной, объясняю, что мы с моей подругой Федорой открыли детективное агентство

«Шерлок». Контора наша дышит на ладан, клиентов практически нет. В свое время, когда у моего ближайшего приятеля Володи Костина случились крупные неприятности на службе — я об этом уже рассказывала и повторяться не хочу[1], — он сгоряча подал заявление об уходе из органов внутренних дел. Целых три дня Вовка ходил непохожий на себя, пугая нас своим решением пойти работать охранником в бутик. И тогда я предложила майору «вступить в долю».

Володя оживился, повеселел, приехал в «Шерлок» и разочарованно заявил:

— Это же контора умершего кролика!

Мы с Федорой обозлились, но Вовку было жаль, поэтому ничего не сказали ему, только предложили:

— Давай, налаживай дело.

Костин очень вяло отреагировал на это предложение, но тут его вызвали на прежнее место работы, и... Володя благополучно вернулся назад. Вскоре ему должны присвоить новое звание, и он стал совсем таким, как до знакомства со своей, с позволения сказать, женой. Единственное, что он перестал делать, — это крутить бесконечные романы, похоже, история с женитьбой начисто отбила у него охоту иметь дело с дамами.

Сейчас Федора укатила со своим благополучным, богатым мужем на отдых за границу. Мне она перед отъездом велела:

— Сиди каждый день в конторе, авось клиенты появятся.

— Откуда бы им взяться? — вздохнула я.

---

[1] См. книгу Дарьи Донцовой «Камасутра для Микки-Мауса». Изд-во «Эксмо».

— Я объявление в газеты дала, — пояснила Федора, — надеюсь, сработает!

Я была настроена не столь оптимистично, но указание выполнила. В здание, где мы арендуем комнату, прибываю к десяти утра, а ухожу в восемнадцать. Телефон молчит, а в дверь стучат крайне редко, в основном клиенты фирмы «Путешествие-тур», которая расположена рядом с нами. Только не подумайте, что этим людям необходим частный детектив! Они просто путают двери.

На работе я провожу время в полное свое удовольствие. Сажусь в кресло и начинаю читать книги. Одна беда — зарплаты нет никакой, что, в общем, понятно. Откуда бы «Шерлоку» взять средства на оплату сотрудников? Кстати, хоть нас с Федорой всего двое, агентство открыто по всем правилам, с лицензией, мы имеем красивые темно-бордовые удостоверения.

У Федоры там записано: «Генеральный директор частного детективного агентства «Шерлок». У меня — «Начальник оперативно-розыскного отдела». Хорошо, что в этих документах не принято указывать, сколько сотрудников у вас под началом, потому что мой отдел состоит всего из одной штатной единицы, то бишь меня. Федора, впрочем, имеет одну подчиненную в моем лице.

Вытащив из сумки очередную Устинову, я включила чайник, напилась бодрящего напитка и погрузилась в чтение. Очень многие знакомые мне женщины ни за что не бросят работу по одной простой причине: на службе они отдыхают от семьи. Спору нет, хорошо иметь мужа, детей и кучу родственников. Но еще лучше, когда есть возможность не видеть никого из них хоть несколько часов в сутки. Хуже всего сидеть дома, не работая, проводить время либо у телевизора, либо на кухне. Можете мне поверить, домашняя хозяйка — это очень тяжелая должность, намного приятнее ходить в присутствие.

В дверь постучали.

— Войдите! — крикнула я, не поднимая головы.

— Можно? — раздался мелодичный голосок.

По-прежнему не отвлекаясь от Устиновой, я сообщила:

— «Путешествие-тур» следующая дверь. Здесь детективное агентство «Шерлок».

Честно говоря, я ожидала, что обладательница милого сопрано, прощебетав: «Ой, извините», тут же исчезнет.

Но она неожиданно заявила:

— Мне как раз и нужен «Шерлок».

Пораженная до глубины души, я отложила книгу, перевела глаза на посетительницу, та посмотрела на меня...

— Вы?! — воскликнули мы одновременно.

Было чему удивиться. Передо мной, распространяя запах дорогих французских духов, стояла Ирочка, жена, вернее вдова, Семена Кузьмича.

Оправившись от изумления, я вытащила банку с кофе, пакетики чая, печенье и радушно пригласила:

— Рассказывайте, что привело вас сюда.

Ирочка осторожно устроилась в кресле и пробормотала:

— Ну и совпадение, бывает же такое!

— В жизни случается много неожиданного, — философски заметила я.

— Мне нужна помощь, — подняла на меня светло-голубые глаза Ира, — очень!

Я воодушевленно кивнула. Даже если она велит

мне заняться поисками пропавшей болонки, я непременно возьмусь за дело.

— У меня есть деньги, — частила Ира, — много, хватит заплатить вам.

— Давайте сначала выясним суть проблемы, а потом обсудим финансовые вопросы, — осторожно предложила я.

— Веню арестовали, но он не виноват!

— Это кто?

— Веня? Мой друг!

Читай, любовник.

— И что вы хотите от «Шерлока»?

— Найдите настоящего убийцу, тогда Веню отпустят!

Я попыталась разложить услышанную информацию по полочкам.

— Значит, ваш... э... друг обвиняется в убийстве, а вы уверены в его невиновности.

— Да, точно!

— Кого же он убил?

— Никого! — возмутилась Ира.

Ладно, задам вопрос иначе:

— В убийстве кого обвиняют Веню?

— Семена Кузьмича, но это неправда. Да, он заходил в кабинет, но...

В ту же секунду передо мной возникла картина: вот я вхожу в кабинет несчастного профессора, и первая фраза, которая вылетает из уст Ирочки: «Это не он, не Веня!»

— Конечно, мы любили друг друга, — бубнила она, — но Семен Кузьмич нам не мешал, даже наоборот.

Я послушала пару минут ее сбивчивую речь и прервала Иру:

— Ну-ка, начните от печки, рассказывайте, как вышли замуж за Семена Кузьмича, откуда взялся Веня...

Ирочка запнулась, допила чай и принялась довольно бессвязно рассказывать.

Ирина москвичка, ее детство прошло в Кузьминках. До недавнего времени у нее имелись мама, папа и бабушка. Нормальная российская семья, не слишком бедная и совсем не богатая, с трехкомнатной квартирой, дачкой на шести сотках и потрепанными «Жигулями». Отец пил только по праздникам, мать ругала дочку примерно раз в месяц. В общем, еще пару лет назад Ирина чувствовала себя абсолютно счастливой. Она без особых проблем поступила в институт и вполне благополучно закончила первый курс. Но потом фортуна решила, что Ира живет слишком хорошо, и на семью посыпались несчастья.

В сентябре ее родители отправились на свои шесть соток за картошкой. Когда дочь с зятем не явились ночевать, бабушка разнервничалась, собралась бежать в милицию. Ира ее отговорила: мол, у них машина сломалась, вот и решили на даче задержаться.

Утро началось со звонка. Очень вежливый голос сообщил, что автомобиль попал в аварию, шофер и пассажирка мертвы. Бабушка не пережила это известие, скончалась от сердечного приступа. Обезумевшей Ирочке нужно было похоронить трех покойников. Спасибо, соседи по подъезду и однокурсники не бросили, помогли организовать похороны и поминки. Отплакав девять дней, Ира внезапно поняла: она осталась совсем одна. Тощие накопления, доллары, которые ее мама складывала в комод, быстро разлетелись. Жить было не на что.

Ира стала усиленно искать работу, бросить институт она не могла, поэтому подрядилась в «Макдоналдс», поближе к еде. Молодой организм постоянно требовал калорий. А еще она сдала две комнаты в квартире студентам из своего института. В одну въехал Веня, мальчик из провинции. У него с Ирочкой завязался роман, но Веня не спешил делать ей предложение. Да и зачем — они и так жили вместе.

Несмотря на подработку и сданную жилплощадь, денег хронически не хватало. Сами понимаете, что Веня любовнице за комнату не платил, правда, отдавал ей свою степендию в количестве трехсот рублей. Часто задерживала плату и девочка, живущая в бывшей спальне бабушки. Потом она вообще уехала, не заплатив.

Ирочка, постоянно где-то подрабатывающая, запустила учебу, не ходила на лекции, прогуливала семинарские занятия, и итог оказался плачевен: она завалила экзамен по биологии.

Когда она, рыдая, вышла в коридор, к ней подошла пятикурсница Света и спросила:

— Ваще утонула?

— Ага, — шмыгнула носом Ира, — такой молодой, а гад!

— Кому сдавала?

— Виктору Сергеевичу.

— Это аспирант?

— Да.

— Не повезло тебе, — покачала головой Светка, — хуже всего этим недоделанным кандидатам отвечать! Злобствуют просто дико! Ничего, я тебя сейчас научу, как поступить! Ты езжай к заведующему кафедрой на дом.

— К Семену Кузьмичу? — испугалась Ира.

— Именно.

— Что ты, — замахала руками прогульщица, — мне ему вовек не сдать! Да и вытурит он меня, я все лекции прогуляла.

— Не бойся, — усмехнулась Светка, — он классный дядька. Придешь к нему, поплачешь и мигом «пять» получишь. Семен слез не выносит, только езжай обязательно домой, на кафедре у него бабы сидят, профессорши, так они к нему никого не подпускают, жабы.

— А он ко мне приставать не станет? — насторожилась Ира.

Светка расхохоталась:

— Кто? Семен? Да ему сто лет небось стукнуло. Впрочем, говорят, он и в молодые годы никого не тискал, жену любил, умерла она пару лет назад, с тех пор один живет.

Иришка послушалась Светку и приехала к Семену Кузьмичу. Ее неприятно поразила запущенная, грязная квартира. Похоже, профессор не заглядывал в комнаты, жил в кабинете.

Семен Кузьмич встретил двоечницу радушно и провел ее на кухню.

— Садитесь, мой ангел, не плачьте. Ей-богу, такая ерунда! Сейчас выпьете чайку, согреетесь. Кстати, где заварка?

Профессор начал перебирать банки. Но ни чая, ни кофе, ни сахара не нашлось.

— А, — старик хлопнул себя по лбу, — в гостиной, в буфете.

Он вышел, Ира не удержалась и открыла холодильник. Там на полке сиротливо стояла одинокая банка майонеза, больше ничего не было.

Когда Семен Кузьмич вернулся, неся вазочку с

твердокаменными карамельками, Ирочка спросила:

— Вы один живете?

Профессор кивнул:

— Да, дружочек, моя супруга скончалась.

— А дети? — продолжала его допрашивать Ира.

— Их не было, — спокойно пояснил он.

— Кто же за вами ухаживает?

Ученый растерянно пробормотал:

— Да никто, а зачем?

— Где же вы едите?

— В институте, в столовой.

— А сегодня, в воскресенье?

— В воскресенье, — эхом повторил Семен Кузьмич, — так мне много не надо, может, вечером пойду в магазин, заодно и чай куплю. Право слово, неохота сейчас брести, холодно очень.

Внезапно Ире стало жаль старика.

— Давайте деньги, — велела она, — сгоняю вам за продуктами.

— Что вы, деточка, — испугался Семен Кузьмич, — я и сам могу.

Ира прищурилась.

— Вы мне доброе дело сделали? Пятерочку просто так поставили? Так я вас отблагодарить хочу!

— Ангел мой, любой на моем месте... — начал профессор.

— Вовсе нет, — перебила его Ира, — знаете, чего ваш Виктор Сергеевич требует? Он «отлично» только на диване ставит.

— Почему? — захлопал глазами профессор. — По-моему, за столом удобнее!

Ира хмыкнула, похоже, наивность Семена Кузьмича просто беспредельна. Да в институте с десяток преподавателей, пользуясь зависимым положением студенток, принимают зачеты «на диване».

— Давайте деньги, — повторила она, — а то на свои куплю!

— Упаси бог! — воскликнул Семен Кузьмич и пошел искать портмоне.

ГЛАВА 5

Ирочка совсем не белоручка, покойная бабушка научила ее готовить. Поэтому она не только забила холодильник Семена Кузьмича йогуртами, сыром, маслом, колбасой, но еще и сварила борщ, навертела котлет и пожарила картошку.

Профессор быстро съел обед и сказал:

— Ангел мой, вы устроили мне праздник. Хотите, покажу вам альбом «Лувр»?

Не дожидаясь ее согласия, он вытащил огромное иллюстрированное издание и, перелистывая страницы, начал рассказывать о картинах.

Неожиданно Ирочка впала в состояние, близкое к трансу. За окнами мела ледяная вьюга, в кабинете было тепло, она, прикрытая шерстяным пледом, пригрелась, словно кошка на батарее. Семен Кузьмич монотонно бормотал о Гогене, в какой-то момент он наклонился к ней и спросил:

— Вам все понятно, душа моя?

Ирочка почувствовала запах мужского одеколона и трубочного табака. Она чуть не зарыдала, точно так пахло от ее погибшего папы, он тоже, как Семен Кузьмич, курил трубку. И еще, она иногда сидела вместе с отцом в одном кресле, и он объяснял ей плохо понятную геометрию.

Огромным усилием воли девушка справилась с подступающими рыданиями и вдруг ощутила полный душевный покой, которого не испытала ни разу после гибели родителей.

Когда Ира собралась уходить, профессор глянул на ее яркую коротенькую курточку и покачал головой.

— Детка, вам не холодно?

— Нормально, — шмыгнула носом она.

— Надо купить теплое пальто, — не успокаивался Семен Кузьмич.

— Скоро весна, — отмахнулась Ира.

Внезапно профессор открыл шкаф и вытащил серую норковую шубку.

— Вот, надевайте.

— Что вы! — шарахнулась она.

— Дружочек, — вздохнул Семен Кузьмич, — это манто принадлежало моей жене, Розалии Львовне. У меня рука не поднимается вынести ее вещи из дома, хотя супруга скончалась несколько лет назад. Шуба никому не нужна, Розалия Львовна была бы очень довольна, узнав, что она досталась вам. Пожалуйста, не конфузьтесь.

Уже стоя в дверях, Ирочка спросила:

— Можно прийти в субботу? Я вам квартиру уберу.

— Что вы, ангел мой, не надо.

— И вы мне альбом до конца не показали.

— Конечно, дружочек, — оживился Семен Кузьмич, — буду рад.

Ира спустилась на первый этаж, села на подоконник и, прижавшись лбом к грязному стеклу, тихо заплакала. От шубы пахло нафталином, а в одном из карманов обнаружилась зажигалка, очевидно, жена профессора тоже курила.

С тех пор Ирина стала бегать к Семену Кузьмичу. Сначала раз в неделю, потом два, затем три, наконец — каждый день.

Веня только недоумевал:

— Какого черта тебе этот старик нужен? Будь он помоложе, я ревновать бы начал!

Ира отшучивалась. Она не хотела объяснять Вене, что рядом с Семеном Кузьмичом чувствует себя девочкой при папе, защищенной от всех бед и горестей. И потом, признающийся ей в любви Веня постоянно жалуется на безденежье и не пытается зарабатывать. Любовника совершенно не беспокоит, есть ли у Иры зимние сапоги и где она возьмет деньги, чтобы купить продуктов им на ужин. А Семен Кузьмич, несмотря на возраст, читает лекции в трех вузах. А еще он отвел Иришку в обувной магазин и велел:

— Душа моя, ну-ка выбери приличную теплую обувь, нельзя по холоду в туфлях бегать. Только, умоляю, не покупай вон те, на каблуках, поскользнешься и сломаешь ноги.

Именно эту фразу сказал бы, будь он жив, Ирочкин отец. И ей вдруг пришло в голову, что в целом мире есть только один человек, которого интересует, не промочила ли она ноги, это Семен Кузьмич.

В апреле профессор заболел, и Иришка просто переселилась к нему, ухаживала за стариком. Дней через пять после того, как она почувствовала себя хозяйкой в доме Семена Кузьмича, к заведующему явилась одна из преподавательниц с его кафедры, вручила больному килограмм яблок, потом, поманив Иру пальцем в коридор, принялась шипеть:

— Ты, дрянь, решила округить старика? Думаешь, если он умрет, все тебе достанется?

Испуганная Ирочка вжалась в стену, а ученая

дама, чуть ли не размахивая кулаками, брызгала слюной:

— Имей в виду, твой расчет не оправдается. Мы откроем Семену Кузьмичу глаза!

— Светлана Анатольевна! — прогремел бас.

Ира вздрогнула. На пороге спальни стоял Семен Кузьмич.

— Светлана Анатольевна, — повторил он, — Ирина моя законная жена, вас совершенно не касается наша личная жизнь, ступайте восвояси, вам отказано от дома!

Когда дама, пунцовая от злости, ушла, Семен Кузьмич сказал:

— Ирочка, я очень хотел бы удочерить тебя, всегда мечтал о такой доченьке, как ты, но никто из-за возраста не разрешит мне признать тебя официально своей родственницей. Я уже стар, и никого, кроме тебя, у меня нет. Все, что имею: квартира, дача, деньги на книжке, — в случае моей кончины отойдет государству. У нас только один путь — это оформить брак. Как мужчина я не сумею быть тебе полезен, стану отцом!

Ирочка бросилась Семену Кузьмичу на шею.

— Папочка, я люблю тебя.

Пришлось объяснить Вене, почему она выходит замуж за другого. Ира ждала скандала, крика, даже побоев, но парень неожиданно сказал:

— И правильно! Семен-то на ладан дышит, все тебе достанется. Валяй, расписывайся, станешь вдовой, мы поженимся.

Ирочка испугалась. Больше всего на свете она боялась, что Семен Кузьмич умрет.

Вот так студентка трансформировалась в «профессоршу», а фактически — в дочку академика. Семен Кузьмич вначале радушно принимал Веню, пил с ним чай, но потом, не делая никаких замечаний, перестал выходить из кабинета, когда парень появлялся в квартире.

— Угощай кавалера, солнышко, — говорил он, — у меня срочная работа.

Через какое-то время Ирина спросила:

— Тебе не нравится Веня?

Муж отложил книгу.

— Хочешь правду?

— Конечно.

— У него в сердце нет любви, — ответил профессор.

— Ко мне? — насторожилась Ира.

— К людям вообще, — со вздохом ответил Семен Кузьмич, — случается, что человек рождается без слуха, бывает, без зрения, а вот он лишен умения любить. Веня не виноват, он таким явился в этот мир, какой-то дефективный ген попался. Мне не хочется, чтобы ты связывала с ним свою судьбу, счастья тебе это не принесет.

— Ну пожалуйста, папочка, — попросила Иришка, — ради меня, не дуйся, пойдем с нами чай пить.

— Хорошо, дружочек, — кивнул профессор.

С тех пор он больше не забивался в кабинет при виде парня, и все шло прекрасно, вплоть до того утра, когда профессор был убит, а Веня арестован.

— Но почему милиция заинтересовалась юношей? — удивилась я.

Ирочка вздохнула:

— Накануне вечером мы поругались.

— С Семеном Кузьмичом?

— Нет, с Веней. Он приехал такой взбудораженный:..

Ирочка открыла дверь, а любовник с порога набросился на нее:

— Мне предложили хорошую работу, оклад тысяча баксов.

— Здорово, — обрадовалась она.

— Ничего хорошего.

— Почему?

— Нужна постоянная московская прописка.

Ирочка замолчала.

— Пропиши меня к себе, — велел Веня, — да быстро, за три дня сумеешь?

— Ну, — замялась Ира, — не знаю! Могут возникнуть трудности, ты же мне никто!

— Ах, никто, — завелся Веня, — а кто тебе «кто»? Этот старый пердун?!

— Не смей так говорить! — взвилась Ира. — Мой отец...

— Ой, отец! — взвизгнул Веня. — Ща умру! Старый козел!

— Ну уж на козла я мало похож, — прогудел из кабинета Семен Кузьмич, — это животное поджарое, тощее, я скорей дряхлый бегемот.

— Во! — восхитился Веня. — Обычно глухой, как пень, а тут услышал!

Ирочка залепила любовнику пощечину, тот, не задумываясь, дал ей сдачи. Семен Кузьмич, прибежав на шум, попытался растащить парочку. В общем, случилась национальная русская забава: скандал с мордобоем.

В конце концов Веня ушел, а Ирочка прорыдала на плече у профессора полночи.

— Не плачь, дружочек, — утешал ее Семен Кузьмич, — вот в понедельник придет ко мне молодой человек, Павел Самсонов, ты к нему приглядись.

На следующее утро, ровно в девять, раздался звонок. Ира, не посмотрев в «глазок», распахнула дверь и попятилась. На пороге стоял Веня.

— Извини, — забормотал любовник, — я выпил вчера чуток, сам не знаю, что на меня нашло. Ну дурак я! Дай к Семену пройти, извиниться хочу!

— Папочка, ты в кабинете? — крикнула Ира.

— Да, солнышко, — донеслось в ответ.

— Ступай, — кивнула она.

Веня пробыл в комнате минут пять, потом заглянул на кухню.

— Поговорили? — поинтересовалась Ира.

— Ага, — кивнул парень, — простил он меня.

Ирина, помня пословицу про долгие обиды, решила сделать вид, что ничего не произошло, и предложила:

— Хочешь кофе?

— Нет, побегу, — сказал Веня, — Семен просил его к завтраку не звать, работать сел.

Нисколько не удивленная этим сообщением, Ира проводила любовника до двери и, не заглядывая к мужу в кабинет, пошла на кухню. За несколько лет брака она очень хорошо поняла: больше всего профессор не любит, если кто-нибудь входит в комнату, когда он работает.

— Значит, Веня был последним, кто заглядывал в кабинет? — уточнила я.

Ира кивнула.

— Больше никто не приходил?

— Нет. И потом...

— Что?

Ирина принялась водить наманикюренным пальчиком по столешнице.

— Тут такое дело...

— Какое?

— Сразу после того, как ушел от нас, Веня поехал на вокзал, взял билет и отправился к матери, в Рагозино. Там его и арестовали.

Я покачала головой: да уж, ничего хорошего.

— У него нашли билет в Челябинск, — монотонно говорила Ира, — а его мама сообщила, что он приехал просить у нее денег, как можно больше, сказал, что у него долг и его могут убить. Вот менты и сложили все одно к одному: убийство Семена Кузьмича, побег к матери, билет в Челябинск. Они считают, что Веня решил пристрелить профессора, чтобы иметь возможность жениться на богатой вдове, то бишь на мне. А потом, совершив преступление, собрался скрыться. Но денег-то у него не было, только и хватило, что на электричку до матери.

— Да уж, — вздохнула я, — что тебе тут сказать! Ужасная ситуация, прими мои соболезнования.

— Веня не убивал, — стукнула крохотным кулачком по столу Ирочка, — он не такой.

Я молча смотрела на раскрасневшуюся девушку. Да, «он не такой, не такой, как все, совсем другой», замечательный и уникальный, не способный ни на какую гадость... Сама я когда-то так думала про одного мужчину. Прозрение далось мне дорого.

— Он не убивал! — твердила Ира.

— Но ведь больше никого в доме не было?

— Да.

— Значит, он.

— Нет!

— Тогда ты.

— Я?!

— Именно. В квартире находились три человека, один убит, кто попадает под подозрение?

— С ума сошли! — обиделась Ирина. — Семен Кузьмич мой второй отец!

— Тогда Веня.

— Нет!!!

— А кто?

— Вот это я и хочу выяснить! Заплачу любые деньги!

Я пододвинула к Ире прейскурант услуг:

— Вот наши расценки.

— Отлично, меня они устраивают.

— Еще нужна сумма на расходы, естественно, получишь потом чеки, квитанции, билеты...

— Не надо, я вам верю, — быстро сказала Ира, вытаскивая кошелек.

Я взяла деньги и решила ее предупредить:

— Ты на самом деле хочешь начать расследование?

— Ну конечно.

— Понимаешь, что результат может оказаться очень неприятным?

— Вы о чем?

— Вполне может случиться, что вместо доказательств невиновности Вени я нарою неопровержимые улики, свидетельствующие о том, что он убийца.

Ирочка стала кусать нижнюю губу, потом заявила:

— Хорошо, ищите. Милиция этого делать не станет. Менты уверены: виноват Веня.

— А если и я докажу то же самое?

— Тогда я постараюсь пережить это известие, — очень тихо сказала Ира.

— Ты знаешь, кому он якобы задолжал деньги?

— Да, Алеше Корсакову, он с нами вместе учится.

— Давай его телефон, — велела я. — Отчет о проделанной работе будешь получать раз в неделю.

Ира кивнула, вытащила записную книжечку, продиктовала номер, потом встала, пошла к двери и, обернувшись, заявила:

— Я люблю Веню, это не он!

И исчезла, в воздухе остался лишь тонкий аромат незнакомых мне дорогих духов. «Я люблю Веню, это не он». У каждого, даже самого страшного серийного убийцы найдется женщина, которая его обожает, — мать, жена или сестра.

ГЛАВА 6

Я набрала номер мобильника, который продиктовала Ирина. Бесстрастный женский голос затвердил мне в ухо:

— Аппарат абонента выключен или находится вне зоны действия Сети.

Предприняв несколько неудачных попыток, я заперла кабинет и поехала в магазин «Марквет», расположенный на Ленинградском проспекте.

Вежливый молодой человек, облаченный в белый халат, выслушал мой сбивчивый рассказ и ужаснулся:

— Вы опустили их в воду?

— А что, нельзя? — испугалась я. — Вообще говоря, я считала, что аллигаторы живут в реках.

— Точно, — кивнул ветеринар, — вопрос: в каких? Наша московская вода с хлоркой для них губительна.

— Ой! Что же делать?

— Купите любую бутилированную.

Я кивнула:

— Ясно, а чем кормить?

— Мясом — говядиной, свининой, курицей...

Не успел он закончить фразу, как в зал вошла парочка — оба с азиатской внешностью.

— Нам есть необходимо быть червяком! — заявил мужчина, нагло не обращая на меня никакого внимания.

— Что? — попятился ветеринар.

— Нам есть необходимо быть червяком, — повторил азиат, тыча пальцем в аквариум.

Скорей всего, ему был нужен корм для рыбок. Иногда иностранцы, кое-как владеющие русским языком, говорят совершенно гениальные вещи. Память услужливо подсунула воспоминание.

Вместе со мной в консерватории учились двое немцев. Кое-как они освоили азы русского языка, но словарного запаса для нормальной жизни им катастрофически не хватало. Один раз парни решили купить курицу и отправились на рынок. Дело было еще в коммунистические времена, и с продуктами наблюдалась напряженка.

Пошатавшись по рядам, немцы нашли говядину, свинину, баранину — все, кроме курицы. А как сказать по-русски «курица», они забыли. Тогда одному из них пришла в голову замечательная идея. Он купил одно яйцо и... В общем, представьте картину. По рынку бегают два всклокоченных блондина, суют всем торговцам под нос яйцо и с диким акцентом вопрошают:

— Где его мать? Покажите нам ее!

До сих пор удивляюсь, почему их не забрали в сумасшедший дом.

— Есть червяк? — повторил вьетнамец.

Я обозлилась:

— Есть червяк, есть очередь, встаньте за мной!

— Не понял, — азиат прикинулся идиотом, — дай червяк!

Я показала ему пальцем за свою спину.

— Стоять там, ждать червяк.

Вьетнамец покорился. Внезапно на меня напала злость. Очень не люблю наглости, этот иностранец, очевидно, великолепно знает, что следует подождать, пока предыдущий покупатель отойдет от продавца, но тем не менее полез вперед, надеясь, что я интеллигентно промолчу. Ну уж нет, получишь своих червяков после меня!

Запомнив исчерпывающие указания по содержанию аллигаторов, я выпала на улицу и отправилась в супермаркет, где принялась соображать, сколько пятилитровых канистр с водой требуется приобрести. Пораскинув мозгами, я обратилась к продавщице:

— Вы не знаете количество литров в ванне?

— Какой? — оторопела она.

— Ну, в самой обычной, российского производства.

— Мы торгуем продуктами, — резонно ответила девица, — вам лучше обратиться в магазин сантехники.

— Мне вода нужна, столько, чтобы в ванну налить!

— Зачем? — улыбнулась продавщица. — Моетесь в газировке? Или стираете?

Она явно пыталась пошутить.

— Да нет, — серьезно ответила я, — крокодилы у меня живут, Ася и Вася.

— Ася и Вася? — повторила консультантка, пятясь задом за ряды с бакалеей. — Очень интересно.

Вымолвив последнюю фразу, она испарилась, а я, оставшись в одиночестве, задумалась. Десять бутылей хватит? Пятьдесят литров — это сколько? Может, прихватить двадцать?

Внезапно около меня возникли два секьюрити, которые с самым хмурым видом стали наблюдать, как пятилитровые бутыли перекочевывают со стеллажа в тележку.

Еле толкая корзину на колесах, я доехала до

прилавка и уставилась на лотки, в которых лежало разнообразное мясо. Говядина выглядела восхитительно свежей и великолепно подходила для котлет, жаркого или гуляша. Но мне-то в «Марквете» четко объяснили, что аллигатор не станет употреблять в пищу парное мясо, ему требуется продукт с душком.

Не обнаружив в витрине гнилья, я обратилась к продавщице:

— Мясо, похоже, очень свежее?

— Совершенно точно, — засуетилась она, — не сомневайтесь, нам прямо с фермы возят, никто из покупателей ни разу не пожаловался!

— Мне бы чего-нибудь такого... — завертела я руками.

— Какого? — продолжала лучиться улыбкой продавщица.

— Не слишком хорошего.

Она погасила улыбку и хмуро осведомилась:

— Дешевого? Вон, берите оттуда! Отличный гуляш, но жирноват слегка, поэтому и уценили.

— Он свежий?

— Конечно, утром получили.

— Не пойдет! — горестно вздохнула я.

— Почему? — спросила она. — Лучше не найдете, парное.

— Мне как раз надо несвежее.

— Тухлое, что ли?

Я кивнула:

— Да, да, есть такое?

Неожиданно продавщица, уставившись глазами куда-то за мою спину, принялась корчить гримасы. Я обернулась. Два секьюрити с каменными лицами маячили за моей спиной. Один стоял совершенно спокойно, другой весьма выразительно крутил указательным пальцем у виска. Я обозлилась:

— Не надо считать меня сумасшедшей. Просто я хочу купить мясо, которое стухло.

Продавщица тяжело вздохнула:

— Знаете что, даже если совсем денег нет, не следует травиться. Лучше возьми «Геркулес» и свари на воде, от него организму одна польза. А поешь тухлятины — и в больницу угодишь. Совсем без мяса живи, коли средства не позволяют его покупать, целее будешь!

— Я вполне могу приобрести вон тот кусок вырезки, просто мне нужно испорченное!!!

— Да зачем?! — взвыла торговка.

— У меня дома живут Ася и Вася, они нормальное не едят!

— Детей, что ли, так кормишь? — разъярилась баба. — Во народ! Натурально оборзел! Ваще, без понятия! Да купи спиногрызам гречки...

— Детям я даю только качественные продукты. Ася и Вася не школьники, — пыталась объяснить я.

— А кто? — проявил любопытство один из секьюрити.

— Крокодилы! — рявкнула я. — Живут у меня в ванной, вот, воды им купила, теперь за харчами пришла.

— Офигеть можно, — бормотнул парень. — Зачем они тебе?

Понимая, что разговор грозит затянуться до бесконечности, я рявкнула:

— Не твое дело! Есть тут в магазине тухлятина?

— Нет, конечно, — ожил второй охранник, — чай, не прежние времена, когда черная говядина повсюду валялась.

— Ты ступай в колбасы, — посоветовала продавщица.

Не успела я вымолвить слова, как она заорала:

— Эй, Раиса, у тя тама есть батон, со срока сошедший? Выдай покупательнице, ей крокодилов кормить нечем!

— Не, Таньк, — донеслось откуда-то сбоку, — только сосиски завалялись.

Из-за стеллажей вынырнула худенькая девушка с бейджиком «Светлана».

— У меня в бакалее, — мигом вступила она в разговор, — гречка лежит на утилизацию. Вам не подойдет?

— Ты как считаешь, крокодилы станут есть гречку? — рассердилась я. — Еще семечки предложи.

— А у нас мармелад просроченный, — заявила другая девица, из кондитерского отсека, — возьмите им сладенького.

Через пять минут вокруг меня столпились продавцы из всех отделов магазина. Каждый предлагал свое. Шпроты, туалетное мыло, детское питание, крем для лица, йогурты и сгущенку. Но я отмела все, только купила у толстой Раи килограмм вполне симпатичных с виду сосисок, нежно-розовых и аппетитных.

— Не похожи они на несвежий продукт, — пробормотала я, пока Рая засовывала их в пакет.

— Им позавчера срок истек, — успокоила меня она.

— А не пахнут совсем, — протянула я.

Раиса хихикнула:

— Это из-за целлофана, дома сымешь — такого нанюхаешься! Бери, как раз для крокодилов!

И она радостно засмеялась. Я принялась толкать коляску к кассе, путь лежал мимо мясного прилавка.

— Слышь, — заголосила Татьяна, перевешиваясь через стеклянную витрину, — ты приходи в субботу, мы тебе наберем гнилья!..

Погрузив воду в лифт, я с изумлением обнаружила, что совсем не устала. Очевидно, поездка в Таиланд, где пришлось безостановочно ворочать многокилограммовые тюки, развила мои мышцы.

Войдя домой, я крикнула:

— Кирюша!

— Чего тебе? — высунулся он из спальни.

— Крокодилам надо воду сменить.

— При чем тут я? — напрягся Кирюшка.

— Вынимай их и клади в таз.

— Боюсь, — признался он.

Пару секунд мы смотрели друг на друга. Честно говоря, я сама не испытывала никакого желания дотрагиваться до рептилий.

— Ладно, — я наконец приняла решение, — подождем Сережу, он-то точно не испугается!

Посчитав проблему решенной, я взяла телефон, набрала номер и услышала:

— Алло.

— Это Алексей?

— Ну!

— Вы знакомы с Вениамином?

— Ну?

— Так да или нет?

— Ну?

Однако Алексей отнюдь не златоуст. Ладно, поступим по-другому.

— Можно к вам подъехать?

— Зачем?

— Решить проблему, связанную с Вениамином.

— Ну... очень надо?

— Да!

— Ехайте.

— Адрес давай.

— Улица Авиамоторная, — забубнил парень, — у магазина «Кристалл» свернете направо и шуруйте по дворам.

— Во сколько встретимся?

— А как доедете.

— Так мне сейчас отправляться?

— Я щас дома, завтра на неделю уеду.

Делать нечего, пришлось натягивать куртку и идти разогревать уже остывшие «Жигули».

Алексей жил в старинном доме. Одна половина его была сложена из темно-красного кирпича, другая желтела штукатуркой.

— Ну? — спросил парень, увидев меня на пороге. — И чего?

Я сунула ему под нос удостоверение. Алексей растерянно пробормотал:

— А че я сделал? Ничего плохого, за фигом ко мне ментура приперлась? На кухню пойдемте.

Я стала снимать куртку, молча слушая его испуганное бормотание. За то время, что демонстрирую самым разным людям удостоверение, я хорошо усвоила: никто не умеет правильно читать, в основном все очень невнимательны. Ведь там крупными буквами написано: «Частное детективное агентство «Шерлок», но, увидев открытую бордовую книжечку, каждый спрашивает: «И зачем я понадобился милиции?»

Впрочем, мне это только на руку.

— Вопросы буду задавать я!

— Ага, — кивнул Алексей.

— Вы знакомы с Вениамином?

— Каким?

Я сообразила, что забыла спросить у Ирочки фамилию ее любовника, и, рассердившись на себя, ответила:

— Не придуряйся! С тем самым Веней, который вместе с тобой в институте учится.

— А-а, — протянул Алексей, — с Павловым...

— Сколько он тебе должен?

Корсаков нахмурился:

— При чем тут это?

— Отвечай на поставленный вопрос.

— Десять тысяч долларов.

— Ничего себе, — покачала я головой, — а зачем он брал такую сумму? Когда? Почему ты ему дал столько денег? Не сообразил, что Веня не вернет долг?

Алексей тяжело вздохнул:

— Венька попросил машину на два часа. Я ему и вручил отцовский «Пежо», думал: ну что может случиться? Автомобиль застрахован по полной программе, и че вышло?

— Что?

— Сперли тачку, — грустно ответил Алексей, — пока Венька в магазин пошел, кто-то и прибрал «Пежо» к рукам. Да еще он, дурак, сразу в милицию заявил, теперь страховая компания ни копеечки не заплатит!

— Почему? — удивилась я. — Неужели в вашем договоре угон не предусмотрен?

Алексей кивнул:

— Предусмотрен.

— Тогда в чем дело?

— Так Венька-то не внесен в страховку, — пояснил Корсаков, — там только я, отец и мать. Веньке бы надо не в ментуру бежать, а сюда, чтобы я заявление отнес: дескать, сам сидел за рулем. Тогда бы не было никаких проблем, а раз машиной управлял не хозяин — все, плакали денежки.

— Неприятная история.

— Ага, — хмуро сказал Алексей.

— И давно это произошло?

— Десять дней назад.

— Как же Веня собирался выпутаться из этой ситуации?

Корсаков сердито ответил:

— Сначала он ныл, что у него нет ни копейки. Только я ему конкретно объяснил: где хочешь доставай. Отец с матерью в марте из загранки возвращаются, я им должен либо машину отдать, либо тугрики предъявить, бери где хочешь, не моя печаль.

— И что тебе Веня ответил?

— Пообещал к отцу съездить, в Челябинск, и у него попросить!

— Он же вроде из Подмосковья!

— Там его мама живет, отец с ней в разводе, обосновался в Челябинске.

— Когда же он пообещал отправиться?

— Да неделю назад, — возмутился Алексей, — но обманул. Я его каждый день в институте видел, подходил и спрашивал: «Ты почему не уехал?»

— А он?

— Все стонал: денег на билет нет. Потом до того обнаглел, что сказал мне: «Одолжи на проезд». Во, совсем оборзел.

Алексей услышал хамское заявление и окончательно вышел из себя. Он схватил однокашника за воротник и прошипел:

— Если через пять дней не получу доллары, пеняй на себя. Обращусь к крутым ребятам, пусть они из тебя за процент долг выбивают.

Веня испугался, замахал руками:

— Не надо, не волнуйся, я все улажу.

На следующее утро он принес Алексею красивое золотое кольцо с прозрачным, ярко играющим в лучах электрического света камнем.

— Вот, возьми.

— Ну и за фигом оно мне? — покачал головой Алексей.

— Оно стоит даже больше, чем десять кусков, — пояснил Веня, — продашь, и точка.

— Вот сам и толкай золотишко, — отрезал Корсаков, — мне недосуг по скупкам бегать.

Веня с жаром пообещал:

— Прямо сейчас и займусь.

Но потом он пропал, как в воду канул. И Алексей ломает голову: куда подевался должник? Может, он решил совсем смыться?

— Наверное, мне следовало взять колечко, — вздыхал мой собеседник.

— Ты уверен, что оно было с настоящим бриллиантом?

Алексей хмыкнул:

— Без обмана. Брюлик чистый.

— И откуда это известно?

Корсаков потянулся за сигаретами:

— У моей матери подружка есть. Рина Зелинская, она побрякушки больше жизни любит. Вот я Веньку к ней и отправил.

— Дальше что?

— А ничего, — пожал плечами Алексей. — Рина мне позвонила и форменный допрос устроила: откуда у студента кольцо? Говорила, что это реликвия, из коллекции... э... вот не вспомню, то ли Будвайзеров, то ли Гольдфингеров, фамилия такая заковыристая. Я еще спросил: оно настоящее?

— Самое всамделишное, — успокоила его Рина.

— И вы его купите?

— Да всех моих денег и на десятую часть его не хватит, — сердито ответила Зелинская.

Я попыталась разложить по полочкам полученные сведения, но ничего не получилось.

— Ну-ка, дай телефон этой Рины!

— Пишите, — кивнул Алексей. — А че Венька сделал? Отчего им ментура интересуется? Спер у кого-то кольцо? Небось у Семена Кузьмича.

— Это кто такой? — прикинулась я идиоткой.

Алеша ухмыльнулся:

— Самый старый преподаватель нашего института, Баратянский. Классный дед такой был! Он на Венькиной девушке женился, Ирке. Мы все прям обалдели, когда узнали, думали, Венька ее убьет...

— Убил?

Алексей серьезно ответил:

— Нет. Как ходили вместе, так и ходят. Венька всем объясняет, что они ждут смерти Семена Кузьмича, тогда у них с Иркой все будет: деньги, машина, дача, квартира. Говорил, у профессора куча всего имеется: коллекция картин, антиквариат, брюлики. Одним словом, покроются они с Иркой толстым слоем шоколада. Наверное, кольцо она ему дала.

Я поморщилась:

— Эта история не с самой хорошей стороны характеризует Веню.

Алексей равнодушно ответил:

— Каждый устраивается как умеет.

ГЛАВА 7

Когда я вернулась домой, часы показывали около полуночи. В прихожей меня встретила злая Юлечка и гневно заявила:

— Я помыться не смогла!

— Не сердись, — улыбнулась я, — сейчас Сережа вынет Асю и Васю, ты примешь ванну, и он сунет крокодилов назад.

— Хотелось бы верить, что все произойдет именно так, — окрысилась Юлечка.

Решив не спорить с ней, я прошла на кухню и обнаружила там Сережку, с упоением поедавшего сосиски.

— Ты где их взял? — с подозрением спросила я.

— На подоконнике лежали, — пояснил он.

— Все слопал?

— Нет, половина осталась.

Произнеся последнюю фразу, парень принялся сосредоточенно обмазывать сосиску толстым слоем горчицы.

Я на секунду призадумалась. Может, сказать ему, что он схарчил корм для крокодилов? И вообще, что сосиски просроченные! С другой стороны, они совсем не пахнут, выглядят вполне пристойно. Эх, похоже, меня обманули, подкинули вместо тухлятины свежий товар. Подумав так, я развеселилась: ну и ну, скажу кому — не поверят! Расстроиться из-за того, что сосиски оказались пригодными для употребления в пищу!

— Ты чего ржешь? — с подозрением осведомился Сережка.

— Сделай одолжение, — быстро попросила я, — вынь крокодилов из ванны.

— Почему я? — поперхнулся он.

— А кто?

— Ты.

Пришлось честно признаться:

— Я очень боюсь их!

— Тогда пусть плавают, нечего аллигаторов беспокоить.

— Им надо воду поменять на бутилированную, без хлорки!

— Обойдутся.

— Так они умереть могут!

— Ну и фиг с ними!

Я вздохнула и изменила тактику поведения:

— Твоя жена хочет принять душ. Ася и Вася ей мешают.

— Пошли, — обреченно сказал Сережка, — если нужно выбирать между злыми крокодилами и разъяренной Юлькой, я предпочитаю иметь дело с аллигаторами.

Ася и Вася мирно лежали на дне.

— Похоже, они сдохли, — пробормотал «камикадзе».

— Нет, — предположила я, — небось от голода ослабели, ну-ка, погоди.

Быстренько сбегав на кухню, я принесла пакет с оставшимися сосисками и осторожно опустила одну в воду. Через секунду крокодильчики рванулись к добыче. Клацнули челюсти. Ася оказалась более проворной, Васе пришлось лишь облизнуться. Мне стало жаль неудачника.

— На, котик, — сказала я и кинула в воду следующую порцию.

Клац, клац.

— Ой, мама, — прошептал Сережка, — как же мне их вынуть?

— За хвост, — посоветовала я, — хватай за самый кончик Асю.

— Почему ее? — напрягся Сережа.

— Она поела хорошо, небось сейчас в хорошем настроении.

Сережка перекрестился, сунул руку в воду, потом резко выдернул. Ася на секунду повисла вниз головой, затем, резко взметнув туловище, изогнулась и щелкнула пастью в миллиметре от его пальцев.

— Мама! — взвизгнул Сережа и выпустил рептилию из рук.

Ася плюхнулась на пол и резво побежала на коротких изогнутых лапах по коридору.

— Караул! — завопил Сережка.

В ванную мгновенно заглянула Катя.

— Ты меня звал?

— Нет, — отдувался сын.

— Но ведь ты кричал: «Мама!»

— Это так, с испугу, — начал было Сережка, но тут из спальни Лизы понесся дикий крик и лай.

Вспомнив, что любимым лакомством крокодилов во все времена считались тучные собачки, я стремглав кинулась на звук.

Лиза стояла на письменном столе с выпученными глазами, к ее ногам прижималась трепещущая Ада. Увидев меня, девочка пропищала:

— Крокодил под кровать залез. Я его как увидела, одним прыжком сюда сиганула, и Адюшу словно на реактивной тяге подбросило.

Я решила успокоить домашних.

— Ася маленькая, совсем крошка.

— Ага, — плаксиво протянул Сережка, — милая крошка с железными зубами! Да она мне чуть полруки не отхватила!

— Немедленно уберите ее из моей комнаты! — завизжала Лиза. — Прямо сейчас! А-а, хватайте Мулю! Ее сожрут.

Я выпихнула в коридор не вовремя вбежавшую в комнату вторую мопсиху и велела:

— Сережка, бери швабру и гони Асю вон, а ты, Катя, неси сюда одеяло, желательно ватное.

— Хитрая какая, — обиделся Сергей, — сама и выгоняй, я боюсь.

— Ты мужчина, — попыталась воззвать к нему стоящая на столе Лизавета.

— И что? — парировал Сережка. — Я не могу быть трусом? Извините, но я не привык жить с крокодилами.

С этими словами он сунул мне в руку щетку. Понимая, что делать нечего, я опустилась на колени и засюсюкала:

— Асенька, иди сюда, моя кошечка, не надо бояться, мы тебе ничего плохого не сделаем.

Под кроватью царили полнейшая темнота и тишина. Когда наша мопсиха Ада, которая терпеть не может купаться, забивается в преддверии очередной водной процедуры под софу, ее всегда можно обнаружить по гневному сопению и раздраженному ворчанию. Ася же не издавала ни звука.

Я повернулась к Сереже:

— Похоже, там никого нет.

— Неправда, — затопала ногами Лиза, — она просто притаилась.

— Полезай под кровать, — велел Кирюша.

— Не хочу, — сопротивлялась я.

— Что она тебе сделает? — принялся издеваться Сережа. — Маленькая, хорошенькая, беззащитная такая...

— Все равно не желаю.

— А кто их привез! — напомнила Юлечка. — Кто приволок мерзких рептилий и уверял всех, что никаких проблем не будет, кто обещал...

Из прихожей раздался звонок.

— Я открою! — заорал Кирюшка и понесся к двери.

— Ну, — продолжила Юлечка, — Лампудель, начинай!

Пожалев, что не обучена молиться, я наклонилась, сунула под кровать длинную щетку и тут же услышала хорошо знакомый картавый голосок:

— Господи, куда ни зайду, везде люди собачатся, ну не поверите, с последнего этажа спускаюсь, и у всех в квартирах одна картина. Широковы лаются, Куховкины матерятся, Сенчуковы визжат, только у вас тихо. Ну до чего приятно! Лиза, а почему ты на столе стоишь? Ой, Адюлечка! Вы пускаете собак на постель?

Я быстро засунула швабру под кровать и выпрямилась. В нашем доме только один человек способен произносить пятьсот слов в минуту, задавая вам одновременно с десяток вопросов. Это Нина Ивановна Серегина, председатель правления нашего кооператива.

Дом, в который мы переехали из блочной пятиэтажки, был построен на паях сотрудниками какого-то НИИ. Поэтому тут есть правление, заседающее раз в неделю и развешивающее в подъезде свои указания. Впрочем, претензий к пенсионерам, решившим тратить бездну свободного времени на благо остальных жильцов, у меня нет. Они делают много хорошего и полезного, ну, например, собрали деньги на благоустройство двора, потолкались по приемным и выбили средства на установку железной двери в подъезд, провели всем домофон.

Еще у нас в самом дальнем углу, за гаражами, имеется специальная площадка для выгула домашних любимцев. Ее украшает замечательная табличка: «Место принадлежит собакам, прописанным в этом доме, остальных просят ходить в сквер у метро». Руководит бойкими пенсионерами Нина Ивановна, вдова полковника, дама, почти всю жизнь проведшая в гарнизонах. В свое время она помоталась с супругом по просторам необъятного СССР и везде, куда бы ни приезжала, мигом становилась председательницей женсовета.

Нина Ивановна весит под сто кило и способна массой раздавить того, кто посмеет ее ослушаться. Она до сих пор живет будто в советское время и ведет себя соответственно. Если вы задержали плату за квартиру, можете быть уверены, что ваша фамилия окажется в списке, вывешенном на первом этаже под грозной «шапкой»: «Позор должникам». Еще правление выпускает стенгазету «Прожектор», где кое-кто из жильцов, например Саня Теменов, подвергается резкой критике за частое употребление горячительных напитков.

А когда Олег Войнов, бросив жену и троих детей, переметнулся к хорошенькой Надюшке из пятнадцатой квартиры, Нина Ивановна устроила целую, как бы сейчас сказали, пиар-кампанию, в результате которой Олег вернулся к супруге, а Наденька вынуждена была поменять квартиру. Серегина искренне считает себя хозяйкой дома. Иногда это злит, но чаще радует, потому что слесарь, плотник и электрик приходят к нам по вызову сразу и относительно трезвыми, лифты в подъездах работают, почтовые ящики никто не поджигает, и свет на лестницах горит круглосуточно.

Лиза осторожно слезла со стола.

— Здрасти, Нина Ивановна.

— Добрый вечер, — пропыхтела толстуха. — Вот у меня тут обращение от правления. Зачитать вслух или каждый сам ознакомится?

— Лучше уж вы, — вежливо предложила Катя, — а мы потом подпишем.

— Тогда несу.

— Конечно, конечно, — засуетилась я, — может, чайку? С мармеладом? Только что купили, потрясающе свежий.

— Спасибо, Евлампия Андреевна, — царственно кивнула Нина Ивановна, — только куда мне с таким весом сладкое?

— У вас изумительная фигура, — мигом покривил душой Сережа.

— Ох, врунишка, — погрозила ему председательница толстым пальцем, украшенным чудовищным перстнем с красным камнем.

Но было видно, что комплимент пришелся ей по душе.

Серегина опустилась в жалобно застонавшее под ней кресло и велела:

— Прошу всех занять места.

Мы плюхнулись кто куда. Нина Ивановна вытащила из папки листок, откашлялась и завела тоном профессора, объясняющего первокурсникам сложный материал:

— «В целях улучшения комфортности, обеспечения спокойствия и безопасности проживающих в кооперативе жильцов правление постановило: а) указать Борисову А.И. на недопустимость его поведения; б) велеть ему в трехдневный срок освободить территорию дома и двора от принадлежащего ему животного; в) в дальнейшем запретить появление нетрадиционных зверей в нашем кооперативе».

Сережка захихикал:

— Нетрадиционные звери? Это кто?

— Наверное, «голубые», — предположила Лиза.

Нина Ивановна нахмурилась:

— Девочке твоего возраста не следует знать подобные вещи!

— Извините, — быстро сказала Катя, — мы не очень поняли, о чем речь.

— Да, — кивнула я, — объясните попроще. Что сделал Антон Борисов?

Нина Ивановна сунула листок в папку.

— Вам и в голову не придет! Привез из Африки обезьяну, почти с человека ростом. Она постоянно хулиганит. Разбила окно на лестнице, стоит Антону Ивановичу податься на работу, как эта дрянь начинает шуметь, краны откручивать, в результате было затоплено целых три этажа. Терпение у людей лопнуло, и мы постановили изгнать исчадие ада.

— А если Антон не подчинится, — проявила любопытство Юлечка, — тогда что?

— Пусть попробует, — сдвинула брови Нина Ивановна, — есть методы его поучить! Сначала наглядная агитация: стенгазета, выпуски «Молнии», публичное порицание. Если не поможет, применим иную тактику. Я вам так скажу: собаки, кошки, попугайчики, черепахи, даже крысы — это нормально, держи сколько хочешь.

— А жаба? — влез Кирюшка.

— Пожалуйста, — разрешила Нина Ивановна, — от нее, правда, пользы нет, но и вреда никакого. С другой стороны, какой прок от моего кота Епифана? Домашние любимцы есть почти во всех квартирах, и слава богу. Но обезьяна! Или я, или она в этом доме!

Тяжелый вздох вырвался из моей груди. Да уж, не повезло Антону Ивановичу, если вопрос поставлен таким образом. Ясное дело, в этом противостоянии у несчастной обезьяны нет никаких шансов.

— Он бы еще крокодила завел! — возмущалась

тем временем Нина Ивановна. — Впрочем, я тогда бы просто вызвала санэпидстанцию и выселила хулигана. Аллигаторы — переносчики страшных, неизлечимых инфекций. Ой, вы купили новую собаку, хорошенькая вроде, только странная. Что это за порода?

Я проследила за ее взглядом и похолодела. Из-под кровати медленно выползала Ася. Очевидно, домашние тоже мигом сообразили, чем грозит нам свидание Аси и Нины Ивановны, потому что Лиза, забыв про свой страх, мигом треснула рептилию пяткой по морде. Ася, не ожидавшая такого обращения, юркнула назад.

— Где собачка? — фальшиво удивилась Катя.

— Вы не узнали Мулечку с Адюшей? — замела хвостом Юлечка. — Очень мы мопсов раскормили.

— А Рейчел и Рамик в моей комнате спят, — влез Кирюшка.

— Да ваших я хорошо знаю, — отмахнулась Нина Ивановна, — в особенности Рамика. Несется вечно через двор как оглашенный, вчера чуть с ног не сбил. Я вот про эту говорю.

Я снова проследила за ее взглядом и чуть не вскрикнула. Мерзопакостная Ася преспокойно вылезала с другой стороны кровати и, медленно таща за собой хвост, двигалась в сторону двери. При этом учтите, что спальня Лизы имеет двадцать квадратных метров, кровать стоит у окна, выход из комнаты в противоположном углу, а Ася, только недавно проявлявшая редкостную прыть, сейчас шествовала со скоростью беременной черепахи.

— Ах, это! — растерянно воскликнула Катя. — Это!..

— Это не наша, — быстро сказала Юля.

— Ага, — кивнула Лиза, — приятели дали, сами отдыхать уехали, а Асю нам привезли.

— Что за порода такая? — не успокаивалась Нина Ивановна, близоруко щурясь. — Странная очень. Кого-то она мне напоминает.

Я сжалась в комок. Перед глазами мигом предстала стенгазета, которую вывесят у лифта... Позор крокодиловладельцам и обезьянолюбам!

— Это такса! — заявил в порыве вдохновения Сережка.

— Да? — продолжала сомневаться Серегина. — А почему у нее хвост такой?

— Ну... дефект породы, близкое родственное скрещивание, — развила тему Катя, — подобных собак мало, потому и получился такой странный хвост.

Противная Ася, словно почуяв, что речь идет о ней, застыла посреди комнаты.

— Слышь, Лампудель, — еле слышно прошептал Сережка, — ну-ка, встань и унеси «собачку», а то нас с жилплощади выпрут.

— Сам утаскивай, — одними губами ответила я.

— Это точно такса, — выпалила Лиза.

— Да? — воскликнула Нина Ивановна. — Не может быть! Я хорошо знаю такс, они другие.

— Эта такса особая, — начал врать Кирюшка, — она называется... эх... э...

— Московская пупырчатая голая той-такса! — выпалила Юлечка. — Всего три штуки на столицу имеется. Страшно дорогая и редкая особь. Без шерсти, вроде кошки-сфинкса.

— Скажите пожалуйста, — недоверчиво протянула Нина Ивановна, — чего только в наше время не увидишь, но почему она зеленая?

На секунду все растерялись, потом Катюша робко пропищала:

— Видите ли, эта порода имеет нежную кожу, стоит ей дать что-нибудь яркое в пищу, мигом меняет цвет. Знаете, дети иногда желтеют от морковного сока!

Серегина кивнула.

— Вот, — воодушевилась Катюша, — а мы угостили Асю вчера... э... э...

— Зеленым луком, — пришел на помощь Сережка, — вот результат.

— И она съела? — разинула рот председательница. — Собачка сожрала такую горечь?

— Ей понравилось, — пожал плечами Сережка.

— И морда странная... и лапы... Знаете, на кого она похожа? На крокодила! — сообразила гостья.

В комнате стало очень тихо.

— Давайте попьем чайку! — закричала Юля.

Сережка наклонился ко мне:

— Лампудель, если сейчас не унесешь Асю, нас выселят. Ну-ка, вспомни, Матросов лег грудью на амбразуру, чтобы спасти товарищей, а ты боишься аллигатора.

— Очень, ну просто очень напоминает крокодила, — зудела Нина Ивановна, роясь в сумке. — Ну-ка, где мои очки!

Сережка пнул меня в спину. Ощущая себя храбрым спартанским мальчиком, я подскочила к Асе и, схватив ее за шершаво-мягкое тело, прижала к своей груди. Сейчас она откусит мне руки, голову, а потом сожрет все остальное. Чтобы неповадно было проявлять героизм в недобрый час. Впрочем, если вспомнить историю, все герои плохо заканчивали, это уже после их смерти имена несчастных присваивали улицам и площадям, но меня появление переулка под названием Ламповский не обрадует, мне-то уже будет все равно!

Однако отчего-то Ася совершенно спокойно лежала на моих окостеневших от ужаса руках.

— Вот видите, — зачастил Сережка, — какой крокодил! Разве бы Лампудель смогла так нежно обнимать хищника! Это всего лишь маленькая трогательная московская пупырчатая голая той-такса. Лампа ее просто обожает, целыми днями целует.

Поняв, что следующей его фразой будет: «Ну-ка, Лампуша, покажи, как ты обожаешь Асю», я попыталась шагнуть в сторону коридора, но ноги словно кто-то прибил к полу.

Тем временем Нина Ивановна вынула большие очки, нацепила их на нос и велела:

— Евлампия, ну-ка поднесите собачку поближе, я хочу получше рассмотреть ее!

Тут словно какая-то невидимая рука пнула меня пониже спины, и я вымелась из комнаты на крейсерской скорости. Последнее, что услышала, был бодрый голос Сережки:

— У щенка очень строгий режим, ему пора ужинать. Давайте же, Нина Ивановна, заявление. Сейчас все подпишем. Абсолютно правильная инициатива! Держать дома экзотических животных нельзя!

ГЛАВА 8

На следующее утро я приехала к Ирочке и с порога спросила:

— У тебя не пропадало кольцо?

— Какое? — удивилась она.

— В доме много украшений?

Ира кивнула:

— Да, они принадлежали Розалии Львовне, а теперь вот достались мне.

— Ты хорошо знаешь, что лежит в ящиках?

— Естественно, — улыбнулась Ира, — мне нравится разглядывать ювелирные украшения.

Я принялась описывать перстень, тщательно вспоминая слова Алексея Корсакова.

— Массивная золотая оправа, в ней огромный бриллиант необычайной формы. Камень держат «лапки», слегка изогнутые.

— А ну-ка постойте, — сказала Ирочка и ушла.

Я осталась одна в гостиной и, чтобы скрасить ожидание, стала изучать обстановку. Конечно, дом замечательный, комнаты просторные, потолки выше трех метров. Есть только один, на мой взгляд, существенный недостаток. Напротив находится еще одно здание, и вечером приходится задергивать плотные шторы, потому что любопытные соседи могут стать непрошеными свидетелями вашей жизни.

— И кто сказал, что перстень с бриллиантом? — поинтересовалась, вернувшись, Ира.

Я передала ей рассказ Алексея. Она покачала головой:

— Да нет, Корсаков все напутал! Был такой перстень, но его украшал кристалл горного хрусталя. Оригинальная авторская работа, кольцо дорогое, но не безумно.

— Откуда оно у Вени?

Ирочка помялась:

— Я дала.

— Да ну?.. И зачем?

— У Вени украли машину, иномарку, чужую. Хозяин потребовал оплатить ее стоимость. А откуда Веньке деньги взять? Он прибежал ко мне, попросил в долг. Только ему требовалось отдать десять тысяч долларов, у меня такой суммы не нашлось. Конечно, у Семена Кузьмича деньги были, но я не хотела у него клянчить, неудобно показалось, — ответила Ира.

Я кивнула. Действительно, не слишком красиво брать накопленное у законного мужа и отдавать любовнику. Правда, Семен Кузьмич был супругом Ирочки, так сказать, де юре, но это, согласитесь, не очень меняет положения вещей.

— Вот я и отдала ему кольцо, — сказала Ирочка, — оно мне велико было, да и не нравилось совсем. Велела отнести Алеше в качестве первого взноса!

Я молча смотрела на нее, что-то в этой истории мне не нравилось. Только что?

— А Корсаков дурак, — усмехнулась она, — решил, что у него в кармане эксклюзивный бриллиант, и простил Вене весь долг.

— Простил? — изумилась я. — Ты уверена?

Ира кивнула:

— Венька не растерялся и расписку с него взял, ну типа: «Я, Алексей Корсаков, не имею никаких претензий к Вениамину Павлову и считаю, что он вернул мне всю сумму за разбитый «Пежо».

Я тяжело вздохнула:

— Ты рассказывала эту историю в милиции?

— Нет, — удивилась Ира, — зачем? Они ни о чем таком не спрашивали.

— Понимаешь, о чем она свидетельствует?

— Ну... Венька раздолбай. Разве можно брать чужую машину, если водишь хреново!

— Ира, — сказала я, — подумай, Вениамин заявил, что ничего не знал про смерть Семена Кузьмича, а в Челябинск собрался, чтобы якобы у папы денег попросить. Он хотел долг Корсакову отдать, а на билет не хватало, вот и прикатил к маме. Понимаешь?

— Что тут особенного? — пожала плечами девица.

— Зачем же Вене катить в Челябинск, если ситуация с «Пежо» улажена? Он соврал, денег у отца ему было просить незачем. Почему же он собрался в Челябинск? Извини, но ничего, кроме того, что он хотел спрятаться от органов МВД, не приходит в голову.

Ира осталась сидеть с разинутым ртом. Спустя пару минут она пробормотала:

— Ясно. Зачем же его тогда в Челябинск потащило?

— Хотел избежать наказания за убийство.

— Он не убивал! — воскликнула Ирочка.

Ее красивые глаза начали медленно наливаться слезами. Мне стало жаль девчонку, слишком много испытаний выпало на ее долю: сначала смерть родителей и бабушки, потом убийство Семена Кузьмича, арест Вениамина.

— Мне кажется, тебе лучше всего съездить отдохнуть за границу, — осторожно предложила я, — к теплому морю, например, в Таиланд, там сейчас отлично! Фрукты, китайские креветки.

— Веня не убивал, — тихо, но настойчиво произнесла Ира, — он не мог такое натворить, он любил меня и знал, кем являлся для нас Семен Кузьмич: отцом, благодетелем... Веня не способен на подобный поступок. Знаете, когда у него умер попугайчик, он плакал три дня.

Я постаралась никак не реагировать на последнее заявление. Очень многие киллеры, жестокие серийные убийцы, сентиментальны и могут рыдать над погибшей птичкой. Звучит странно, но это так:

чем злее человек, тем он сентиментальнее. Только не надо путать сентиментальность с добротой. Это совсем разные вещи.

Внезапно Ирочка встала и вышла. Я опять осталась одна, наверное, нужно попросить расчет, дело-то ясное.

Веня убил Семена Кузьмича. Наверное, старик, искренне любивший Ирочку, отругал его, вот юноша и не стерпел, выхватил пистолет. Но откуда у него оружие? Хотя, эка невидаль, на Тушинском рынке из-под полы можно приобрести не только любую «пушку», но и реактивную установку «Град». Многие молодые люди ради хвастовства таскают в кармане стволы, нравится им ощущать себя крутыми Джеймсами Бондами.

Значит, он не сдержался, выстрелил, потом, сообразив, что натворил, сумел, старательно держа себя в руках, заглянуть к Ире и сказать:

— Семен Кузьмич просил его не беспокоить.

А потом сразу поехал к матери, решил сбежать подальше от места преступления. Очень глупо, только навлек на себя лишние подозрения.

— Вот, — воскликнула, возвращаясь, Ирочка, — тут три тысячи долларов, возьмите!

— Зачем ты даешь мне такую огромную сумму? — удивилась я.

Она, неожиданно покраснев, сказала:

— Я беременна.

— Поздравляю, — ляпнула я.

— Сама вначале обрадовалась, — серьезно кивнула она, — но потом одна головная боль осталась! Мне надо точно знать: Венька не убийца. Иначе...

— Что? — тихо спросила я.

— Аборт сделаю! — рявкнула Ира. — Зачем мне ребенок с такими генами! И как я его одна растить стану? Семен Кузьмич в могиле, Веня за решеткой! Кто обо мне позаботится?

Я не нашлась, что ответить. С одной стороны, ее можно понять, с другой — она решительно перестала мне нравиться.

— Вы поезжайте к Вене, — не замечая моей реакции, частила Ира, — и напрямую его спросите: «Ты убил или нет?»

— Веня в следственном изоляторе, — напомнила я, — как же мне с ним встретиться?

— У моей подружки мужа посадили, — мрачно усмехнулась Ира, — он на наркотиках погорел. А следователь попался чистый гад, не давал ей свидания с мужем. Так она чего придумала! Наняла адвоката и пошла с ним в тюрьму в качестве помощника защитника. Ей этот дядечка удостоверение сделал, и все тип-топ. Тысячу баксов за услугу взял. Фамилии у них с мужем разные, никто ничегошеньки не заподозрил. Я сейчас Ленке позвоню, она вас к этому адвокату отправит, и вы с ним в СИЗО пойдете.

— Может, тебе лучше самой сходить? — Я начала сопротивляться. — Посмотришь в глаза Вене и сама все выяснишь.

— Нет, — покачала головой Ира, — нельзя мне.

— Почему?

— С детства страдаю аритмией, чуть понервничаю, сразу сердце вразнос идет, могу в обморок упасть, нет, лучше вы ступайте.

— Ты дала слишком много денег!

— Одну тысячу адвокату за поход, вторую за то, что Веньку защищать станет, третью вы потратите на поиск убийцы, — заявила Ира, — я абсолютно уверена, Веня тут ни при чем. Кстати, спросите, он кольцо продал? Ну, долг Алешке вернул долларами или перстень ему отдал?

Я молча спрятала купюры в сумочку. Что ж, хозяин — барин, я еще столько не получала за работу. Вот Федора удивится, когда вернется. Авось наша наша контора станет на ноги. Похоже, Ирочка не стеснена в средствах, раз может позволить себе такой расход. Хотя, если учесть, что она боится родить ребенка от убийцы...

— Записывайте координаты, — велела Ирочка, поговорив по телефону, — Неустроев Виктор Иванович. Можете прямо сейчас катить к нему в контору. Ленка предупредит его.

Я кивнула и пошла к двери.

— Как встретитесь с Венькой, сразу мне позвоните! — крикнула Ира.

Виктор Иванович, по счастью, работал неподалеку. Я добралась до адвоката за десять минут.

— Проходи, — велел он, — деньги привезла?

Спрятав доллары, Неустроев повеселел:

— Дело ерундовое, беги в метро, тут за углом, там у касс есть автомат, сделаешь снимок и назад. Успеем сегодня смотаться.

— В СИЗО? — уточнила я недоверчиво.

Дело в том, что Володя Костин иногда по долгу службы навещает сидельцев Бутырского изолятора или тех, кто угодил в «Матросскую тишину». Каждый раз, собираясь в тюрьму, майор стонет:

— Вот несчастье! Придется в пять вставать!

— Кто тебе мешает спать до восьми? — один раз рассердилась я. — Рабочий день-то в десять начинается.

— Нет, — кивнул Вовка, — в девять.

— Значит, спокойно до полвосьмого продрыхнешь, — не успокаивалась я.

— Лампа, — обозлился Костин, — не надо говорить того, чего не знаешь!

— А что? — удивилась я. — Если изолятор открывается в девять, ты за полчаса до него доедешь, тут близко, по Сущевке. Неужели за час не соберешься?

— Эх, Лампудель, — пригорюнился Вовка, — в девять там уже такая очередища выстроится! Надо к шести прирулить, тогда есть шанс увидеть подследственного. Камер для допросов не хватает!

— Да ну! — изумилась я. — Знаю, что родственники по нескольку дней в очереди парятся, если харчи сдать хотят. Но милиция!

— Ага, — кивнул Вовка, — всем плохо: и адвокатам, и следователям.

А тут Виктор Иванович рассчитывает сегодня попасть к подследственному. Да уже час дня!

— Иди к метро, — поторопил меня Неустроев.

Решив не спорить, я сбегала на станцию и снялась. На фото была запечатлена тетка лет пятидесяти с безумными выпученными глазами и волосами, стоящими дыбом, словно иголки у неожиданно разбуженного ежа. Интересно, я на самом деле такая или у автомата в объективе кривое стекло? Искренне надеясь, что второе предположение верно, я прибежала назад, к Неустроеву. Тот аккуратно вклеил фото в довольно потрепанное удостоверение и сообщил:

— Классно! Ты теперь Карнаухова Анна Семеновна, не подкопаться — такая ксива. Поехали.

У подъезда Виктора Ивановича ждал серебристый автомобиль, очевидно, только что побывавший на мойке.

— Садись, — велел адвокат.

— У меня своя есть.

— И где?

— Вон та, красненькая.

— Оставь доходягу здесь, — отмахнулся Неустроев, — никто на этот металлолом не польстится. Я тебя туда-назад свожу.

— А не поздно? — заикнулась я. — Говорят, в Бутырке такие очереди!

— В изолятор и впрямь не попасть, — улыбнулся Неустроев, — только Вениамин пока сидит в отделении, тут недалеко, его еще в СИЗО не переправили, я все уточнил, пока ты ехала сюда. Давай шевелись, некогда мне турусы на колесах разводить.

В отделении Виктор Иванович о чем-то пошушукался с ментами, и нас препроводили в небольшую комнату с зарешеченным окном, столом и тремя стульями. Адвокат повесил на торчавший из стены гвоздь дорогое пальто, подбитое натуральным мехом, и сказал:

— Чего стоишь? Устраивайся. Сейчас твоего орла приведут.

Я села на стул и почувствовала, как в спину сильно дует от окна. Попытка его переставить оказалась безуспешной, ножки были намертво привинчены к полу.

— Да, — хохотнул Неустроев, — здесь так, сиди и не рыпайся.

Тут с легким скрипом распахнулась дверь, и на пороге в сопровождении толстого, одышливого милиционера появился парень, красивый, словно молодой греческий бог. До сих пор я считала, что безупречные мужские лица и столь же безукоризненные фигуры на самом деле плод работы гримеров, стилистов и полиграфистов. Я полагала, что нормальному мальчику, без каких-то видимых изъянов, красят волосы, покрывают тоном лицо, вставляют цветные линзы, рисуют другие губы, изменяют гримом форму носа и снимают Аполлона на пленку.

Потом за дело берутся те, кто работает с фотографиями. Сейчас, в век компьютеров, снимок можно подвергнуть любым, самым волшебным метаморфозам. И в результате вместо обычного юноши с простоватым лицом вы видите на развороте какого-нибудь журнала обалденного мужественного красавца. Мне-то такие красавчики никогда не нравились, но многие дурочки готовы полжизни отдать за подобного кавалера. Но, повторяюсь, до сих пор я была уверена, что такие мужчины в природе не встречаются.

Сейчас же моя уверенность была разбита, потому что в камере, одетый в мятые, грязные джинсы и потерявший вид пуловер, стоял именно такой неземной красавец. Белокурые, вьющиеся большими кудрями волосы падали на высокий чистый лоб мыслителя. Огромные голубые глаза, окруженные густыми черными ресницами, смотрели на нас с легким недоумением. Картину дополняли красиво изогнутые яркие губы, аккуратный нос с изящно вырезанными ноздрями, слегка смуглая кожа.

Скорей всего, Веня ходит в солярий. У блондина со светлыми глазами не бывает такого цвета лица от природы. Рост у парня зашкалил за метр восемьдесят пять, а фигура напоминает равнобедренный треугольник, поставленный на вершину: широкие плечи, узкие бедра и никакого намека на живот.

Да уж, ему впору ходить по подиуму, сниматься в кино, играть в спектаклях, но никак не тосковать на нарах.

— Садись, Вениамин, — кивнул Виктор Иванович, — мы с Анной Семеновной твои адвокаты. Вернее, защитник я, а она мой помощник. Ну как, понравилось в камере?

— Скажете тоже, — дернулся Веня, — ужас.

— Значит, не хочешь сидеть лет пятнадцать?

— Нет, — ответил парень на первый взгляд спокойно, но я заметила, что его смуглая кожа внезапно приобрела сероватый оттенок, а над верхней губой выступила цепочка мелких капелек.

— Это хорошо, — улыбнулся Неустроев, — начало нашего разговора обнадеживает! Теперь ты, если, конечно, хочешь максимально облегчить свою участь, должен нам рассказать все как на духу, только тогда мы сумеем тебе помочь.

Глаза Вени потемнели и из серо-голубых стали ярко-синими. Внешность его от этой метаморфозы только выиграла.

— Да нечего мне рассказывать, — пожал он плечами, — никого я не убивал.

— Вот что, дружочек, — улыбаясь, словно кот, загнавший в угол жирную мышь, заявил Неустроев, — мне надо знать правду, всю, чтобы на суде не получилось конфуза. Я не судья, не следователь, мне твое чистосердечное признание для того, чтобы навесить тебе же лишний срок, не нужно. Я — твой билет на выход, тот, кто может тебе помочь избежать слишком крутого наказания. Но без твоей помощи у меня ничего не получится!

— Мне не в чем раскаиваться, — чеканя каждое слово, заявил Веня.

— Голубчик, — скривился Неустроев, — о каком раскаянье идет речь? Побереги пыл для суда, вот там начнешь бить себя кулаком в грудь и, рыдая, говорить: «Больше никогда, простите». Такой текст на состав суда очень хорошо действует, некоторые прокуроры даже могут растрогаться. Мне же твое раскаянье на фиг не надо. Хочешь выйти отсюда?

Веня кивнул.

— Тогда быстро рассказывай, как дело было, — стукнул кулаком по исцарапанной столешнице защитник, — я тебе от души советую: у врача, священника и адвоката говорить одну правду, только правду и ничего, кроме правды. Кстати, все мы, представители вышеперечисленных профессий, связаны такой штукой, которая именуется неразглашением тайны. Начинай, голубь мой. Впрочем, если хочешь уехать в замечательное место под названием «тайга» лет эдак на дцать, тогда можешь молчать.

Щеки Вени слегка порозовели.

— Расскажу, — кивнул он, — только вы мне все равно не поверите!

— Ты не стесняйся, — приободрил парня Виктор Иванович, — я много чего такого слышал, тебе и в голову не придет, что порой с людьми случается!

ГЛАВА 9

Веня начал рассказ. Я сидела тихо-тихо, боясь пропустить даже слово.

— Очень я на Ирку обозлился, — объяснял парень. — Честно говоря, последнее время сомневаться стал: любит она меня или нет? Она все о Семене Кузьмиче беспокоилась. Пойдем в кино, в середине фильма вскакивает и трещит: «Ой, уже девять, мне пора, Семен, наверное, волнуется».

Пошли в магазин шмотки ей покупать, я протягиваю вешалку, ну нравится мне, когда Ирка в мини ходит, ноги у нее красивые, так она шарахнулась в сторону, словно ядовитую змею ей показал. Замахала руками, зашипела:

— Ты чего! Семену это не понравится!

Выбрала старушечье платье, длиной ниже колен, и купила.

Веню просто перекосило. В свое время, когда Иришка собралась замуж за старика, он не стал протестовать. Решил, что это очень даже хорошо. Профессор в годах, небось давно импотент, да и не протягивал он лапы к Ире, называл ее дочкой. Зато у него был дом, набитый дорогими вещами, дача, счет в банке. Веня пораскинул мозгами и решил: великолепно получается, долго Семен Кузьмич не проживет, зато Ирка останется богатой вдовой.

Первое время все шло, как рассчитывал парень. Профессор радушно принимал Веню. Он частенько оставался ночевать в комнате у Иры. Но потом Семен Кузьмич переменил отношение к жениху «дочери», а Ирка словно с ума сошла. Только и твердила: «Семену нельзя волноваться», «Семену надо обед сварить», «Нет, нет, не могу с тобой на дискотеку пойти, мы с Семеном в театр идем». Интимные свидания Вени и Иры стали редкими, юношу начали терзать неприятные подозрения. Похоже, Ирка влюбилась в старикашку. Услыхав это предположение, любовница кивнула:

— Да, я люблю Семена как отца! А тебя считаю мужем.

Но Веня все равно злился. А в тот памятный вечер вообще съехал с катушек, сам не понимая, как такое случилось. Слово за слово, сначала поругались, потом подрались.

Наутро Вене стало неудобно, и он поехал просить прощения. Дверь открыла Ирка, она сделала вид, что ничего не случилось, Веня пошел в кабинет к Семену Кузьмичу.

Старик сидел лицом к раскрытому окну, укутанный в теплый плед, и читал книгу.

Веня мигом замерз. На улице-то не июнь, а февраль. Но у Семена Кузьмича была астма, и он частенько распахивал окна, невзирая на погоду. Веня попытался извиниться, но старик сурово сказал:

— Вы недостойны Ирочки, молодой человек. Мужчина, поднимающий руку на женщину, в моем понимании подлец.

Веня великолепно осознавал, насколько сильно может осложнить их отношения с Ириной такая позиция старика, и попытался свести все дело к шутке:

— Милые бранятся — только тешатся!

— Возьмите стул и сядьте, — ледяным тоном велел хозяин, — вот тут, напротив меня. Настало время поговорить подробно о том, как будем жить дальше.

Веня огляделся, увидел в противоположном углу кабинета массивный дубовый стул, принес и поставил его там, где велел профессор, сел было и вздрогнул. Прямо в спину бил холодный ветер.

— Разрешите, я закрою окно, — попросил парень.

Семен Кузьмич ничего не ответил, сидел, свесив голову на грудь. Веня принял молчание за согласие, встал, затворил раму, снова сел и пробормотал:

— Слушаю.

Профессор не шевелился.

Веня поерзал на сиденье и повторил:

— Я слушаю вас, говорите.

Семен Кузьмич, похоже, увлекся книгой. Веня обозлился. Он, конечно, чувствовал себя виноватым, но, с другой стороны, взрыв его эмоций спровоцировала своими глупыми высказываниями Ирина. И потом, кто дал профессору право издеваться над Веней? Мог бы сразу отрезать: «Уходите, не желаю иметь с вами дело».

— Я вас внимательно слушаю! — почти крикнул Веня, потом, совсем рассвирепев, встал и взял с коленей Семена Кузьмича раскрытый том. — Да говорите наконец!

Веня ожидал, что старик разгневается, но тот даже не пошевелился. Внезапно парню стало страшно, он наклонился, поднял голову профессора за подбородок и еле сдержал вопль. Во лбу старика чернела небольшая дырочка.

Плохо понимая, что произошло, Веня вышел в коридор, бодро соврал Ирке, что Семен Кузьмич его простил, а теперь увлечен работой, и прямо от любовницы отправился к матери.

— Почему же ты не сказал ей правду? — поинтересовался Неустроев.

— Так прикиньте, как это звучит, — хмыкнул Веня, — мы были вдвоем, больше никого, вдруг — бац, у него в голове дырка. Кто бы поверил, что я не виноват! Вот и решил удрать.

— А отчего к матери двинул? — поморщился Виктор Иванович. — Не просек, что первым делом у нее искать станут?

— Ну, — неуверенно ответил Веня, — не просек, ошибся, за что сейчас и страдаю.

Виктор Иванович постучал по столу дорогой, похоже, золотой ручкой.

— Извини, я тебе не верю, чушь городишь. Вас в комнате только двое, потом один превращается в труп.

— Я же говорил, — безнадежно махнул рукой Веня.

— И еще, — продолжал адвокат, — вызывает сомнение та часть повествования, которая посвящена твоей поездке к маме.

— Здесь-то что? — пробубнил Веня, неожиданно краснея.

— Зачем ты туда отправился?

— За деньгами, билет до Челябинска купить хотел.

— В Москве не достал?

— Не у кого.

— Почему у Иры не попросил?

— Ну... не сообразил... — Глаза Вениамина забегали, и мне неожиданно стало ясно: он врет.

— Ты спрятал у мамы кольцо, — немедленно выпалила я.

Веня стал бордовым:

— Какое?

— Ну то самое, с горным хрусталем.

Внезапно парень обхватил голову руками, поставил локти на колени и стал раскачиваться из стороны в сторону, напевая, словно муэдзин в религиозном экстазе:

— Ой-ой-ой!

— Прекрати юродствовать, — прошипел Неустроев, — ну-ка быстро говори, что за кольцо! Иначе не надейся вытащить хвост из капкана. Кончай врать!

Веня вытер рукавом лицо и показался мне еще красивее, чем раньше.

— Алешка дал мне «Пежо», — загнусавил парень.

Я внимательно слушала рассказ. Вначале не было ничего нового, но потом...

— Корсаков не захотел взять перстень, — говорил Веня, — отправил меня к подруге своей матери,

Рине, та брюлики любит. Но она тоже колечко не взяла.

— Почему? — влезла я.

— Дорогое очень, — вздохнул Веня, — бешеных денег стоит. Бриллиант там уникальный! Огромный такой и очень необычной огранки.

Я улыбнулась:

— Ты ошибаешься. В оправу был вставлен горный хрусталь.

Веня прищурился:

— И кто вам сказал такое?

— Ирина, — ответила я.

Он мрачно усмехнулся:

— Дайте честное слово... Впрочем, кто вас нанял, а? Или вы от государства, без денег?

— Бесплатно ты, голубь, получил бы мальчишку без всякого ума и опыта, а не меня, — хохотнул Виктор Иванович. — Свезут тебя в СИЗО, окажешься в камере на сто двадцать человек, вот и поинтересуешься там, кто такой Неустроев.

— Нас наняла Ирина, — заявила я, — она оплатила услуги юриста, хочет тебя из ямы вытащить.

Веня стал кусать губы.

— Дайте честное слово, что Ирке не расскажете!

— О чем? — быстро поинтересовался Виктор Иванович.

— Ну... зачем я к маме мотался.

— Говори, — приказал адвокат, — то, что клиент сообщает мне, мгновенно умирает. Я — железный сейф, кладбище чужих секретов.

Веня замялся:

— В общем... как бы это сказать...

— Прямо, — рявкнул Неустроев, — ты спер кольцо!

— Нет, — подскочил Вениамин, — Ирка сама мне его дала. Только она полагала, что перстень ну... тысячу баксов стоит, может, полторы. У Семена в кабинете есть сейф, а в нем целая коллекция ювелирки. Такой большой ящик, обитый бархатом, там три этажа с ячейками, в каждой что-нибудь дорогое лежит. Я сам не видел, Ирка рассказала, ей «папочка» показывал.

Самое ценное Семен Кузьмич держал под замком и не разрешал Ирине надевать.

— Не сочти меня жадным, — объяснил он свою позицию, — но время сейчас страшное, люди друг друга за два рубля убить готовы, ну наденешь ты вот эти серьги с уникальными розовыми жемчужинами, и что? Ладно, просто украдут, так ведь искалечат из-за кусочка золота.

Но у Семена Кузьмича были и другие бархатные коробочки, где лежали вещички попроще. И вот эти перстенечки он разрешал носить Ирине. Девушке нравилось не все. Кое-что казалось слишком дамским, рассчитанным на зрелых женщин. У ее сверстниц были в моде серебряные браслеты, кожаные фенечки, дешевые сережки в виде висюлек. И еще, однокурсницы были просто не способны оценить украшения, которые дарил жене Семен Кузьмич.

На Новый год Иришка отправилась в родной институт на дискотеку. В уши она вдела серьги с сапфирами, окруженными бриллиантами, на шею повесила такое же ожерелье, палец украсило кольцо «малинка». Когда Ирина, страшно гордая собой, вошла в зал, ее подружка Вера Кислова воскликнула:

— Ирка, ну и безвкусица!

— Ты о чем? — поинтересовалась та, потряхивая серьгами.

— Да о твоих украшениях, — захихикала Верка, — купила в переходе у метро дрянь и обвесилась! Уж лучше простенький комплектик, но из серебра. А у тебя кастрюльное золото со стеклышками.

— Молчи, чмо, — ответила Ира, — это настоящие сапфиры с бриллиантами!

Вера молча окинула взглядом сверкающие камни и отрезала:

— Не ври! Такими большими они не бывают.

Вот поэтому Ирина и перестала носить подарки Семена Кузьмича. Ну какой смысл щеголять в сапфирах, когда все вокруг считают их стекляшками?

Ирина прожила с профессором несколько лет, и на каждый праздник он преподносил ей очередную коробочку. Сначала Ирочка радовалась, но потом перестала. Ну зачем ей очередные серьги или кольцо? Лучше бы подарил духи или шубку. Но Семен Кузьмич, человек старого воспитания, искренне считал, что бриллианты — лучшие друзья женщины.

Перстень с огромным камнем диковинной формы Ира увидела случайно. Полезла в письменный стол к мужу, нашла коробочку и, раскрыв, залюбовалась. Уж на что она ничего не понимала в драгоценностях, но это кольцо выглядело потрясающе. Семен Кузьмич, заставший ее за созерцанием украшения, усмехнулся:

— Нравится?

Ирина кивнула:

— Ага.

— Ты сорока, — ласково сказал профессор, — настоящий раритет не оценишь, а на блестящее заглядываешься.

— Какой брюлик большой, — покачала головой Ира, — небось дорогой страшно!

— Это горный хрусталь, — пояснил профессор, — кольцо оригинальное, но не более того, дорого мне просто как память о Розалии Львовне. После ее смерти я должен был отдать его, но не выполнил последнюю волю покойной супруги.

— Да? — заинтересовалась Ирина. — А почему?

Семен Кузьмич обычно охотно рассказывал о прежних временах, но сейчас внезапно сухо ответил:

— Потом как-нибудь поговорим на эту тему, она мне крайне неприятна. Впрочем, если колечко понравилось, забирай. Вот его можешь носить без страха, оно недорогое.

Иришка примерила подарок и вздохнула. Перстень оказался велик даже на большой палец и крупноват для ее изящной ручки. Носить его она не стала. Кольцо осело на дне комода рядом с другими презентами от заботливого Семена Кузьмича. Отдавая Вене перстень, Ира рассказала ему эту историю и в конце добавила:

— Отнеси его Алеше в счет долга, пусть оценит у ювелира и скажет, сколько тебе еще платить. Семену это кольцо не нравится, да и забыл он про него давно.

Веня принес коробочку Корсакову. Алешка насупился:

— Еще чего, щас, побегу торговать побрякушками. Сам продай, а мне верни баксы!

— Но я не знаю, кому предложить, — развел руками Веня, — какие у меня в Москве знакомые, только наши девки из института! А ты столичный житель!

Алешка вздохнул и взял телефон.

— Езжай к Рине Зелинской, — сказал он, поговорив с кем-то, — она подружка моей матери, брюлики обожает. Если понравится — обязательно купит. Только я ей про «Пежо» ничего рассказывать не стал, и ты не трепись.

Обрадованный, Веня тут же помчался к Рине. Она, вооружившись специальной лупой, долго изучала изделие, а потом устроила целый допрос: «Где взял? Кто дал? Отчего продаешь?»

Веня отвечал относительно честно. Продает из-за того, что понадобились деньги. Дала кольцо любимая девушка, ей оно досталось по наследству.

Рина отложила лупу.

— Купить кольцо не могу.

— Такое плохое? — погрустнел парень.

Зелинская улыбнулась:

— Наоборот, слишком хорошее.

— Не понял, — напрягся Веня.

— Эта вещичка, по самым скромным подсчетам, стоит более ста тысяч долларов.

Веня чуть не упал.

— Сколько? Вы ничего не путаете? Там же горный хрусталь.

— Нет, — огорошила его Рина, — бриллиант чистой воды и редкостной, я бы сказала, уникальной огранки. В Москве был только один специалист, способный сделать подобную вещь, — Гольдвайзер. Похоже, колечко из его коллекции. Если и впрямь хотите продать его, дам адрес одной дамы, она купит.

Ошарашенный, Веня пробормотал:

— Ага, записываю.

Вечером того же дня он приехал в ближнее Подмосковье, отыскал нужный дом и встретился с Софьей Михайловной Половинкиной. Та не стала ни о чем расспрашивать, внимательно изучила кольцо и произнесла:

— Восемьдесят тысяч наличными, сейчас.

Сумма показалась Вениамину огромной, но он, помня слова Зелинской о стоимости перстня, возразил:

— Меньше чем за сто не отдам.

Софья Михайловна скорчила недовольную гримасу.

— Хорошо, сто, но через две недели, на карточку VISA.

Веня призадумался. Видя его колебания, покупательница спокойно добавила:

— Девяносто, наличкой, сию секунду.

На том и порешили. Обалдевший от неожиданной удачи Веня прямо от Софьи Михайловны отправился к своей матери и спрятал в отчем доме свалившиеся на голову доллары.

ГЛАВА 10

— Ты не отдал Алексею деньги за машину? — спросил Виктор Иванович.

— Не успел, — быстро ответил Веня, — меня арестовали.

Я покачала головой, похоже, у парня при виде кучи баксов помутился рассудок, он просто не смог расстаться с пачкой стодолларовых купюр. Однако не забыл соврать Ирочке про то, что проблема с Корсаковым улажена. Теперь понятно, почему Вениамин перед тем, как рвануть в Челябинск, понесся к маме — хотел забрать деньги. Одно не ясно.

— Что же ты задержался у матери? — поинтересовалась я.

Веня мрачно ответил:

— Дура она!

— Кто?

— Да мать, — покачал головой Веня. — Привез ей пакет и велел спрятать в погребушке, за кадкой с кислой капустой, а она...

Он махнул рукой и замолчал.

— Не послушалась тебя? — полюбопытствовал Виктор Иванович.

Веня кивнул:

— Заклеил ведь пакет и велел внутрь не лазить. Так нет! Любопытная слишком, разорвала бумагу, увидела доллары... Вот дура!

— Что же она сделала? — не успокаивался Неустроев.

— Испугалась такую сумму в избе держать, — вздохнул Веня, — сложила в коробку, ее скотчем обмотала и к сестре поволокла, тетке моей. Та за заводе у директора секретаршей сидит, у нее сейф есть, вот туда и пристроили.

— Все равно я не понимаю, почему ты сразу не уехал, — пожала я плечами, — ну велел бы маме коробку назад принести!

Веня горько вздохнул:

— Я примчался в пятницу около семи, завод уже был закрыт, кабинет директора и приемная опечатаны. Печать только у начальника охраны имеется, каким образом тетка могла на работу попасть? Вот мать и запричитала: «Погоди, сыночек, до понедельника». Я и подумал, ну что за два дня случится? И ведь предупредил ее: «Мать, разбуди меня в семь утра, чтобы я в восемь, как только тетка на работу придет, деньги у нее забрал!» Так нет! Дура, она и есть дура! Я когда проснулся, на циферблат глянул и чуть не умер! Два часа дня! Начал на мать орать, а она давай бубнить: «Жалко будить тебя было, так сладко спал!»

Я бриться кинулся, а тут и менты подоспели.

Если бы мать меня в семь разбудила, ни за что бы тут не оказался. Ищи-свищи ветра в поле.

— Тебя бы в Челябинске взяли, — «успокоила» я парня.

Красивое лицо Вени исказилось.

— Я туда и не собирался. Матери так сказал, билет для отвода глаз купил, а в другое место бы поехал.

— И куда же? — поинтересовался Виктор Иванович.

— Россия большая, — хмыкнул красавчик.

— А деньги где? — спросила я.

Веня понизил голос:

— В сейфе небось лежат, о них ментам никто и слова не сказал.

— И твоя мама тоже? — удивилась я.

— Она хоть и дубина стоеросовая, — заявил почтительный сыночек, — но, когда дело о долларах идет, будет молчать, как партизан на допросе.

— Ты не сказал Ире про то, сколько стоило кольцо! — запоздало возмутилась я.

Веня неожиданно улыбнулся:

— У нее и так все в шоколаде, а мне квартира в Москве нужна и прописка, чтобы на хорошее место работать устроиться.

Когда мы с Виктором Ивановичем вышли на улицу, в лицо полетел ледяной колкий снег. Неустроев поднял воротник пальто и почти побежал к машине. Я же шла относительно медленно. Конечно, февральская вьюга не располагает к длительным прогулкам, но после отделения милиции так приятно оказаться на свежем воздухе.

— Наслаждаешься кислородом? — хмыкнул Виктор Иванович, отпирая дверцу.

Я села в автомобиль.

— Что-то подышать захотелось.

— Это после ментовки, — пояснил адвокат. — Везде, где людей содержат под стражей, витает такой странный запах, ни на что не похожий, ни в одном учреждении его больше нет.

— Аромат неволи, — грустно сказала я, — так пахнет разбитая жизнь.

— Очень поэтично, — улыбнулся Виктор Иванович. — Ты, случайно, стихи не пишешь? Может, окончила Литературный институт?

— Нет, я училась в консерватории.

— Где? — изумился Неустроев.

— В консерватории, — повторила я, — по классу арфы.

Виктор Иванович неожиданно притормозил у небольшого кирпичного домика с вывеской «Чай и кофе».

— Не желаешь перекусить? Тут лучший в Москве кофе.

Я почувствовала спазмы в голодном желудке и кивнула:

— С удовольствием.

Очевидно, адвокат был частым гостем в кафе, потому что, завидев его дородную фигуру, и гардеробщик, и официанты, и бармен стали кланяться, словно японцы, безостановочно повторяя:

— Здравствуйте, рады видеть, проходите, садитесь.

Виктор Иванович, сопя, устроился за столиком, не глядя в меню, сделал заказ на двоих и, дождавшись, когда официант уйдет, поинтересовался:

— Каким же образом в наше время арфистки трансформируются в частных детективов? Честно говоря, я думал, ты из бывших сотрудников МВД.

Я улыбнулась и неожиданно для самой себя

рассказала Виктору Ивановичу о Кате, Сереже, Юлечке, Кирюшке, собаках, о бывшем муже, о Костике и о влачащем жалкое существование детективном агентстве «Шерлок».

Виктор Иванович только крякал. Потом, когда мы выпили и впрямь удивительно вкусный кофе, он сказал:

— Могу помочь. Ко мне частенько обращаются люди, которым требуется частный детектив.

— Будем очень признательны, — кивнула я, — естественно, заплатим вам процент.

Неустроев засмеялся:

— Гусары денег не берут.

— Что? — не поняла я.

Виктор Иванович окончательно развеселился.

— Есть такой анекдот. Приходит гусар к девице легкого поведения, ну дальше сама понимаешь. Потом он одевается, собирается уходить. Проститутка с возмущением спрашивает: «А деньги?» — «Гусары денег не берут», — отвечает кавалер и испаряется. Я человек старой закалки и не беру у женщин деньги.

— Да? — прищурилась я. — Только что вы получили от меня две тысячи долларов.

Виктор Иванович поперхнулся.

— Это ведь за дело! Ты язва!

— Нет, я просто люблю справедливость.

— Ладно, — улыбнулся Неустроев, — скажем так, за дружеские услуги я не требую гонорара. Давай свой телефон.

Я заколебалась.

— Можешь не волноваться, — успокоил меня адвокат, — буду направлять к вам только солидных, платежеспособных людей. Меня многие знают и часто обращаются. А насчет Вениамина... Давай работать в паре.

— Это как? — насторожилась я.

— Ты для начала сходишь к этой Софье Михайловне и узнаешь, действительно ли она заплатила такую прорву денег за кольцо.

— У вас есть сомнения в честности Вени?

— А у вас нет? — мигом парировал Неустроев.

Пришлось признаться:

— Мне он не показался искренним человеком.

— Но и ты, и я обязаны ему помогать, — усмехнулся Неустроев, — нас для этого наняли. Поэтому сначала попытаемся внести ясность в кое-какие детали. Были ли деньги? Правда ли, что Ирина не знала о них? Так ли богат был Семен Кузьмич? Если старик и впрямь владел сокровищами, тут возможны варианты...

— Какие?

— Ну, я сейчас рассуждаю не как адвокат, а как твой помощник, — заявил Неустроев. — Вполне вероятно, что Семен Кузьмич надоел молоденькой жене, и она с любовником решила избавиться от него.

— Что вы! Ирина считала профессора своим отцом!

— Это откуда известно?

— Ну... она сама мне сказала.

Неустроев скривился:

— Нельзя верить чужим словам. Вдруг все было иначе?

— И как же, по-вашему? Брак Семена Кузьмича и Иры был фиктивным, она звала его «папочкой».

— Ну и что? Сотни людей, имеющих детей, зовут друг друга «мама» и «папа».

— Но у этой пары не было потомков, — напомнила я.

— Жена вполне могла обращаться к мужу «папочка», — не дрогнул адвокат, — это ни о чем не говорит.

— Но Семен Кузьмич разрешал Вене приходить в гости.

— Подумаешь, мы же не знаем, каким образом объяснялись эти посещения!

— Парень ночевал у Иры в комнате.

— Небось сочинили что-то для пущей убедительности.

— Но зачем?

— А ты представь, — с воодушевлением воскликнул Виктор Иванович, — такую ситуацию! Семен Кузьмич и Ира живут в полноценном браке. Веню девица представила мужу в качестве... ну, не знаю кого — приятеля, однокашника, земляка, может, брата. Профессор человек не подлый, поэтому не ожидает никаких гадостей от молодой супруги. А Веня и Ирина, люди бедные, ждут не дождутся, когда старичок наконец сядет в последний поезд и уедет на тот свет. Но вот беда, Семен Кузьмич оказался намного крепче, чем они рассчитывали, — скрипел и скрипел себе, наконец у ребяток лопнула терпелка, и они решили слегка ускорить события. Убили дедушку и попытались замести следы.

Веня укатил к матери, а Ира стала изображать безутешную вдовицу. Между прочим, эта ситуация не столь уж редкая. Просто им не повезло, Вениамина мигом вычислили.

— Нет, — покачала я головой, — концы с концами не сходятся.

— А по-моему, все очень логично, — запротестовал адвокат. Но я стояла на своем.

— Нет! Ну подумайте сами! Зачем они его застрелили?

— Чтобы наконец-то освободиться от третьего лишнего, — ухмыльнулся Неустроев.

— Но это же идиотизм, следовало действовать иначе.

— И как же?

— Ну... подлить в суп или в чай какое-нибудь лекарство. Семен Кузьмич мирно бы умер, кончина пожилого, не слишком здорового человека не удивила бы никого. Скорей всего, Ира получила бы без проблем свидетельство о смерти. А тут выстрел! Сразу возникают подозрения. И потом, Ира пришла нанимать меня, чтобы доказать непричастность Вени к убийству. Зачем бы ей это делать?

Виктор Иванович молча вертел в руках чайную ложечку.

— Нет, — с жаром говорила я, — она тут ни при чем, а вот Веня... Вы верите в эту совершенно дикую историю? Двое находятся в комнате, и одного из них убивают непостижимым образом. Сидел, разговаривал, потом бац — дырка во лбу. Звучит фантастично, не находите?

— Вот поэтому я и уверен, — ожил адвокат, — что они действовали заодно. Пока Веня отвлекал Семена Кузьмича разговором, Ира зарядила пистолет — и ау! Нету ласкового дедушки, можно плакать на могиле. Кстати, когда похороны профессора?

— Не знаю.

— А ты уточни.

— Зачем?

— Иногда на погребении случается много интересного, — хмыкнул Неустроев. — Ладно, давай, как детективы, займем такую позицию: ни во что не верим, проверяем всех.

— Вы адвокат, — напомнила я.

— Если честно, — признался Виктор Иванович, — я всегда хотел быть кем-то вроде Перри Мейсона. Ты читала Гарднера?

— Да, — кивнула я, — он показался мне занудным.

— А я просто в восторге! — воскликнул Виктор Иванович. — Значит, так! Узнаешь у Софьи Михайловны про кольцо, уточнишь дату похорон, сбегаешь на кладбище, и приходи ко мне. Выслушаю отчет, и наметим план дальнейших действий.

Больше о делах мы не говорили. Виктор Иванович довез меня до оставленных «Жигулей» и умчался, не забыв крикнуть напоследок:

— Кольцо, кладбище, не забудь!

Я кивнула, завела мотор и поехала домой. Конечно, великолепно, что Виктор Иванович, мечтающий о славе Перри Мейсона, решил сделать из меня подобие бравой секретарши ловкого защитника. Кажется, предприимчивую девицу звали Делла. Но мне совершенно не хочется быть у кого-либо на посылках, я сама привыкла справляться с обстоятельствами. Спасибо, господин Неустроев, за помощь, но я вам ничем не обязана. За услуги защитника сполна заплачено, и я не собираюсь отчитываться перед ним, хотя кое в чем он прав. И к Софье Михайловне съезжу, и Ирине позвоню, узнаю насчет похорон. То, что многие убийцы являются посмотреть на свою жертву в гробу, давно доказанный факт.

Выкинув из головы мысли о работе, я переключилась на другие проблемы. Что приготовить на ужин? Учитывая, что уже пробило семь часов, времени у меня на кулинарные изыски нет. Впрочем, вполне успею пожарить курицу и сделать салат.

Дорулив до знакомого супермаркета, я с радостью обнаружила на парковке свободное место и, заперев машину, вошла внутрь.

Продавщица мясного отдела мигом узнала меня.

— О! Хорошо, что прибежала, это тебе!

Я глянула на большой пакет.

— Что там?

— Так ты же хотела несвежее мясо, — напомнила толстуха, — мы тебе специально насобирали, из отходов.

— Что вы тут вкусного нашли? — раздался за спиной быстрый картавый голосок.

Я обернулась и увидела Нину Ивановну, толкающую перед собой тележку с харчами.

— Что берете хорошего? — продолжала любопытствовать председательница кооператива.

— Да вот мясо решила купить!

— Бери, бери, — радостно заголосила продавщица, — уж такое тухлое, прямо вонючее! Твоим понравится.

Брови Нины Ивановны взлетели вверх.

— Тухлое? Вонючее? Это шутка такая глупая?

— Да нет, — затарахтела торговка, — ей гнилье нужно. А в нашем магазине клиент хозяин. Вчерась я тухлятину заказала, сегодня получила, для крокодилов.

— Для кого? — подпрыгнула Серегина.

Вот тут я испугалась по-настоящему и быстро прервала чересчур говорливую торговку:

— Я так шучу. Домочадцев крокодилами называю — едят, словно аллигаторы, что им ни приготовь — все проглотят! Давайте пакет.

Толстуха протянула мне белый мешок.

— На кассе двадцать рублей заплатишь, — сказала она.

Брови Нины Ивановны почти слились с волосами надо лбом.

— Два червонца? Всего? Да там, похоже, килограмма три мяса!

— Точно, — кивнула торговка, — угадали.

— И за двадцатку! — не успокаивалась Нина Ивановна.

Я стала осторожно пятиться к стеллажам с консервами. Сейчас Серегина начнет выяснять суть дела, и мне нужно бежать от греха подальше.

— Интересно, — загудела Нина Ивановна, — я тоже хочу такого.

— У ней тухлятина, — принялась растолковывать толстуха, — самая лучшая наисвежайшая гниль.

— И мне дайте!

— Больше нету.

— Безобразие!

Скандал начал набирать обороты. Пригнувшись, словно боец под обстрелом, я рванулась к кассе, сшибая по дороге банки с лососем и пластиковые бутылки с кока-колой.

Вывалив на резиновую ленту покупки, я перевела дух, но, очевидно, успокаиваться было рано.

— Евлампия Андреевна, — зачастил картавый голосок, — разрешите глянуть на мясо.

Я не успела заслонить собой пакет. Пухлые пальцы вдовы полковника цепко ухватили белый мешок и в мгновение ока развязали его. Тут же отвратительно запахло. Кассирша чихнула — раз, другой, у меня запершило в горле.

— Но это же стухло! — воскликнула Нина Ивановна. — Я думала, продавец глупо шутит! Зачем вам этот ужас?

Я испытала сильнейшее желание заявить: «Это

мое дело, не следует везде совать свой любопытный нос», но прикусила язык.

Нина Ивановна не успокоится, пойдет к мясному прилавку. Болтливая толстуха начнет рассказывать о крокодильчиках, полковничиха мигом вспомнит «голую той-таксу», и начнется такое! Требовалось немедленно купировать назревающую катастрофу.

Решение пришло мгновенно. Я быстро завязала мешок и шепнула:

— Ну не при всех же рассказывать? Пойдемте в кафетерий.

ГЛАВА 11

Устроившись за маленьким столиком, я сказала:

— Вы меня прямо сконфузили, обычно я по-тихому беру мясо — и домой.

— Вы настолько нуждаетесь, что питаетесь гнильем? — недоверчиво спросила председательница. — Интересное дело! У Кати и Юли хорошие шубки, Лизе недавно компьютер новый приобрели, у Сережи машина не советская, а Кирюшка у математика занимается! Между прочим, десять долларов за урок платите!

На секунду я лишилась дара речи. Ну, Нина Ивановна, просто агент национальной безопасности, все разнюхала, разузнала и записала.

— Нет, — я фальшиво улыбнулась, — едим-то мы нормально, все свежее, хорошее, экономим, конечно, как без этого, но тухлятину не употребляем.

— Тогда зачем это? — нахмурилась Нина Ивановна.

— Понимаете, — затараторила я, — очень хочется молодо выглядеть! Для женщины внешность много значит!

— Мне всегда казалось, Евлампия Андреевна, — прищурилась председательница, — что вам глубоко наплевать на себя. Все ваши, Катя, Юля, вечно всклокоченные бегают и ненакрашенные. Одна Лиза глаза подводит, но ей-то как раз рано этим заниматься.

Я наклонилась над чашкой и, понизив голос, сказала:

— Ну... понимаете... Юлечке-то незачем приукрашиваться, у нее муж имеется. А нам с Катей надо свою судьбу устраивать, годы-то бегут, моложе не делаемся.

— Это точно, — вздохнула Нина Ивановна.

Ободренная этой фразой, я понеслась дальше на лихом коне лжи:

— А когда тебе не двадцать лет, то с лицом проблемы начинаются! То пигментное пятно выступит, то какие-то прыщи высыпят, а еще морщины гадкие — «гусиные лапки» и мимические, на лбу и от носа к подбородку. Кое-кто подтяжки делает, но у нас с Катей денег на пластическую хирургию нет, сами знаете, сколько зарабатываем. Сначала покупали всякие разрекламированные кремы...

— Барахло, — махнула рукой Нина Ивановна, — зря деньги выбросили. Я тоже польстилась, а толку? Мазалась, мазалась, никакого эффекта. Мне, Лампа, раньше хорошо простые средства помогали: яичный желток с маслом и лимонным соком, картофельное пюре. Сделаешь маску, и прекрасно. Еще отлично лицо сметаной мазать или майонезом, но последнее время ничего не берет, морщин все больше...

— Вот, — кивнула я, — нам и посоветовали совершенно волшебное средство.

— Какое? — оживилась полковничиха. — Сделай милость, расскажи.

— Но только вам! Больше никому ни гугу!

— Да, да, говори.

— Одна Катина пациентка, из очень богатых, ездит раз в полгода во Францию, там ей в супер-престижном салоне делают маски из тухлого мяса, — выпалила я и ужаснулась.

В такое Нина Ивановна не поверит никогда. Но Серегина сначала вытаращила глаза, а потом воскликнула:

— Да? И как же их накладывают!

Я ухватила свою фантазию за шкирку, встряхнула и затараторила:

— Крайне просто! Берут несвежую говядину, свинину, баранину, птицу, сорт не имеет значения, проворачивают через мясорубку, потом фарш мажут на чисто вымытое лицо, оставляя рот и глаза открытыми. Держат сорок минут, при этом надо лежать молча, не шевелясь, и думать о том, как похорошеешь. Ну а затем смыть его теплой водой, намазать лицо кремом, любым.

— И помогает? — с надеждой поинтересовалась Нина Ивановна.

— Волшебным образом, — заверила ее я, — основная проблема с тухлым мясом, его сейчас практически не достать. Но вот я договорилась в этом магазине, мне его оставляют. Сказала, что у нас дома крокодилы живут, якобы надо их кормить. Нас Катина клиентка предупредила: «Если больше чем одному человеку про мясо расскажете, перестанет помогать». Ну, пойду, пора ужин готовить.

С этими словами я, подхватив пакеты, рванулась на выход. Нина Ивановна осталась сидеть за столом над чашкой с недопитым кофе. На ее лице застыло недоуменно-недоверчивое выражение. Надеюсь, сплетница поверила мне. Однако ловко я приплела сюда крокодилов! Кстати, как они там?

Дома отчего-то никого не оказалось. Впрочем, это неудивительно. Кирюшка у репетитора, продирается сквозь колючие дебри математики, Лиза постигает у другого преподавателя английский, Катя и Сережа с Юлечкой небось торчат на работе.

Погладив прыгающих от радости собак, я втащила в ванную комнату пакет с гнильем и развязала его. Муля, Ада, Рейчел и Рамик задергали носами, потом, расчихавшись, убежали. Я осторожно, двумя пальцами, вытащила скользкий, отвратительный кусок и на секунду призадумалась: мыть его или сунуть крокодилам так? Навряд ли они чистят мясо перед едой.

— Ася, Вася, кис-кис-кис, — запела я и швырнула кусман в ванну.

Крокодилы ожили и подобрались к добыче, но есть не спешили. Я вновь заглянула в пакет, сверху лежал довольно большой шмат печени. Может, им по вкусу субпродукты?

Но ни почки, ни печенка, ни рубец не произвели на Асю с Васей желаемого впечатления. Я вывернула в воду весь пакет. Чем же их кормить? Ведь с голоду подохнут! Может, им мешает яркий свет и мое присутствие? Сейчас умоюсь и пойду отдохну. Сами понимаете, что принять душ было невозможно. Поэтому я, скинув джинсы и пуловер, изогнувшись буквой S, влезла под кран в раковине и кое-как, облив весь пол, вымылась. Вода попала на тапочки, поэтому в спальню я потопала босиком.

Внезапно на меня навалилась усталость. Я плюхнулась на кровать. Половина девятого, никто из домашних не придет раньше девяти. Полежу полчасика, а потом сделаю ужин. Уже залезая под одеяло, я вспомнила, что в ванной на полу осталась моя одежда, но сил встать и убрать ее просто не было. «Ничего, — промелькнуло в голове, — вот только покемарю пару минуточек, и порядок».

Из коридора донесся тоненький, заунывный вой. Наши мопсихи обожают залезать в кровать к тому, кто решил вздремнуть. Но я хитрая, поэтому сейчас не впустила Аду с Мулей в комнату. Стоит им ворваться в спальню, как можно проститься с покоем. Сначала собачки, сопя, затеют дележку территории, норовя сесть мне на макушку, затем, прижавшись к хозяйке, утихомирятся и заснут, придавив собой мое одеяло. Ни пошевелиться, ни сменить позу в этой ситуации мне не удастся. Поэтому пусть сидят где угодно, но не здесь.

Без мопсих вся койка только в моем единоличном распоряжении. Одна беда: поняв, что ее лишили сладкого сна рядом с хозяйкой, гадкая Мульена начинает выть. Адюша ведет себя тише, просто ложится, прижимает нос к щели между полом и дверью и начинает шумно вздыхать.

— У-у-у, — стонала Мульена, — у-у-у.

Я уже решила было встать и впустить мопсих, и тут Морфей одолел меня.

— О-о-о, — услышала я.

Рывком вскочила и обнаружила, что в комнате совершенно темно.

— О-о-о, — стонала Муля, — о-о-о!

Господи, который час? Пальцы нашарили будильник. Одиннадцать! Ничего себе, прилегла на пять минут и продрыхла столько времени. Но почему так плачет Мульена? Неужели никого еще нет дома?

— Так и знала, — завопила Муля.

И в ту же секунду я поняла, что это не мопсиха, а Юля.

— Так и знала! — кричала Сережина жена. — Ужас!

— Мамочка, — заголосила Лиза, — сколько крови! Ой! Это она? Юль, скажи, она?

— Она, — вплелся в хор голосов Сережкин бас, — она, на одежду гляньте!

— Господи! — запричитала Юля. — Господи!

Послышался грохот, потом Сережка завизжал:

— Чего стоите? Тащите ее отсюда! Ну Лампа! Ну Лампа! Немедленно звоните Кате!

Я затаилась в комнате, боясь выйти. Если сейчас высунусь наружу, они меня убьют. Очень не вовремя свалил меня, несчастную, сон. Я плюхнулась под одеяло с твердым намерением встать через полчаса, поэтому не стала убирать в ванной. На стиральной машине остался пакет из-под тухлятины, в воде плавают недоеденные крокодилами ошметки, и запах в санузле стоит еще тот.

Прикиньте, как обозлились домочадцы, обнаружив сей натюрморт! Да еще в кухне вместо вкусного ужина лежали на столе сырая курица и нечищеная картошка.

Нет, из комнаты нельзя даже высовываться. Нужно забиться под одеяло и лежать тихо-тихо, не чихая и не кашляя. Даже очень обозлившись на меня, домашние не станут будить крепко спящего человека. Главное, продержаться до утра, а там они слегка успокоятся.

Приняв решение, я натянула на голову плед и

стала мирно погружаться в дремоту. В квартире тем временем разворачивались масштабные действия.

Кто-то с топотом носился по коридорам, Муля выла, Рейчел гавкала, Ада и Рамик нервно повизгивали. Слышались всхлипы и возгласы Сережки. Он безостановочно твердил:

— Ну Лампа! Ну Лампа!..

Под его выкрики я вновь заснула. Разбудил меня резкий грохот и незнакомые, грубые мужские голоса.

— Куда?

— Здесь!

— Да уж, картинка!

— Пусть вылавливают.

— Не могу этого видеть, — раздался баритон Володи Костина, — как же так? А? Как?

— Ну Лампа! Ну Лампа!.. — словно заезженная пластинка, твердил Сережа.

— Вызвали «Скорую»? — вплелся в хор совершенно убитый голос Кати.

Я обозлилась. Ай да Юля! Целое представление устроила! Всех позвала: Володю, Катю! А все для того, чтобы продемонстрировать разгром в ванной.

Залязгало железо.

— Это все, что осталось? — спросил кто-то незнакомый.

Внезапно раздался плач.

— Да! Да! Ужасно.

— Помогите, ей плохо!

— Врача!

— Нашатырь!

— Вова, неси ее в спальню.

— Да не вылавливай сейчас, видишь, люди в шоке!

Я натянула халат и вышла в коридор. Пусть убивают, все равно спать в таком шуме невозможно. Первой меня увидела Юля, стоявшая с заплаканным лицом в коридоре между ванной и туалетом.

— Лампа! — взвизгнула она.

— Добрый вечер, — пролепетала я, ожидая услышать гневную отповедь типа: «Как ты могла...»

Но Юлечка неожиданно всхлипнула, закатила глаза и съехала по стене на пол. Я кинулась к ней.

— Тебе плохо?

Из Лизиной комнаты вынырнула Катерина, в руке она держала использованный шприц.

— Юле дурно, — крикнула я, — помоги!

Но Катюша, всегда моментально бросающаяся всем на помощь, попятилась и прошептала:

— Ты...

— Я? А что?

— Ты...

— Я!!!

Да что с ней!

— Это я! А кого ты думала увидеть?!

— Мама, — внезапно заорала Катя, — Лампа!

Из ванной высыпала толпа мужиков во главе с Вовкой, из гостиной вылетели Сережа и Кирюшка.

— Лампа! — завопили они. — Ты?!

Не понимая, отчего все взвизгивают при виде меня, я довольно сердито ответила:

— Что страшного вы тут увидели, а? Можно подумать, будто мы десять лет не встречались.

Внезапно наступила тишина. Юлечка, открыв глаза, уставилась на меня в упор, Кирюшка и Сережа, разинув рты, молчали, а Катерина отчего-то быстро крестилась. Я ощутила некоторый дискомфорт. Может, пока я спала, в доме что-то случилось?

Неожиданно Костин, шагнув вперед, упер в меня указательный палец и заорал:

— Она жива!

От негодования у меня потемнело в глазах. Что он имеет в виду, делая подобное заявление?

В ту же секунду Вовка вопросил:

— А теперь быстро признавайтесь, кому из вас первому взбрело в голову, что Лампудель сожрали крокодилы?

Я на секунду потеряла дар речи, но потом обрела его.

— Меня? Аллигаторы? Что за бред!

Юлечка кое-как встала и еле слышно пробормотала:

— Я пришла домой, вижу, никого нет. Зашла в ванную, мама родная! Кровищи море, в воде останки плавают, на полу одежда валяется, тапочки... Что прикажете думать? Мульена воет, запах ужасный!

— Интересное дело, — возмутилась я, — с чего бы мне вонять гнилью? Ну сама подумай, если крокодилы меня сожрали, то почему останки так пахнут? Я-то свежая! А несло тухлятиной!

— Так Муля выла!

— Она всегда плачет, если ее в спальню не пускают!

— В воде одна кровь, — вяло отбивалась Юлечка.

— Самое интересное, — хмыкнул Вовка, — что мы все, как идиоты, купились.

— Мне сразу стало понятно, что тут ерунда, — прервал его один из незнакомых мужчин, — почки-то телячьи плавали!

— Ладно, ребята, — сердито прогудел Костин, — извините, баб послушал, и вышло как всегда! Пошли ко мне, коньячку тяпнем.

— Тебе ванную убирать, — окончательно ожила Юля, — изволь все отмыть.

— А уж воняет! — злился Сережка.

— И все полотенца забрызганы, — вставил слово Кирюшка, — во Лизка удивится, когда проснется. Зря, мама, ты ей снотворное колола.

— Так кто же знал, — тихо ответила Катюша. — Давайте на кухню. Ну и вечер! Ты, Лампуша, в следующий раз не оставляй бардак в ванной.

Продолжая отчитывать меня на разные лады, домашние гуськом потянулись в коридор. Спустя некоторое время я осталась одна и с тоской оглядела ванную комнату, похожую на кухню людоеда: повсюду капли крови и грязь. Делать нечего, придется потратить остаток ночи на генеральную уборку. Однако какие странные люди мои родственники. Только что они рыдали и падали в обморок, предполагая, что я погибла в пасти крокодилов, а сейчас, вместо того чтобы радоваться моему воскрешению, принялись ругаться и злиться. Ей-богу, не понимаю их.

ГЛАВА 12

Софья Михайловна Половинкина жила на Рублевском шоссе. Великолепное место, летом тут, наверное, очень хорошо, зелень, цветы, птички поют. Впрочем, зимой тоже неплохо, в лесу лежит снег. Одна беда, недолгий в принципе путь растянулся на два часа, продвигаться по шоссе оказалось затруднительно. Сначала я простояла около тридцати минут, пытаясь съехать с МКАД, потому что гаишник перекрыл движение. Потом по шоссе молнией пролетел «Мерседес» с джипом охраны, и простым смертным разрешили движение. Я было обрадовалась, да, видно, зря, потому что метров через триста вновь обнаружился постовой, категорически запративший следовать дальше. Еще полчаса я ждала, пока он взмахнет жезлом. Наконец в сторону Москвы вновь просвистели и «Мерседес», и джип. Может, кто-то из «слуг народа» просто катается по Рублевке туда-сюда? Ну образовалось у мужика свободное время, вот и гуляет: сначала к Ильинскому, потом назад, в столицу.

Проклиная депутатов, гаишников и тех, кто приказывает из-за машин со спецсигналами тормозить движение остального транспорта, я помчалась по узкому шоссе. Ну скажите на милость, что хорошего в Рублевке? Дорога паршивая, магазинов нет. Отчего весь бомонд селится тут? Наверное, это дело привычки. Когда-то в советские времена в Барвихе, Ильинском и иже с ними стояли дачи членов ЦК КПСС, депутатов Моссовета и работников Московского горкома партии.

После перестройки новым властям моментально захотелось занять их место, остальные, внезапно разбогатевшие, тоже решили стать крутыми, и Рублево-Успенское шоссе застроилось замками самой невероятной конфигурации. И только сейчас кое до кого стало доходить: Рублевка — неудобное шоссе, Ново-Рижская трасса намного лучше.

Софья Михайловна оказалась девчонкой лет двадцати пяти. Ее ярко накрашенное личико и копна мелко вьющихся белокурых волос показались мне отчего-то знакомыми. Когда хозяйка впустила меня в просторный холл загородного особняка, первое, на что упал взгляд, были развешанные повсюду афиши. И я поняла, почему очень хорошо знаю Софью Михайловну. Дня не проходит, чтобы ее смазливая мордашка не мелькала на экране телевизора, да и из радио постоянно льется чистый голосок. Только что слушала его в машине.

Мне Софья Михайловна известна под псевдонимом Дора, поет она в составе девичьей группы, название которой я вспомнить не могу. Коллектив состоит из трех прехорошеньких девчонок, чьи концертные костюмы балансируют на грани приличия: обтягивающие брючки, держащиеся, скажем так, на бедрах, и блестящие лифчики, скорей открывающие, чем прикрывающие прелести. Любая другая женщина в подобных шмотках выглядела бы шлюхой, но Дора и ее подружки смотрятся великолепно, у них прелестные фигурки.

Кстати, поет там одна Дора, две остальные девочки «припевки», бубнящие «ла-ла-ла» или «та-та-та». Голоса у них слабые, и не всегда девицам удается попасть «на ноту». Вот Доре господь подарил хороший голос и тонкий музыкальный слух. Меня, как бывшего музыканта, ничто не коробит в ее пении. Может, только текст песен. «Кто ее любит, тот не разлюбит, кто ее целует, тот не забудет».

Хотя они ведь не на меня рассчитаны, а на подростков, которые пришли на дискотеку поскакать под ритмичную музыку. Им еще исполнится пятьдесят, и тогда их потянет на Моцарта. Пусть подпевают Доре, пока молоды, радуются жизни.

— Вы из какой газеты? — прощебетала девчонка. — Надеюсь, не из «МК»?

— Чем вам «Московский комсомолец» не угодил? — улыбнулась я.

Дора скорчила гримасу:

— Там есть парочка, называет себя «Полиция моды», нас с девчонками осмеяли: дескать, одеваемся словно лохушки. А сами! Вы бы на их фотки глянули! Умереть не встать! Я сначала думала, там две бабы: одна с грязной, сальной головой, а другая в жуткой самовязаной кофте. Если уж над другими издеваешься, то сама хоть помойся и оденься прилично! Представьте, потом я выяснила, что тетка с жуткими волосами — мужик! Чуть не лопнула от смеха.

— Я не из «Московского комсомольца», впрочем, вам, наверное, не привыкать к разным глупостям, которые пишут в органах печати.

— Да, а то, — махнула рукой Софья, — такого наваляют, три дня не разгребешь. Так вы откуда?

Я приветливо улыбнулась:

— Из журнала «Камень судьбы».

— Никогда о таком не слышала, — заявила Софья, провожая меня в огромную гостиную.

Вовсе неудивительно, я только что придумала это название, хотя не исключено, что и на самом деле существует такое издание.

— Мы рассказываем о драгоценностях, о том, как их покупать, носить...

— Ой, класс! — взвизгнула Соня. — Обожаю брюлики и все такое.

Ее красивые карие глаза смотрели на меня дружелюбно, на лице играла улыбка. Внезапно я поняла: Соня милая, приветливая, талантливая девочка, но... дура. Впрочем, наверное, она просто еще не успела ничего прочитать, слишком молоденькая.

— Так люблю цацки! — подскакивала певица. — Больше жизни!

— У нас существует рубрика, — придумывала я, — когда звезды, такие яркие, как вы, показывают содержимое своих шкатулок и рассказывают, где купили, зачем, к какому наряду. Если не хотите, можем не называть вашу фамилию, допустим, певица Д...

— Пошли в спальню, — защебетала Соня, — мне скрывать нечего, плачу налоги и сплю спокойно, это другой кто пусть трясется, а у меня все как на ладони! На честно заработанные деньги приобрела. Да мы в месяц по шестьдесят концертов даем! Надо состояние скопить, пока молодые, чтобы, когда петь не сможем, с голодухи не сдохнуть. А куда денежки вкладывать? Вот, дом построила, теперь брюлики покупаю. Очень удобно, они не обесценятся. Придет нужда, открою комод и продам.

С этими словами мы вошли в большую комнату, похожую на ожившую мечту пятиклассницы: повсюду розовые одеяла, подушки-думочки, гора мягких игрушек и пудовые букеты в вазах.

— Во, глядите, — с воодушевлением начала Соня, вытаскивая из изящного комодика на гнутых ножках черные и красные коробочки.

На пятнадцатой меня затошнило. Сонечка тарахтела, как погремушка, камни сверкали перед глазами, их было слишком много. Поняв, что просмотреть всю коллекцию у меня не хватит сил, я решила ускорить процесс и поинтересовалась:

— А какое последнее приобретение?

— Вот, — Соня показала браслет, украшенный рубином размером с кирпич, — классный такой.

— А из бриллиантов?

Девушка метнулась к комоду.

— Да! Во! Уникальная штучка... Из коллекции Гальд... Гальд... но не помню, Рина знает!

— Кто?

— Рина Зелинская, моя крестная, это она ко мне продавца с этим брюликом прислала. Такой лох! Отдал всего за девяносто тысяч! Да кольцо в два раза больше стоит!

— Неужели? — усомнилась я.

— Ну... может, не в два, — слегка сбавила пыл певица, — но уж не дешевле ста двадцати, мне Рина говорила, она-то в курсе, долго рассказывала про этого Гольц... Гольц... тьфу, забыла!

Внезапно с улицы послышался гудок. Сонечка подскочила к окну и радостно воскликнула:

— Рина! Вот она вам сейчас все про перстень и сообщит. Пошли кофе пить!

Схватив коробочку с драгоценностью, девица ринулась вниз. Я пошла за ней. Экая беспечная особа! Первый раз видит человека, показывает ему все свои украшения, а потом убегает, не убрав «сокровища». Наверное, Сонечке на жизненном пути ни разу не попались мерзавцы.

Следующие десять минут певица отдавала бестолковые распоряжения домработнице, женщине лет шестидесяти с угрюмым, мрачным лицом, и обнималась с гостьей, дамой лет сорока, обладательницей великолепной фигуры и тщательно намакияженного лица.

Наконец подали кофе и симпатичные маленькие пирожные размером с черешню. Мне они показались замечательными, и я, забыв про хорошее воспитание, слопала штук десять, не меньше.

— Это кольцо, — сказала Рина, — имеет необычную судьбу, трагическую, как раз для вашего журнала. Хотите, расскажу?

— Конечно, — кивнула я.

— В тридцатые годы в Ленинграде жил ювелир, Абрам Гольдвайзер, — начала Рина, — был он, как тогда говорили, из бывших. Его отец, знаменитый ювелир Менахем Гольдвайзер, имел мастерскую в Петербурге, и многие дамы заказывали ему украшения. Одно кольцо, золотую веточку, с которой свисали две черные жемчужины, непостижимым образом державшиеся в оправе, носила сама императрица.

Сами понимаете, что Менахем был не бедный человек. Единственного сына Абрама он выучил и приставил к делу, но в 1917 году случился большевистский переворот. Абраму только-только исполнилось восемнадцать, но, опровергая все теории о том, что благоприобретенные навыки не наследуются, он уже был великолепным ювелиром. В начале двадцатых годов Менахем умер, а Абрам потихоньку делал украшения. В любые времена женщины любили драгоценности, а у тех, кто пришел к власти, имелись жены, дочери и любовницы.

Вот Абрам и старался. Самое интересное, что его не тронули даже в конце тридцатых годов, когда миллионы людей загремели в лагеря по бредовым обвинениям.

Абрам вел себя тихо, как мышь, его жена и дочери тоже лишний раз не высовывались, жили скромно — питались скудно, одевались бедно, боясь привлечь к себе внимание. Между тем у Абрама имелась коллекция замечательных ювелирных изделий, часть из которых были изготовлены его отцом. Одного колечка хватило бы на дачу и шубки для женщин семьи Гольдвайзер.

Но они великолепно понимали: стоит расстаться с одной, самой невзрачной побрякушкой, как Абрама и его семью немедленно назовут врагами народа и расстреляют. А драгоценности попадут в карманы к тем, кто отдаст приказ. Поэтому ювелир боялся даже думать о раритетах, спрятанных в тайнике под полом.

Но слава о нем бежала далеко. В 41-м году ему из Киева привезли потрясающий бриллиант. Заказчик, очень влиятельный человек, хотел, чтобы мастер изготовил кольцо для его супруги. Абрам получил заказ 21 июня 1941 года, что случилось потом, напоминать никому не надо. В Советский Союз ворвались фашистские оккупанты. Аккуратный и чрезвычайно честный Абрам выполнил заказ, но отдать его было некому. Киев давно заняли немцы, установив там свой Ordnung[1], заказчик погиб, его жена исчезла в горниле войны. Гольдвайзер положил кольцо в свою коллекцию. Если кто-то явится за ним, Абрам мгновенно отдаст раритет, ему чужого не надо. Затем немцы взяли Ленинград в плотное кольцо, и началась блокада.

Как ни описывай мучения, которые выпали на долю людей, оказавшихся в городе, лишенном света, газа, еды и воды, все равно не сумеешь передать правду. Это нужно было пережить, но до светлого Дня Победы дотянули немногие. Семья Гольдвайзер уцелела благодаря ювелирной коллекции.

Когда тебе грозит близкая смерть, понятие о ценностях существенно меняется. Какой прок от золота и бриллиантов в городе, умирающем от голода? Главной драгоценностью стали крупа, хлеб, мука.

Вот Абрам, чтобы выжить, и начал обменивать уникальные изделия на харчи. Можно сказать, что Гольдвайзерам повезло. Страшной зимой, когда вода в Неве, единственном источнике питьевой жидкости, промерзла почти до дна, в жутком феврале, когда на улицах тут и там лежали трупы, отвезти которые на Пискаревское кладбище у родственников не было сил, в то самое время, когда съели домашних животных, сварили суп из обуви, содрали обои со стен, потому что на них был клей, из ко-

---

[1] Ordnung — порядок *(нем.)*.

торого можно сделать студень, в эти дни к Гольд-двайзерам, тихо умиравшим в своей квартире, пришла соседка по подъезду и сказала:

— Абраша, у меня есть приятельница, меняет тушенку на золото. Если имеешь рыжье, пошли.

Ювелир вытащил пару не самых интересных колечек и побрел, шатаясь от ледяного ветра, на другой конец города, на Петроградскую сторону. Транспорт не ходил, поэтому путь занял весь день. Жена и дочери, слегшие от голода, решили было, что больше никогда не увидят на этом свете любимого отца и мужа, но около полуночи Абрам вполз назад, а потом выложил на стол невиданные деликатесы: сгущенку, тушенку, гречку, сахар и... кофе.

Тихонько закрыв двери и заткнув замочную скважину, чтобы одуряюще вкусный запах готовящейся каши не пополз на лестницу, Абрам сварил ужин, накормил своих и рассказал об увиденном.

Когда женщина по имени Роза впустила ювелира в квартиру, Гольвайзер чуть не упал в обморок, так пахло кофе, настоящим, из зерен, и еще в помещении было тепло. В буржуйке, набитой дровами, весело плясал огонь. Абрам, который давно сжег все, что могло гореть, изумился. У Розы мебель стояла в целости и сохранности. А почти все ленинградцы давно отправили в печь книги, столы, стулья и буфеты.

Хозяйка тщательно осмотрела принесенное, потом выдала продукты. В мирное время, увидав, что ему предлагают за кольцо, сделанное Менахемом, Абрам бы расхохотался. Килограмм гречки и банка тушенки! Но блокада, повторюсь, сильно изменила понятия о материальных ценностях, можно сказать, она их вывернула наизнанку. И Абраму плата показалась просто царской.

Вот так и выжили, последним в руки жадной Розы ушло то самое кольцо с раритетным бриллиантом!

— Где же эта женщина брала продукты в голодное время? — изумилась я.

Рина пожала плечами:

— Абрам тоже много думал на эту тему, но потом соседка, та самая, что дала ему адрес скупающей золото бабы, проболталась. Якобы Роза до войны работала в крупном продовольственном магазине. Когда кольцо блокады начало стремительно сужаться, в магазин попала бомба, и он сгорел со всем немалым содержимым. Никого сей печальный факт не удивил. Гитлеровцы усиленно обстреливали не желавший сдаваться город. Кстати, одной из причин быстро наступившего голода было то, что фашистам удалось разбомбить главные продуктовые склады Ленинграда, они горели целую неделю, в разгар блокады жители ходили на пепелище и уносили домой в кульках нарытую на пожарище землю, которая была перемешана с крупой и макаронными изделиями.

Сваренную из земли еду ленинградцы, не потерявшие юмора даже в экстремальных условиях, называли «суп пожарника».

Так вот, соседка Абрама предположила, что магазин, где работала молоденькая, едва ли семнадцатилетняя Роза, вспыхнул неспроста. Скорей всего, умная девица перетаскала к себе ночью продукты и подожгла пустое здание.

— Да уж, — покачала я головой, — а вы откуда знаете такие подробности?

Рина тонко улыбнулась:

— Я внучка Абрама. Моя мать, одна из его дочерей, не раз рассказывала мне эту историю. Более того, у нее остались фотографии. Абрам запечатлевал на пленке все свои работы, заснял и коллекцию, доставшуюся от Менахема. Сын в блокаду сжег почти все, но эти фото не тронул, берег память об отце. Золото ушло из семьи, а снимки остались. Мама частенько вынимала альбом и рассказывала о ценностях. Мы жили бедно, но у меня в голове всегда билась мысль: если бы не эта подлая Роза, сделавшая себе состояние на гречке и тушенке, быть бы мне богатой невестой.

Я тихонько вздохнула. Вероятнее всего, не обменяй Абрам золотишко, Рине вообще не жить — ее мать, скорей всего, умерла бы от голода, так и не родив дочь.

— Я сразу узнала кольцо, — продолжала Зелинская, — как только этот мальчишка открыл коробочку.

— Почему же вы не заявили, что эта вещь когда-то принадлежала вам? — подскочила я.

Рина улыбнулась:

— Как это доказать?

— Показать фото.

— Боюсь, этого мало, — покачала головой Рина, — столько лет прошло, да и, если разобраться до конца, перстень-то должен принадлежать кому-то из Киева, а я не знаю ни имени, ни фамилии того заказчика. Хотя...

— Что? — насторожилась я.

Рина вытащила сигареты.

— Естественно, я стала расспрашивать мальчишку, где он взял изделие. Юноша сначала порол всякую чушь, но меня мучило любопытство.

Зелинская продолжала настаивать на своем, пытаясь узнать правду, и в конце концов сказала:

— Если честно объяснишь, где добыл колечко,

сведу тебя с одной женщиной, которая его купит. Ты без меня продашь его за копейки. Ну отнесешь в скупку, насчитают тебе жалкие рубли. А я дам адрес надежной богатой покупательницы, но только если удостоверюсь, что драгоценность получена тобой без криминала!

Паренек помялся пару мгновений и рассказал, как было дело. Его сестра Ира вышла замуж за престарелого профессора Семена Кузьмича Баратянского. Вот она и дала брату перстенек, который подарил ей муж. Девушка попросила продать его тайком, чтобы оплатить свои долги. Веня очень любит сестру и обещал ей помочь.

Рина отправила юношу к дочери своей ближайшей подруги Сонечке, а сама, повинуясь непонятному порыву, решила разузнать подробности о Баратянском.

У Рины полно знакомых в самых разных кругах, поэтому уже к вечеру она собрала урожай сведений.

— Знаете, что интересно? — задумчиво спросила она. — Семен Кузьмич Баратянский, доктор наук и профессор, человек, пользующийся всеобщим уважением. О нем никто ни разу плохого слова не сказал, наоборот, все только в превосходной степени: умница, талантливый, неконфликтный, интеллигент, одним словом, настоящий ленинградец.

— Ленинградец? — удивилась я.

— Да, — кивнула Рина, — Баратянский родился, учился и вырос в Ленинграде, потом перебрался в Москву, где женился на бывшей же ленинградке, с которой прожил всю жизнь. Вторая супруга появилась лишь после кончины первой. Знаете, как ее звали?

— Ира, — растерянно ответила я.

— Это вторую, а первую?

— Ну... откуда же.

— Розалия Львовна, — заявила Рина, — сокращенно Роза. Оба уехали из города на Неве сразу после того, как была снята блокада. Не могли больше жить в месте, где прошло детство. Говорят, такое случилось со многими блокадниками, они убегали из Ленинграда кто куда, подальше от жутких воспоминаний. Только, думается, милая Роза испытывала совсем иные чувства. Ее гнал из Питера страх. Боялась небось, что народ оклемается и валом пойдет к ней за своими брюликами. Не все же интеллигенты мягкотелые, кое-кто может и побить, припомнив обмен тушенки на бриллианты. Вот она и удрала, а потом вышла замуж, нашла подлеца.

— Вы так считаете, — совсем потерялась я, — но ведь о Семене Кузьмиче никто дурно не сказал. Может, он не знал, чем занималась жена в блокадном городе?

Рина скорчила гримасу.

— Я вас умоляю! Не знал! Смешно, право слово! Она что, ему брюлики не показала? Нет, обо всем он великолепно знал, вор и негодяй. В Москве она начала жизнь с нуля, стала уважаемым человеком, муж профессор, она библиотекарь.

— Кто? — переспросила я.

Рина скривилась:

— Переквалифицировалась из торговки тушенкой в работницу культуры. Книги она всю жизнь выдавала в библиотеке имени Виктора Гюго, на одном месте кучу лет проработала, даже заведующей стала.

— И вы, узнав все, не поехали к ней и не задали никаких вопросов? — удивилась я. — Ей-богу, окажись на вашем месте, я не сумела бы удержаться!

Рина дернула изящным плечиком:

— Ну, в тот день, когда до меня дошла правда, Роза уже давно лежала в могиле. Кстати, Семена Кузьмича убили. Так что претензии предъявлять некому. Колечки, скорей всего, его второй жене достались. Пусть владеет, счастья они ей не принесут, вот увидите.

ГЛАВА 13

Из роскошного дома Сонечки я вышла, ощущая себя совершенно больной. В желудке тяжело ворочались жирные пирожные, очевидно, не следовало жадничать и глотать их в таком количестве. В голове вертелись не менее тяжелые мысли. Интересно, то, что рассказала Рина, правда? Какое отношение эта история может иметь к смерти профессора? Никакого? Или имеет? Так ли уж виноват Веня? Где сейчас коллекция Гольдвайзера?

Был только один способ получить ответ на все вопросы, и я набрала телефон Ирины.

— Да, — прозвучал нежный голос.

— Ира?

— Нет.

— Позовите ее, пожалуйста.

— Не могу, — ответила незнакомая девушка, — она завтра хоронит мужа, мы ей укол сделали и спать уложили.

— Простите, где упокоят Семена Кузьмича и во сколько прощание?

— В двенадцать дня, Николо-Архангельский крематорий, — ответила девушка и весьма невежливо бросила трубку.

На следующий день, ровно в полдень, я, купив шесть гвоздик, подошла к небольшой площадке возле крематория. Поодаль стояло несколько автобусов с табличкой «Ритуал». Люди здесь толпились кучками. Я оглядела присутствующих. Так, вот тот мужчина с испитым лицом и две старухи явно не к Семену Кузьмичу. Группа встревоженно-молчаливых военных тоже не имеет к нему никакого отношения. Скорей всего, профессора провожает толпа, где много молодых лиц. Я подошла к одной из хорошеньких, румяных девочек и тихо спросила:

— Простите, где можно проститься с Баратянским?

— Еще не пускают, — шепнула она, — вот ждем, гроб уже поставили в ритуальном зале, сейчас пригласят.

Не успела она закончить фразу, как люди зашевелились и цепочкой потянулись внутрь здания. Я вошла последней и вздрогнула. Огромное, от потолка до пола окно, вернее, целая стена из стекла оказалась прямо перед глазами. Взгляд упал на заснеженный лес, уходящий куда-то вдаль. Создавалось впечатление, что вы стоите на опушке дремучего бора, а вокруг на многие километры нет ни жилья, ни людей. Тишина в помещении царила абсолютная. Никто из нескольких десятков человек не кашлял, не всхлипывал и, казалось, не шевелился.

Внезапно заиграла тихая музыка, я вздрогнула — «Реквием» Моцарта в очень хорошем исполнении. Произведение со странной, мистической судьбой. Его заказал композитору человек, пожелавший остаться неизвестным. Он заплатил Моцарту за работу и велел выполнить ее к назначенному дню. Но когда «Реквием» был готов, никто за ним не явился. Суеверный Моцарт был очень сильно напуган и несколько дней твердил всем:

— Знаю, это смерть за мной явилась, скоро мне умирать, сам себе «Реквием» написал.

Кстати, он и правда скончался вскоре после этого случая. А его смерть до сих пор будоражит умы: сам ли умер Вольфганг Амадей или его отравил Сальери? «Реквием», пережив своего создателя, остался в сокровищнице мировой культуры. Это щемяще-пронзительное произведение, звуки которого каждый раз вызывают у меня слезы.

В зале раздались всхлипывания. Очевидно, большая часть людей реагировала на печально-торжественную мелодию так же, как и я.

Началось прощание, люди цепочкой шли мимо открытого гроба, кто-то целовал профессора в лоб, кто-то на секунду клал ему руку на голову, кто-то просто крестился. Наконец возле роскошного гроба осталась одна Ирочка, в глухом черном платье и в большой шали того же цвета на голове. Сначала молодая вдова поцеловала мужа в лоб, потом стала вскрикивать: «Папочка, папочка!» — и в конце концов начала медленно оседать на пол.

Из толпы выскочили несколько мужчин, которые подхватили ее.

— Тьфу, — послышался быстрый шепоток, — смотреть противно.

Я осторожно скосила глаза и увидела рядом тощую даму неопределенного возраста, одетую в нечто, напоминающее тулуп.

— Вы о чем? — тихо спросила я.

Дама окинула меня быстрым взглядом.

— Вы им кто? Родственница?

На секунду я растерялась. Сказать «да»? А вдруг она сама какая-нибудь троюродная тетя? Назваться коллегой? Но вполне вероятно, что костлявая особа работала с Семеном Кузьмичом. Решение пришло спонтанно:

— Нет, нет, я абсолютно посторонний человек.

— Чего тогда здесь стоите?

— Я на работе.

— Вы сотрудник крематория?

— Нет, что вы. Служу в газете «Мегаполис», слышали про нее?

— Я подобную дрянь в руки не беру, — отрезала тетка, — пишете всякую чертовщину. Вон в прошлом номере такой маразм поместили: Сталин был «голубой»! Кто у вас столь махровые глупости выдумывает? Да генералиссимус ненавидел гомосексуалистов, при нем в кодексе появилась статья про мужеложество!

Я постаралась сдержать неуместную в данной ситуации улыбку. Если она не читает популярное в народе издание, то откуда знает про содержание последнего номера? Да тетка ханжа! Небось почитывает «Мегаполис» ночью, в кровати, в запертой спальне, а днем резко осуждает остальных за то же занятие.

— Меня прислали от редакции сделать отчет о похоронах, — вздохнула я. — Думали, скандал какой случится. Все-таки развелся с первой супругой, женился на девочке, годящейся ему во внучки. Но все тихо! Зря приехала.

— У вас неверная информация, — процедила тетка сквозь зубы. — Розалия скончалась, а Семен, похотливый, как все мужчины, завел эту, с позволения сказать, супругу. Просто смешно! Совсем с ума сошел на старости лет. А Ирина! Вот актриса! Безутешное горе изображает, а сама рада-радешенька, что муженька нет, теперь она — богатая вдова! У Семена-то много чего было.

— Вы думаете?

— Я, милейшая, работаю на кафедре, которой заведовал Семен Кузьмич, — торжественно заявила дама, — пришла туда аспиранткой и осталась. Уж поверьте, великолепно знала Семена и Розалию. Да если начну вспоминать, такой роман написать можно! Одна история с Евгением дорогого стоит!

— Это кто?

— Сын Розалии и Семена, — ответила «информаторша».

Я удивилась:

— У старика был ребенок? Мне казалось, он умер бездетным.

— Да уж, — покачала головой собеседница. — Чистый Шекспир. Ирина просто жадная кошка, а Розалия была личностью. Я не сумела выполнить ее последнюю волю, ах, какая драма!

— Вы о чем? — заинтересовалась я.

— Так! — загадочно ответила тетка, но я уже схватила ее за руку.

— Пожалуйста, расскажите, «Мегаполис» хорошо платит тем, кто нас информирует. Могу прямо на месте дать пятьсот рублей.

Дама пошевелила губами:

— Ну, зарплата преподавателя невелика, пять сотен мне пригодятся. Знаете что, сейчас все поедут на поминки, их — вот безобразие — устроили в ресторане. Надеюсь, в забегаловке найдется укромный уголок, там и побеседуем. Кстати, меня зовут Светлана Анатольевна.

Трактир оказался неподалеку от дома Семена Кузьмича. Продрогшие и голодные люди налетели на закуски с выпивкой. Светлана Анатольевна, несмотря на тщедушность, слопала неимоверное количество еды и даже выпила две стопки водки.

Когда на ее узеньком крысином личике заблестел яркий румянец, пробившийся сквозь слои пудры, я сочла момент подходящим и поманила даму в сторону полутемной ниши, в которой стоял кожаный диван.

Светлана Анатольевна плюхнулась на подушки.

— Давайте пять сотен.

— Нет, — прищурилась я, — сначала ваш рассказ.

Она посерела.

— Вы мне не доверяете?

— Я никому не верю, — ответила я.

— Ага, — напряглась баба, — я вам расскажу и ничего не получу!

— Давайте так, — предложила я, — двести пятьдесят до и столько же после, если, конечно, история потянет на статью.

— Талантливый человек, — рявкнула Светлана Анатольевна, — из такого материала сделает книгу!

Получив деньги, она любовно спрятала их в сумочку и завела рассказ.

На кафедре, как вам уже известно, Светлана появилась очень давно, пришла в аспирантуру, к Семену Кузьмичу. Баратянский был ее научным руководителем. Семен Кузьмич, в те годы молодой, веселый, большой любитель рассказывать анекдоты, был человеком добрым. Он великолепно знал, что на аспирантскую стипендию прожить практически невозможно, поэтому радушно приглашал Светлану к себе домой, угощал обедом.

Сначала она заподозрила, что нравится ученому, но потом, начав бывать в их семье, поняла: Семен Кузьмич любит хмурую Розалию Львовну, никаких сексуальных домогательств он не предпринимал. Просто доцент, такое научное звание носил тогда

Семен Кузьмич, был очень добрым человеком, хотевшим всем помочь. Вот Розалия Львовна была другой, она практически никогда не улыбалась, только бурчала при виде Светланы: «Ботинки снимите, у меня домработниц нет».

Но потом хозяйка стала более любезной с аспиранткой, а затем они и вовсе подружились. Света сообразила, что Розалия Львовна совсем не злой человек, это у нее защитная маска такая. Стоило хоть раз увидеть, как Роза разговаривает со своим сыном Женечкой, и все вставало на свои места.

Мальчик был для нее светом в окошке. Любимый поздний ребенок Женечка явился на свет слабеньким, и Розалия Львовна прощала ему все: плохую учебу и безобразное поведение в школе. Семен Кузьмич тоже баловал сына, но иногда отец начинал топать ногами и кричать. Один раз подобное случилось при Светлане. Женя нахамил отцу, а тот не сдержался. Аспирантка испугалась и даже зажмурилась, но Розалия Львовна быстро увела мужа в кабинет, а потом успокоила Свету:

— Семен вспыльчив, но отходчив. Не переживай. Мужчины вообще плохо ладят с детьми-подростками. Женечка растет, у него гормональный всплеск, я это учитываю, а Семен нет. Вечно кричит: «Я сам всего в жизни добился, а этот лентяй ничего знать не хочет».

Если говорить уж совсем честно, Женя не нравился Светлане. Грубый мальчишка, не желавший учиться.

Время шло, у Жени вскоре появилась девочка, потом другая, третья...

— Настоящий ловелас, — фальшиво возмущалась мать. — Просто Казанова.

Света благополучно защитила кандидатскую,

Семен Кузьмич оставил ее на кафедре, а потом выбил для нее квартиру. Сделать это по советским временам было очень трудно, но он расстарался. Да и как он мог не порадеть, ведь Розалия считала Свету своей лучшей подругой.

Жизнь продолжалась... Семен Кузьмич стал доктором наук, Женечку с большим трудом впихнули в институт, где работал отец. Парень откровенно балбесничал, учеба его не интересовала вообще, но он ухитрился окончить вуз. Как-то раз, летом, Светочка, приняв экзамены, отправилась на два месяца к родным. Когда она, загорелая и располневшая на домашнем твороге и сметане, явилась назад в Москву, то первый звонок сделала Розалии Львовне. Та, плача, спросила:

— Как? Ты не знаешь, что у нас стряслось?

— Семен Кузьмич?! — испуганно воскликнула Светлана.

Профессора мучило высокое давление, и она сразу подумала про инсульт.

— Сеня жив-здоров, — ответила Розалия Львовна. — Женечка! О, господи, мой сыночек...

Света кинулась к Баратянским. Пока неслась по Москве на такси, в голове роились горькие мысли. Что могло случиться с парнем? Тяжело заболел? Женился на лимитчице, девчонке из глухого села? Попал под поезд?

Розалия Львовна, открыв дверь, бросилась Свете на шею. Подобное поведение было более чем странно для суховатой, всегда держащей себя в руках дамы. Тут же, прямо в прихожей, она узнала от судорожно рыдавшей Розалии правду: Женю арестовали.

— За что? — попятилась потрясенная Света.

— Да ерунда, — крикнула Розалия, — он сберкассу ограбил!

У Светы подкосились ноги. В советские времена человек, попавший на зону, был позором для родственников. Это потом, в девяностые годы, стало даже престижно иметь родственников, побывавших за решеткой. Но в те времена сын-уголовник — это был позор.

— Его втянули, — ломала руки Розалия Львовна, — обманом! Мальчик попал в плохую компанию, случайно!

Светлана пошла на суд, и у нее сложилось иное впечатление о Жене. Из того, что огласили на заседании, стало понятно: никто Евгения не обманывал, он великолепно понимал, на что идет.

Света не знала, каким образом Семен Кузьмич ухитрился уладить дело, заплатил ли деньгами или какими-то услугами, но его сын получил до смешного маленький срок, всего три года. Суд учел все: первую судимость, отличные характеристики с места учебы и то, что Женя непосредственно не входил в сберкассу, стоял у дверей «на шухере».

Розалия Львовна принялась таскать на зону передачи и зачитывать Свете вслух письма.

— Женечка так переживает, так волнуется за нас! — причитала она.

Света тактично молчала. Ей резали слух эти послания на мятых листках в клетку. Основными глаголами в них были «дай» и «пришли». Оказавшись за решеткой, Женя начал требовать от матери все, что хоть как-то могло облегчить его существование в неволе: сигареты, чай, сахар. Розалия Львовна тратила бешеные деньги, обустраивая в колонии клуб. Она привезла туда телевизор, проигрыватель, книги. Все только для того, чтобы Женечке сделали хоть какое-то послабление.

ГЛАВА 14

Наконец любимое чадо оказалось на свободе. Розалия мигом пристроила его в другой институт осваивать профессию декоратора.

— Женечка художник, он талант, почти гений, — пела слепая от любви мать.

Прошли годы, Женя без конца менял места работы: сначала служил в одном театре, потом в другом, третьем, перешел на киностудию, затем в какое-то издательство, оттуда убежал еще куда-то. Он превратился в неприятного, с бегающими глазами и фальшивой улыбкой мужика. Несколько раз Женя начинал жить в гражданском браке, но каждый раз любовь заканчивалась одинаково. Жены убегали от мужа. Женечка совершенно не умел и не хотел зарабатывать, деньги ему давала мама. Один раз и навсегда напуганная отсидкой сына, она повторяла:

— Женечка честно работает. Да, денег получает мало, но они им заслужены. А мы на что? Поможем!

Света только вздыхала: то, что другие люди считали естественным, Розалия Львовна почитала за невероятное счастье. У Жени было еще одно неприятное качество: он постоянно одалживал деньги, обещая отдать через неделю. Один раз взял у Светы довольно крупную сумму и... не вернул. Она, промучившись несколько месяцев, рассказала о ситуации Розалии Львовне. Та мгновенно вытащила из заначки рубли и попросила:

— Знаешь, Светуша, если Женечка опять станет просить деньги, ты много не давай, хорошо? Он мальчик ответственный, все на своего ребеночка тратит, раздевает его эта тварь, Ленка, шантажирует дочкой, все ей мало.

Но Света знала, что Женя просто непорядочен, а вот его первая гражданская жена Лена, наоборот, человек положительный. Она терпела от мужа все: нежелание официально оформлять отношения, полный пофигизм в отношении дочери, отсутствие какой-либо материальной помощи, а также его бесконечных любовниц. Парень регулярно ходил от Лены «налево», потом возвращался в твердой уверенности, что его пустят назад в любом виде — грязного, оборванного. Лена так и поступала. Ей, в сущности, было нужно только одно: видеть рядом Женечку.

Говорят, подлецам везет, им на жизненном пути попадаются искренне любящие их женщины. Жене повезло вдвойне, у него были Розалия Львовна и Лена.

Потом сын Баратянских неожиданно уехал на работу в Ленинград. Розалия Львовна отчего-то перестала говорить о любимом сыночке. А затем произошло несчастье. Женя погиб. Подробностей Светлана не узнала. Якобы он шел домой вдоль железнодорожных путей, а пролетевшая рядом электричка «затянула» его под вагон. Так ли было на самом деле или нет, но на работе Семен Кузьмич озвучил именно эту версию. Мертвенно белый, с обескровленными губами, профессор, начав очередное заседание кафедры, сказал:

— Вы все знаете меня не первый год, поэтому считаю нужным сообщить всем. Мой сын Евгений погиб в результате несчастного случая.

Далее он озвучил историю про электричку.

— Очень прошу вас, — завершил свою речь Семен Кузьмич, — пожалеть Розалию Львовну. Не надо звонить моей жене со словами сочувствия, и ко мне с соболезнованиями не подходите. Евгений похоронен в Ленинграде, сделайте одолжение, не упоминайте при мне его имени, слишком тяжело.

Светлане, потрясенной, как и все, последняя фраза Семена Кузьмича показалась странной. Как это: не вспоминайте при мне сына? Но она, естественно, выполнила просьбу профессора. Розалия Львовна попала в больницу, потом на целых полгода отправилась в санаторий, и их общение временно прекратилось. Встретились подруги лишь спустя десять месяцев после кончины Жени, и Светлана была немало удивлена.

Во-первых, в квартире Баратянских не нашлось ни одной фотографии покойного. Даже те, что когда-то висели в спальне Розалии Львовны, были сняты со стены. Во-вторых, ни Семен Кузьмич, ни его жена никогда не вспоминали о сыне, его комната оказалась заставленной абсолютно новой мебелью, в ней даже сделали ремонт и сменили электроприборы, превратив ее в гостевую. В-третьих... Честно говоря, Светлана ожидала, что Розалия Львовна поселит у себя Лену с дочерью. Конечно, Елена была всего лишь гражданской женой, не имела штампа в паспорте, но наличие ребенка делало этот брак почти законным.

Казалось, после потери сына старики должны потянуться к родной внучке. Тем более что Розалия Львовна и Лена были знакомы. Леночка работала в той же библиотеке, что и мать Жени, собственно говоря, там она и познакомилась с парнем. Но, как ни странно, ни Лены, ни ребенка в доме не оказалось, а Розалия Львовна и Семен Кузьмич ни разу не упомянули о них.

Прошли годы, старые сотрудники кафедры поумирали, а новые считали профессора бездетным, иногда даже у Светы мелькала дикая мысль: а был ли Женя?

Потом Розалия заболела, она долго лечилась, но в конце концов слегла, и всем стало ясно: дни ее сочтены. Незадолго до смерти профессорша позвонила Свете и попросила приехать. Когда бывшая аспирантка явилась на зов, Розалия сказала:

— Когда умру, не бросай Семена. Лучшее, что ты можешь сделать для меня, — это выйти за него замуж.

— Ты еще проживешь много лет, — фальшиво заулыбалась Светлана, — к чему эти дурацкие разговоры!

— Поклянись, что выполнишь мою просьбу, — потребовала подруга.

— Хорошо, хорошо, — успокоила ее Света.

— Распишись с Семеном.

Светлана решила не нервировать умирающую.

— Обязательно.

— Спасибо, — кивнула Розалия, — а теперь слушай. После моей кончины Семен отдаст тебе кольцо с большим бриллиантом, я попрошу его вручить драгоценность моей лучшей подруге на память обо мне. Но ты должна будешь пойти по этому адресу, найти Лену, жену Женечки, и отдать ей коробочку. Сама я сделать это уже не могу. Семен уверен, что камень — горный хрусталь, но это гигантский алмаз. Ты единственный человек, которому я сказала правду. В твоей честности я не сомневаюсь.

Светочка тяжело вздохнула. Значит, Розалия Львовна все-таки думала о внучке, раз решила оставить ей наследство.

— А еще, — сказала Розалия, — я напишу письмо, ты его получишь завтра, сегодня не смогла. Его тоже следует передать Лене, но только после моей смерти.

Но никаких бумаг она Свете передать не успела, на следующий день позвонил профессор и, рыдая, сообщил:

— Розочка умерла.

После кончины подруги прошел месяц, а Семен Кузьмич не спешил отдавать кольцо. Света же, не имевшая своей семьи, внезапно подумала, что брак с профессором не самый худший вариант развития событий. Она стала бывать в доме каждый день, заботясь о старике. Но он однажды сказал:

— Спасибо, Светочка, но не нужно тратить на меня свое свободное время.

— Мне это в радость, — улыбнулась она.

— Не надо, мне лучше одному, — заведующий кафедрой весьма бестактно намекнул на назойливость своей сотрудницы.

Пришлось Светлане убираться восвояси. Она не утерпела и сказала:

— Розалия Львовна хотела оставить для меня письмо и кольцо.

— Я еще не разбирал ее вещи, — резко ответил Семен Кузьмич, — если найду послание — мгновенно передам!

Но никакого украшения в руки Светы так и не попало. А потом на кафедре зашушукались о связи старика с одной студенткой, хорошенькой Ирочкой. Через некоторое время Светлана с тревогой поняла: это правда. Хитрая, пронырливая девчонка задумала прибрать старика к рукам!

Она решила открыть глаза Семену Кузьмичу на его любовницу и без приглашения явилась в хорошо известную, почти родную квартиру. Но стоило ей только начать разговор, как профессор, побелев, выгнал сотрудницу вон, а потом женился на малолетней макаке, сделав ее враз богатой женщиной.

— И если вы полагаете, что она его любила, — завершила рассказ дама, — то жестоко ошибаетесь. Мерзавке нужно было его богатство. Уж поверьте мне, от Розалии остались совершенно уникальные вещи, антикварные, ей они перешли от матери, аристократки. Так что нечего Ирине у гроба скорбь изображать. Она его убила!

— Вы полагаете, Ирина убийца?

— Конечно! Заездила старика! «Профессорша»!

— Каким образом?

Светлана поджала губы:

— Дорогуша, вам сколько лет?

— Ну... за тридцать.

— Вот-вот, пора бы уже не быть такой наивной. Разве не понимаете, каким образом молодая кобыла может довести до смерти похотливого старика? И ведь ни у кого не возникнет сомнений, наоборот, налицо все признаки горячей любви! Не вылезала из постели, ублажала муженька, а то, что у него из-за этого сердечный приступ случился...

— Но ведь Семена Кузьмича застрелили! — воскликнула я.

Светлана осеклась, но потом продолжала:

— Да, кабы не это, он точно бы умер от инфаркта. Она ему не пара, Семену Кузьмичу следовало жениться на женщине его возраста и круга, они бы еще много лет могли провести вместе. Так нет, потянуло на молодое тело. Давайте двести пятьдесят рублей.

Я отдала ей оставшуюся часть.

— Знаете, милочка, деньги, конечно, хорошо, но я рассказала вам эту историю не из-за них. Напишите статью об Ирине, о том, как она уморила мужа. Пусть другие почитают и поостерегутся. Кабы Семен послушался Розалию и женился на мне, был бы жив и здоров.

Внезапно мне стало душно. Многие гости курили, вентиляция зала не помогала, и в воздухе висел плотный дым. От Светланы пахло потом, и я кожей чувствовала исходящую от нее ненависть. Она сама очень хотела занять место покойной Розалии Львовны, в мечтах видела себя женой профессора, безраздельно правящей на кафедре, — и тут такой облом!

Домой я притащилась, чувствуя себя совершенно больной, ныла спина, и слегка кружилась голова. Кое-как помывшись, я легла на диван и попыталась подвести итоги. И что я узнала? Интересно, рассказ Рины про коллекцию Гольдвайзеров правда? Знал ли Семен Кузьмич о том, чем занималась в далекой юности его любимая женщина? Ладно, ответы на эти вопросы я получу завтра, когда побеседую с Ириной, уж, наверное, Семен Кузьмич все рассказал ей. Действительно ли она вышла замуж из корысти? Может, в злобных словах Светланы есть доля истины?

Ладно, это я тоже попробую выяснить завтра. Дальше мысль заработала в другом направлении. Бедная Розалия! Конечно, она вела себя в блокаду подло, скупая за бесценок раритеты, но господь наказал ее по полной программе, отняв сына. Что может быть страшней, чем потеря любимого ребенка?

— Лампа, — заглянул в комнату Сережка, — надо накормить Асю с Васей.

— Чем? — спросила я. — Они не хотят жрать испорченное мясо.

— С чего ты вообще решила потчевать их тухля-тиной? — удивился Сережа.

— В «Марквете» сказали.

— Дураки, — отрезал он, — я узнал в зоопарке, что аллигаторы обожают крыс, причем живых.

— Предлагаешь мне пойти в подвал и начать там отлов грызунов? — испугалась я.

— Я купил крысу, — сообщил Сережка, — одну, на пробу, в банке сидит.

— Живая? — еще больше испугалась я.

— Нет, дохлая!

— И что теперь делать?

— Иди в ванную, — велел Сережка.

Я влезла в тапки и отправилась к крокодилам. Сережа втиснулся в пространство между раковиной и стиральной машиной. На «Канди» стояла стеклянная емкость, в которой мирно сидела белая, абсолютно живая крыса. Ее длинные усы подрагивали, а черные бусинки глаз задорно сверкали.

— Вот, — заявил Сергей, — ужин для аллигаторов, начинай, Лампа. Крысу следует бросить в воду.

— Погоди, — попятилась я, — она же живая!

— Естественно!

— Но ты только что сказал: крыса дохлая!

— Лампа, заканчивай базар, — обозлился он. — В нашей стране дохлыми грызунами не торгуют, не додумались еще! Открывай банку, и вперед!

— Но они ее съедят.

— И правильно сделают!

— Ей же будет больно!

— С ума сойти, — заорал Сережка, — она же крыса, совершенно безмозглое существо! Хватай ее за хвост и бросай к аллигаторам!

— Не могу!

— Глупости.

— Может, ей предварительно укол сделать, — пробормотала я.

— Какой?

— Ну... наркоз... очень жалко зверька!

— Лампа, ты дура!

— От дурака слышу! — рассердилась я. — Кстати, почему бы тебе самому не запихнуть ее к аллигаторам? Отчего ты мне это поручаешь?

Сережка на минуту замялся:

— Ну... мне как-то не слишком комфортно, и потом... кто сюда притащил крокодилов, а? Начинай!

— Не хочу! Давай дадим им «Вискас».

— Совсем с ума сошла, — покачал головой Серега, — еще предложи им блинчики со сметаной! Ладно, я сам.

С этими словами он схватил банку и вытряхнул белый комочек в воду. Крыса судорожно заработала лапками. Аллигаторы забеспокоились и стали подгребать к ней. На морде у несчастного грызуна появилось совершенно человеческое выражение ужаса, отчаяния и безнадежности одновременно. Ася разинула клыкастую пасть, через секунду снаружи остался только дергающийся хвостик, по ванной понесся отчаянный писк.

Я зарыдала и накинулась на Сережку:

— Немедленно вытащи крысу!

— Откуда?

— Из пасти, пока бедняга жива!

— Офигела, да? — Он вытаращил глаза, но я уже опустила руки в воду и попыталась разжать челюсти крокодила.

Куда там! Они были словно из железа.

— А ну помоги! — заорала я.

Сережка тоже схватил Асю. Пару секунд мы боролись с ней молча, но ничего не получалось. Вдруг меня осенило. Я схватила эмалированный ковшик и изо всех сил шандарахнула Асю по башке.

— А-а-а! — взвыл Сережка, выдергивая руки. — Ты мне пальцы сломала! Ой-ой-ой!

Но я, не обратив внимания на его стоны, вновь заехала черпаком по черепушке Аси. Она странно икнула, разинула пасть, белый комочек выпал в воду. Я схватила мокрую, колотящуюся крупной дрожью крысу и сунула себе под кофту. Сережка продолжал причитать:

— У-у, мои пальцы! Лампа, ты совсем сдурела.

Я схватила банку, опустила туда несчастную, еле живую от пережитого крысу и сказала ей:

— Не волнуйся, я не дам тебя в обиду!

— Что случилось? — спросила Катя, заглядывая к нам.

— Вот, — застонал Сережка, тряся перед матерью рукой, — она меня ковшом! Все, кирдык пальчикам, посмотри!

Наверное, ему на самом деле было здорово больно, обычно Сережа никогда не жалуется. Он вообще-то очень уравновешенный и спокойный, причем с самого детства.

В свое время Катя рассказала мне замечательную историю, характеризующую ее старшего сына. Когда Сережке было пять лет, он ходил в садик. Каждый раз, когда он произносил «Сележа», кто-нибудь из взрослых моментально начинал поучать его:

— Сележа? Такого имени нет, ну-ка скажи правильно: Сер-режа.

Детский ум очень изобретателен. Чтобы постоянно не слушать нравоучения, малыш предпочел «изъять» из имени коварный слог. На вопрос: «Как тебя зовут?» — он гордо отвечал: «Сажа».

Как все работающие матери, Катюша приводила сына в садик к восьми утра, а забирала в семь вечера. Проблем с ребенком не было даже тогда, когда в группе внезапно поменялась воспитательница. Но через несколько дней после этого события Сережка заныл:

— Мама, сшей мне юбочку, зеленую.

Катя объяснила ему, что мальчики носят только брючки, но он стоял на своем:

— Юбочку, Анна Ивановна велела мне в юбочке петь!

Удивленная Катюша поинтересовалась у воспитательницы, о чем идет речь. Какая юбка?

— Зеленая, — пояснила Анна Ивановна, — мы ставим спектакль. Мальчики — пираты, девочки — красавицы, в длинных юбках. Кстати, все уже сшили, одна Сажа без костюма осталась.

— Кто? — начиная понимать, в чем дело, спросила Катя.

— Дочка ваша, Сажа, — спокойно ответила воспитательница.

Еле сдерживая смех, Катюша сказала:

— Он Сережа.

Анна Ивановна вытаращила глаза, потом посмотрела на прелестное белокурое кудрявое дитя в красных шортиках и белой футболочке и спросила:

— Ты мальчик?

— Ага, — кивнул ребенок.

Две недели подряд Анна Ивановна, введенная в обман именем, сажала малыша с девочками, и он упоенно играл с ними в куклы. За это время он научился вышивать крестиком, учил для утренника роль девицы-красавицы и ни разу не выказал никакого протеста. Это ли не свидетельство счастливого, спокойного характера?

— Пальцы не сломаны, — поставила диагноз Катя, — просто сильный ушиб, немедленно сунь руку под холодную воду.

Спустя мгновение Сережке стало легче, и он с чувством произнес:

— Лампудель, теперь мне совершенно ясно, как ты ко мне относишься. Крыса-то тебе дороже меня. Ты готова была всего меня переломать, чтобы грызуна спасти!

— Если бы ты угодил к аллигаторам, — возразила я, разглядывая высыхающую крысу, — то я мигом бросилась бы на помощь!

— Не знаю, не знаю, — бормотал Сережка, — небось увидела бы на берегу погибающего червячка и кинула меня на съедение крокодайлам. Кстати, они, вполне вероятно, умрут от голода.

С этими словами он вытер руки и ушел. Я сначала отволокла в свою комнату банку с вырванной из пасти смерти крысой, потом пошла на кухню, открыла упаковку «Кролика с рисом» и вытряхнула содержимое в воду.

Ася и Вася, отпихивая друг друга, ринулись к добыче, через секунду в ванне не осталось ни кусочка от кошачьего корма.

Я повеселела и стала умываться. Слава богу, проблема решена.

— Во как! — раздалось сзади. — Классно! Мигом схарчили!

Я осторожно смыла с лица остатки геля и открыла глаза. Веселый Сережка потряс пустой банкой.

— Говорил же, что они «Вискас» сожрут, а ты и попробовать не захотела!

Я собралась было возмутиться. Дело-то обстояло иначе. Это Сережа кричал, что крокодилята ни за что не польстятся на кошачий харч. Но потом я решила промолчать. Фиг с ним, все мужчины ненавидят признавать свои ошибки.

ГЛАВА 15

Утром я поехала к Ирочке. Специально выбралась пораньше, чтобы наверняка застать ее дома. Она, очевидно, собиралась уходить, потому что появилась на пороге одетая и накрашенная.

— Вы куда-то торопитесь? — спросила я.

— Да нет, — пожала плечами Ира, — покупателей жду.

— Каких?

— Так, — отмахнулась она, — сберкнижкой-то полгода нельзя воспользоваться, надо, оказывается, в какие-то права наследования вступить. Денег нет, вот и решила продать одно колечко. Семен Кузьмич бы меня одобрил, он не хотел видеть дочку голодной.

Да уж, быстро вдовушка сориентировалась, и в глазах нет ни одной слезинки. Может, Светлана права?

— Мне надо с вами поговорить!

— Пройдемте в кабинет, — предложила Ирочка.

Мы вошли в просторную комнату, и я поежилась: несмотря на февраль, окно было открыто настежь.

— Я всегда, пока Семён Кузьмич завтракал, раскрывала окно, — вздохнула Ирина. — Папа сидел какое-то время, завернувшись в плед, а потом просил закрыть створку. Вот видите, как бывает, он умер, а моя привычка осталась! Объяснить этого не могу, но после его смерти придерживаюсь заведенного порядка. Глупо, да?

С этими словами она пересекала комнату. Я села

на кожаный диван и вздрогнула, подушки были просто ледяными.

— Скажите, Ира, вы знаете, откуда у Розалии Львовны было столько драгоценностей?

Хозяйка оперлась левой рукой на подоконник, а правой стала закрывать одну створку.

— Розалия Львовна была из семьи богатых... — начала было она и осеклась.

— Ну, ну, дальше, — поторопила ее я.

Но Ирочка молчала. Я подождала пару мгновений и спросила:

— Так из какой семьи была Розалия Львовна?

Ира не отвечала, она как-то странно полувисела на подоконнике. Внезапно мое сердце екнуло: в ее позе было нечто необычное... Не успела я сообразить, что делать дальше, как ноги у Иры подкосились, и она упала на спину, широко разбросав в стороны руки. Испугавшись, я подскочила к ней.

— Ира! Тебе плохо?

Хозяйка молчала, ее глаза, не мигая, смотрели в потолок, рот слегка приоткрылся, а лицо омертвело. Между красиво очерченными бровями виднелась маленькая круглая дырочка, кровь не текла, но все равно стало понятно: Ирину застрелили, только что, на моих глазах. Я рухнула рядом с ней на колени.

В голове испуганными птицами заметались мысли. Кто стрелял? В комнате не было никого, кроме меня. И звука выстрела я не слышала! Значит, Веня говорил правду. С Семеном Кузьмичом произошло то же самое. Зажмурившись, я отползла к двери и кое-как встала на ноги. Что делать? Звать милицию? Но меня моментально арестуют.

Внезапно раздался оглушительный звонок. Я чуть не свалилась в обморок. Это покупатель, тот человек, которому Ира собиралась продать кольцо. Час от часу не легче! Меня застанут на месте преступления и отволокут в тюрьму, ну и влипла! Может, он позвонит и уйдет? Решит, что никого нет дома? Но с той стороны двери находился очень настырный человек. Задорная трель опять разнеслась по квартире. Я глянула в «глазок». На лестничной клетке топтался мужчина в шапке, низко надвинутой на лоб.

— Вы к кому? — пискнула я.

— Ирина, откройте.

— Ее нет.

— Да? — удивился мужик. — Но мы же договорились!

— Она уехала экзамен сдавать, будет вечером, отпереть не могу, мне Ирина запрещает впускать посторонних.

Мужчина помялся пару мгновений, потом повернулся и ушел. Я, прислонившись к стене, перевела дух. Теперь нужно действовать аккуратно.

Сначала я прошла на кухню, отыскала там тряпку, намочила ее и вернулась в кабинет. Холод в комнате стоял, как в Арктике. Стараясь не смотреть на труп, я быстро закрыла окно и стала методично протирать все, чего касались мои руки. Последними отполировала дверную ручку и кнопку звонка. Выйдя на улицу, я отыскала телефонную будку и набрала хорошо знакомый номер Володи Костина. Будем надеяться, что Вовки нет, а трубку снимет кто-то из его коллег. В противном случае — если я сейчас услышу бодрое «алло» приятеля — придется обращаться в «02». Мне хочется сохранить инкогнито, а Костин великолепно знает мой голос.

— Да, Кротов. Говорите.

Это Павел Кротов, я очень хорошо его знаю, но

видимся мы редко, поэтому смело можно начинать. На всякий случай взяв на тон выше, я прочирикала:

— Немедленно запишите адрес и приезжайте.

— С какой радости? — рявкнул грубый Кротов.

— В комнате у окна лежит труп хозяйки.

Внезапно что-то щелкнуло, и голос Павла зазвучал чуть глуше. Я насторожилась, похоже, бдительный Кротов включил записывающее устройство.

— Как вас зовут? — спросил он. — Имя, фамилия, место прописки...

Но я уже опустила трубку на рычаг.

Еле живая от потрясения, я добралась до крохотного кафе на углу улицы, заказала самую большую порцию капуччино и попыталась согреться, глотая горячий кофе. Но это не помогло — мне парадоксальным образом становилось все холодней. Будто чьи-то ледяные пальцы сжимали мое горло.

Я позвала официантку:

— Принесите мне еще одну чашку, только погорячей.

— Замерзли? — улыбнулась она.

— Жутко, — кивнула я, — меня прямо трясет.

— У нас тепло, и вы тут минут пятнадцать сидите, наверное, заболели, — предположила официантка, — может, вам коньячку глотнуть? В баре хороший есть, фирменный, без обмана.

— Спасибо, я за рулем.

— Так пятьдесят грамм ерунда, — заботливо настаивала она.

Ну кому как, а лично я могу опьянеть и от пяти миллиграммов. Честно говоря, мне достаточно понюхать «огненную воду», чтобы почувствовать себя подшофе. Я пьянею даже после порции валерьянки, пустырника или другой какой настойки на спирту.

— Спасибо, но лучше кофе.

С разочарованным лицом девушка потопала было к стойке, но на полдороге притормозила и предложила:

— Если хотите по-настоящему согреться, выпейте наш фирменный кофе-коктейль.

— Это что такое? — спросила я.

Официантка протянула изящную ручку, украшенную тоненькими золотыми браслетами, в сторону столика у окна, где сидели две школьницы лет четырнадцати.

— Видите, такой, как у них.

Девочки держали в руках большие стаканы, пузатые внизу и узкие вверху, над темной жидкостью колыхались островки взбитых сливок.

— Давайте, — согласилась я.

Если этим кофе лакомятся дети, значит, в нем нет ни капли спиртного.

— Айн момент, — подхватилась официантка.

Я вытащила из сумки ручку и принялась рисовать на салфетке домики. Ну и что делать? Ирина мертва. А раз нет заказчика, можно сворачивать расследование. Скорей всего, так бы и поступили десять из десяти частных детективов, но я не имею морального права отказаться от работы.

Во-первых, Ирина заплатила мне большую сумму. Во-вторых, Веня, похоже, не виновен ни в чем, кроме утаивания денег, полученных за продажу кольца, в-третьих... Внезапно мне стало еще холодней, ноги просто затряслись, как под током. Господи, я же старательно вытирала тряпкой дверную ручку и кнопку звонка, оглядывалась по сторонам, намереваясь при звуке шагов юркнуть назад в квартиру профессора. Но совершенно забыла про то, что двери двух соседних квартир на лестничной площадке снабжены «глазками»!

Где гарантия, что оттуда за мной, затаив дыхание от любопытства, не наблюдала какая-нибудь чересчур глазастая особа? Даст мое подробное описание бригаде оперативников, те составят фоторобот, и меня непременно поймают! Следовательно, чтобы не оказаться за решеткой, надо немедленно искать убийцу! Если я явлюсь в отделение и расскажу правду, кто мне поверит, а? Вы бы отпустили домой женщину, которая плетет невероятную историю о том, как на ее глазах невесть откуда без звука прилетела пуля и убила хозяйку? Я-то сама не поверила Вене ни на минуту.

— Ваш кофе, — сказала официантка, ставя передо мной фужер.

Я залпом отпила половину. Коктейль имел странный вкус, слишком сладкий, на мой взгляд, но согревал он замечательно. Не прошло и десяти секунд, как меня отпустила нервная дрожь. Я быстро допила кофе, похоже, он с шоколадом.

— Принесите еще один! — радуясь, крикнула я, надеясь, что перестала колотиться, словно несчастная крыса перед мордой аллигатора.

— Хотите двойную порцию?

Я поколебалась мгновение и махнула рукой:

— Несите, выпью, очень вкусно, и я моментально согрелась. Что за сорт кофе?

Девушка хихикнула:

— Говорила же, это коктейль!

— И какой же у него состав?

— Арабика, шоколад, взбитые сливки и «Бейлис».

Я решила не показывать своего топорного невежества. Совершенно не разбираюсь в кофе, знаю только, что бывает арабика и робуста. А тут, оказывается, еще какой-то «Бейлис» добавили!

Минут через пять мне принесли новый бокал, увенчанный горкой взбитых сливок. Правда, на этот раз он по размеру больше походил на пивную кружку. Да уж, наверное, я пожадничала, столь огромную порцию мне ни за что не осилить! Но кофе оказался таким вкусным, что я ухитрилась влить в себя пол-литра коктейля. Допивая последние капли, я неожиданно почувствовала головокружение. Ноги стали ватными, тело невесомым, голова, наоборот, потяжелела, веки начали закрываться...

Кое-как отсчитав плохо слушающимися пальцами деньги, я выползла на улицу и удивилась. Снег идет стеной, прохожие несутся, подняв воротники и уткнув лица в шарфы, а мне жарко, словно вокруг Африка. Даже куртку не хочется застегивать, и в машине, простоявшей больше часа на морозе, оказалось тепло.

Я плюхнулась на водительское место и испытала сильнейшее желание заснуть. Кое-как стряхнув с себя путы Морфея, я нащупала рычаг переключения скоростей, выжала сцепление, дернула ручку, газанула и... внезапно на большой скорости понеслась назад.

Честно говоря, я даже не поняла, как такое произошло. «Жигули» подпрыгнули на бордюре и выехали на тротуар.

— Эй, — закричала я сквозь подступающую темноту, — куда? Тпру, вперед, стой!

Руки дергали ручку переключения скоростей, ноги нашаривали педали, но «жигуленок» упорно ехал назад. Вдруг мне стало совсем жарко, так, будто под кожей зажгли костер, затем раздался удар, звон, крики... Последнее, что я увидела перед тем, как заснула, было красное лицо дядьки в милицейской фуражке.

— Пьяная идиотка! — заорал было он и замолчал. Я блаженно улыбнулась: вечно мне снятся кошмары.

ГЛАВА 16

— Эй, просыпайся! — кто-то резко потряс меня за плечо.

Я открыла глаза и увидела Вовку.

— Ну? — сердито спросил он. — Совсем офигела?

Я села и застонала. Голова болела немилосердно, тело ломило, и отчаянно, просто безумно хотелось пить.

— Ну? — повторил Вовка. — Ты сдурела?

— Где я?

— В милиции, — рявкнул Костин, — в районном отделении!

Я оглядела маленькую комнатенку без окон, со стенами, выкрашенными сине-зеленой краской, обнаружила, что лежу на спине без матраса и подушки, попыталась встать и не смогла, ноги разъезжались, словно у новорожденного щенка.

— Как я сюда попала? Почему?

Вовка прищурился:

— Надавать бы тебе оплеух, да здесь не могу, любимая женушка!

— Кто?

— Любимая женушка, — ухмыльнулся Вовка.

Я совсем перестала что-либо понимать.

Костин, продолжая криво улыбаться, спросил:

— Ничего не помнишь, да?

— Абсолютно. Села в «Жигули», включила первую скорость, отчего-то поехала назад и... все.

— Ага, — кивнул Вовка, — ну тогда я опишу ситуацию: местное отделение милиции получило новое помещение, где раньше располагался какой-то магазин с большими окнами. У ментов начался ремонт, кабинетики им отделали. И вот в окошко вдруг въезжают... «Жигули», а за рулем сидит пьяная в лохмотья бабенка. Мент, тосковавший в дежурке, чуть не умер.

— Что ты врешь! — возмутилась я. — Сам знаешь, я никогда не употребляю спиртное, а уж тем более за рулем!

— Пьяная в дым, — заржал Вовка, — вообще никакая! Когда мент открыл дверцу, ты выпала на пол и заявила: «Вы убили профессора!» Милиционер вообще офигел и попытался тебя поднять, но не тут-то было! Ты решила не сдаваться! Посадила фингал парню под глазом, махала кулачонками, вопила нечто несусветное... Итог: разбитая витрина, синяк у дежурного под глазом и укус предплечья у сотрудника, подоспевшего ему на выручку! И еще ты орала: «Мой муж, майор Костин, всех вас тут к ногтю прижмет!»

— Ты врешь! — пробормотала я.

— Нет, — рявкнул Вовка, — могу познакомить с пострадавшими! Знаешь, как такое поведение называется на сухом языке протокола?

— Э... — залепетала я, — э...

— Оказание сопротивления при исполнении служебных обязанностей! — гаркнул Костин.

— Как же ты тут появился?

Вовка сел около меня на помост.

— В твоей сумочке обнаружили документы. Парни, запихнув тебя в камеру, позвонили к вам домой, а я как раз заскочил попить кофейку и снял трубку. Что ты клюкала? Водку? С кем?

— Только кофе, честное слово!

— Не ври!

— Ей-богу, — со стоном воскликнула я, — коктейль, в соседнем кафе, если не веришь, пойди спроси! В большом стакане, со взбитыми сливками! Честное слово!

Вовка серьезно посмотрел на меня и вышел. Загремело железо, кто-то запер камеру снаружи. Я рухнула на грязный деревянный помост. Ну и приключеньице! Хорошо, что моя мамочка не видит любимую дочурку. Ее бы сразу инфаркт хватил!

Лязгнула щеколда, и в помещение вошли сразу трое мужчин.

— Идиотка! — воскликнул Вова. — Ты знаешь, что в этом коктейле?

— Да, — кивнула я.

Парни переглянулись.

— И что? — вежливо спросил более высокий. — Назовите состав.

Я пожала плечами:

— Пропорции не назову, если хотите сделать такой же, лучше поинтересуйтесь у бармена.

— Не юродствуй, — прошипел Вовка, — живо говори нам ингредиенты пойла!

— Кофе двух сортов: арабика и какой-то бейлис, шоколад, сливки, наверное, сахар...

— Вы считаете, что «Бейлис» — это название сорта кофе? — уточнил высокий парень.

— Ну да, — кивнула я, — мне так официантка сказала, я попросила что-нибудь этакое, согреться хотелось.

— Говорил же, она дура, — вздохнул Вовка.

Два других мента кивнули. Мне внезапно стало обидно.

— Ладно, я случайно перепутала скорости и разбила вам окно, еще по непонятной причине накуролесила, но оскорблять меня вы не имеете права!

— Если идиота назвать идиотом, — отчеканил Вовка, — это не оскорбление, а констатация факта. «Бейлис» — название ликера, очень крепкого, на основе виски, его в коктейле добрая половина плескалась. А ты, по показаниям официантки, заглотила три порции. Ясное дело, опьянела!

На секунду я застыла от удивления, потом заявила:

— Не может быть! Этот коктейль две девочки пили, по виду чуть младше Лизы. Я поэтому его и заказала! Решила, раз подростки лакомятся, то там спиртного нет!

Высокий мент хмыкнул:

— Не советую вам начинать пробовать все, что употребляют современные тинейджеры. Как вопрос с разбитым окном решать станем?..

...Примерно через час я очутилась у Вовки в машине и попросила:

— Нашим не рассказывай.

Костин кивнул:

— Попробую удержаться.

Часть пути мы проехали молча. Я, боясь навлечь на себя гнев приятеля, сидела тихо, как мышь, подсчитывая в уме убытки. Так, заплатила за испорченное окно, а еще предстоит чинить помятую заднюю часть моей машины. Да уж, побаловала себя вкусным кофейком. С другой стороны, официантка виновата...

Внезапно Вовка рассмеялся. Я обрадовалась, значит, он перестал злиться, и спросила:

— Чего смеешься?

— Да дежурный сидел, спокойно газетку читал, — пояснил Вовка, — и вдруг грохот! Мужик решил, что бомбу взорвали. Не поверишь, он на шкафчик запрыгнул. Просто мировой рекорд поставил.

Сам не понимает, как вышло! Сидел за столом, бабах, и уже на шкафу! Слезть не мог, его втроем стаскивали. Ну представь картину: распахивается и разбивается окно, появляется машина...

Внезапно в моей голове словно взвилась сигнальная ракета. Распахивается окно, а снаружи...

— Знаю, — заорала я, забыв обо всем на свете, — знаю!

Вовка резко затормозил. «Жигули» вильнули в сторону и остановились в паре сантиметров от припаркованной у тротуара «Волги».

— Лампудель! — рявкнул майор. — Ты офигевшая психопатка, безмозглая курица!

Но мне было совершенно наплевать на его слова.

— Знаю! Я все знаю!

— Что? — поинтересовался Вовка.

— Каким образом... — начала было я, но тут, по счастью, включилась система самоконтроля, и я заткнулась.

— Каким образом что? — продолжал наседать Вовка.

— ...следует кормить Асю и Васю, — быстро закончила я и самым честным взглядом уставилась на приятеля.

Костин недоверчиво хмыкнул:

— А мне показалось, что ты думала вовсе не о крокодилах!

— Сделай доброе дело, — я начала изображать озабоченность диетой аллигаторов, — тормозни у магазина «Марквет», надо купить ребяткам «Вискас», уж очень он им по вкусу пришелся.

Костин, не сказав ни слова, поехал вперед. Я расцепила судорожно сжатые руки и вздохнула. Фу, кажется, пронесло. А в «Марквет» мне и впрямь надо, куплю спасенной крысе зерновую палочку.

— Расслабилась? — поинтересовался майор. — Ну, ну, отдыхай, нельзя же постоянно нервничать.

Я вздохнула. С Костиным следует быть предельно внимательной, от его взгляда ничего не ускользает.

Дома я, сославшись на головную боль, быстро юркнула под одеяло и, прижав к себе мирно сопящих Мулю и Аду, попыталась причесать торчащие в разные стороны мысли. Открытое окно, вот ключ к разгадке!

Веня весьма подробно рассказал, как вошел в кабинет Семена Кузьмича и начал разговор. В комнате стоял холод, и парень закрыл окно. Но, очевидно, именно в момент, когда он начал двигаться по направлению к окну, некто, вооруженный винтовкой с оптическим прицелом, ловким выстрелом оборвал жизнь старика. Веня, ничего не заметив и не услышав, закрыл раму и лишь спустя пару минут, когда профессор ему не ответил, понял, в чем дело.

Когда оперативники начали осмотр места происшествия, створки были плотно затворены, и, естественно, никому не пришло в голову спросить: «Простите, а вы открывали окно?»

На улице-то февраль, мороз пятнадцать градусов, большинство москвичей даже форточку боятся приоткрыть. Кто же знал, что у профессора была астма и он испытывал постоянную потребность в свежем холодном воздухе?

— Эй, Лампа, — послышался шепот, — дрыхнешь?

Я вжалась в подушку. Авось сейчас уйдут. Вообще говоря, странный вопрос. Вы входите в темную комнату и интересуетесь: «Ты спишь?» Неужели ждете ответа: «Да»?

Это же глупо.

— Лампа, — зашептали опять, и я мгновенно узнала Кирюшку.

— Что ты хочешь?

— Я не разбудил тебя?

О господи, конечно, почти разбудил!

— Нет, я не сплю пока.

— Ты чего купила Юльке?

Я села.

— Юле? Зачем? Ничего.

Кирюшка плюхнулся на одеяло и попал прямо на Мулю.

— Р-р-р, — забормотала Мульена. Она терпеть не может, когда кто-нибудь тревожит ее покой.

Все-таки собаки более честные, чем люди, я-то постаралась не выказать своего недовольства, а Муля мгновенно зарычала.

Кирюшка пихнул выступающий под одеялом бугор.

— Не злись, печенка лопнет.

Услыхав знакомое слово, Муля оживилась и вылезла наружу. С другой стороны кровати подползла Ада. На сонных складчатых мордах был написан вопрос: «Что, здесь дают печенку? И где она?»

— Обжоры, — покачал головой Кирюшка, — только о еде и думаете, никакой духовной жизни. А ты, Лампудель, скажи мне спасибо!

— За что? — зевнула я.

— Завтра у Юльки день рождения. Прикинь, как она обидится, если ты забудешь.

— Спасибо, — воскликнула я, — и правда из головы вон!

— Ты ноотропил пей, — посоветовал мальчишка, — говорят, помогает.

Пропустив мимо ушей его последнее заявление, я спросила:

— Ты пришел лишь затем, чтобы предупредить меня?

— Нет.

— Что тогда?

— Дай пятьсот рублей.

— Зачем тебе столько денег?

— Понимаешь, — забубнил он, — я собирал Юльке на подарок, ну и... потратил. Купил себе игрушку компьютерную, уж очень захотелось. Я отдам, насобираю и верну.

— Ладно, можешь отработать.

— И что надо делать?

— Три раза пропылесосишь квартиру.

— Ты как рабовладелица, — заныл Кирюшка, — вон сколько комнат, нет!..

— Тогда две недели будешь выходить с собаками, утром и вечером.

— Но мне же придется на полчаса раньше вставать! — возмутился Кирюшка.

— Правильно, денежки просто так не даются.

— Ага, Лизке ты такого не предлагала!

— Так она и ссуду не просила. Кстати, что ты хочешь купить Юле?

— Не скажу, — надулся Кирюшка, — раз ты такая вредная!

— И не надо. Все равно завтра узнаю, Юля-то развернет подарок. Так что, решил: гуляешь с псами или чистишь квартиру?

— Лучше уж собаки, — вздохнул Кирюшка.

Получив деньги, он выскочил из комнаты. Муля и Ада, поняв, что печенки не дождутся, горестно и натужно сопя, полезли под одеяло. Честно говоря, я завидую мопсам: поели — и на боковую без каких-либо угрызений совести по поводу жирных складок, свисающих с того места, где должна быть талия.

— Лампа, спишь? — спросила Лизавета, всовывая голову в комнату.

— Нет.

— Дай мне четыреста рублей.

— Зачем?

— На подарок Юльке, — зачастила она, — мне не хватает, насобираю и отдам.

— Чего купить собираешься?

— Секрет!

Я вновь полезла за железной коробкой из-под датского печенья.

— На, если уберешь три раза квартиру, долг списан.

— Ну-у, — замычала Лизавета, — ненавижу тупые занятия. Лучше давай погуляю с собаками.

— Это Кирюшка будет делать, он только что взял пять сотен, а в качестве отработки выбрал гуляние.

— Ага, — подскочила Лиза, — вечно ему лучшее достается, ну погоди!

Она выскочила за дверь. Я свалилась на подушку, распинала неподъемных мопсов и натянула на себя одеяло.

Вот, значит, как обстоит дело. Наемный киллер сидел в соседнем доме, который стоит напротив здания, где расположена квартира Семена Кузьмича.

— Так нечестно! — завопила Лиза, врываясь ко мне и шлепаясь на кровать.

На этот раз пострадала Ада. Тихо гавкнув, она выползла из-под Лизиного зада, перебралась на мою

подушку и обиженно заворчала. Я вынырнула из
раздумий и обозлилась:

— Что на этот раз?

— Да, — ныла Лиза, — он брал пятьсот, а я четыреста.

— И в чем проблема?

— Значит, я должна на сто рублей меньше отработать!

— Ни фига подобного! — завопил Кирюшка, с
порога кидаясь на кровать.

Он шлепнулся на мою ногу. Я ойкнула и подтя-
нула конечность к подбородку.

— Гуляешь три недели с псами! — верещал он.

— А ты что будешь делать? — с подозрением
поинтересовалась Лиза.

— Ничего!

— Как это?

— Я же продал тебе выгул собак!

— Э, нет, — влезла я, — так не пойдет! Тогда
моешь квартиру.

— Ни фига! — крикнул Кирюшка.

— Но так же нечестно. — Я попыталась восстановить справедливость.

— Очень даже честно, — не сдавался Кирюша.

— Лучше я пылесосить буду! — заныла Лиза.

— Ни фига! Первое слово дороже второго!

— Дурак.

— Сама дура.

Понимая, что сейчас начнется драка, я быстро
сказала:

— Тише, тише. Можно же поступить по-другому.
Две недели выходит один, потом две недели другой.

— Я не согласен!

— Я брала всего четыреста, а он пятьсот!

— Ой, ой, заплачь еще!

— Молчи, кретин.

— Ах, я кретин, да? Да? Повтори!

— Пожалуйста, самый раскретинский кретин, кретинистее не встретишь! — выпалила Лиза. — Чемпион по кретинству, второе место!

— Почему второе? — на секунду растерялся Кирюша.

— Потому что такой кретин, — довольно улыбаясь, пояснила Лиза, — что даже на соревновании среди идиотов не способен первое место занять!

Кирюшка схватил с моей тумбочки коробочку мармелада в шоколаде и треснул Лизу по макушке. Конфеты дождем взлетели вверх и осыпались на пододеяльник. Муля и Ада сначала не поверили собственному счастью, но потом, взвизгнув от восторга, ринулись к нежданному угощенью.

— А ну прекратите, — рассердилась я, пытаясь отобрать у мопсов конфеты.

Куда там! Толстенькие апатичные собачки проявили при виде лакомства такую прыть, что мармеладки мигом провалились в их желудки. На постельном белье остались лишь отвратительные коричневые пятна. Адюша икнула и стала вылизывать пододеяльник.

Лиза, не теряя ни секунды, схватила книгу Татьяны Устиновой и с размаху долбанула ею Кирюшку по затылку. Еще хорошо, что любимая мною Устинова не пишет такие кирпичи, как Маринина. Уж не знаю, что случилось бы с головой мальчика, попадись Лизе под руку очередной роман Марины Анатольевны.

Кирюша взвыл и ткнул Лизу кулаком под ребро. Через секунду дети свалились на меня и принялись от души мутузить друг друга. Битву прерывали крики:

— А-а, мои волосы!

— Не щипайся!

— Ща получишь!

— На тебе в нос!

— Убью на фиг!

Ада и Муля, поняв, что идет всамделишная драка, нырнули под одеяло и прижались к моим ногам. Я попыталась выползти из-под лупящих друг друга подростков, но потерпела неудачу. И Лиза, и Кирюшка теперь весят намного больше, чем я. Оставалось только взять пример с мопсих, затаиться и выжидать. Тут под моей правой ногой стало горячо. Поняв, что произошло, я заорала:

— Всем молчать!

Послышался грохот, дети свалились на пол. Я вскочила на ноги и сдернула одеяло. Так и есть, под дрожащей Адой расплылась лужа. Ругать ее бесполезно, она боится шума, крика и драк.

— А ну перестаньте, — зашипела я, стаскивая с кровати простыню, — немедленно прекратите!

— Ща, — сопела Лиза, — только врежу ему.

— Кто кому наподдаст! — взвизгнул Кирюшка и попытался сесть верхом на Лизавету.

Та вывернулась, Кирюшка упал на бок и сшиб длинными ногами мирно стоявший в углу торшер. Раздался грохот, звон, вой собак, топот... На пороге возникла Юля и закричала:

— Что за безобразие? Мне дадут наконец отдохнуть? Просто сумасшедший дом! В ванной крокодилы, в комнатах драки! Офигеть можно! А ну хватит! Из-за чего скандал?

— Да Лампа вот... — завел ноющим голосом Кирюшка.

Через пару мгновений Юля обозлилась еще больше:

— А ну ступайте спать!

Потом она повернулась ко мне и заявила:

— Вечно тебе в голову глупости приходят! Зачем им вообще столько денег давать?!

Я тактично промолчала, ну не говорить же Юлечке о подарках, которые ей предстоит завтра получить!

Возмущенно фыркнув, она ушла. Я осталась в спальне и со вздохом оглядела разгром: упавший торшер, разбитый абажур, вконец испорченное постельное белье, пустую коробку из-под конфет, ехидно улыбающуюся, всю перемазанную шоколадом Мулю, трясущуюся от ужаса, но тоже всю в липком мармеладе Аду... Ну почему у нас всегда так? Отчего Лиза и Кирюшка, вполне взрослые ребята, постоянно затевают разборки и нудные выяснения отношений? Они скрупулезно подсчитывают количество съеденных друг другом пирожных, ревностно следят за тем, чтобы кому-то из них не досталось больше карманных денег, и вечно норовят занять за столом место около буфета. Каждое утро повторяется одна и та же картина: Лизавета выбегает из ванной, плюхается на стул и улыбается. Потом в кухню врывается Кирюшка и кричит:

— А ну уйди с моего стула!

— Я первая пришла, — возражает Лиза, и пошло-поехало.

Вот у других людей совсем не так. На этаж ниже живут Карабановы, у них есть сын Юра и дочка Карина, милые, воспитанные дети, всегда вежливо здороваются. Любо-дорого смотреть, как старший брат ведет из школы маленькую сестричку. А у нас!

Тяжело вздыхая, я отправилась за веником. Так всегда, кто-то дерется, а кто-то собирает осколки.

ГЛАВА 17

На следующее утро я приехала к дому Семена Кузьмича и уставилась на здание, стоящее напротив. Значит, убийца прятался за одним из этих окон. Вопрос: за каким?

Поразмышляв, я отбросила самые крайние окна — оттуда трудно увидеть комнату профессора, следует сосредоточиться на середине дома. Слава богу, он не слишком большой, старой постройки. Намного хуже было бы, стой тут современная многоэтажная башня! А так я насчитала окон всего ничего. Нужно проверить лишь второй, центральный подъезд.

Замерзнув, я зашла в магазин, расположенный тут же, и прислонилась к батарее. Думай, Лампа, думай. Первый этаж отпадает, там расположены химчистка, небольшой супермаркет и видеопрокат. Навряд ли убийца выбрал для стрельбы какое-то из этих помещений. Слишком велика опасность быть пойманным. Но на остальных шести этажах, очевидно, квартиры.

Так, попробуем включить логику. Знал ли киллер, что Веня подойдет и закроет окно? Нет, конечно, парень оказался в комнате совершенно случайно. Ира говорила, что профессор любил по утрам спокойно работать, и она никогда ему не мешала, входила лишь ближе к обеду. Веню же девушка впустила только потому, что накануне приключилась дикая ссора. Следовательно, убийца, хорошо осведомленный о привычке профессора сидеть у раскрытого окна, не мог знать, что кто-то его закроет.

Значит, он должен был предусмотреть и такой вариант: оперативники входят в комнату с трупом, видят раскрытое окно и понимают, откуда прилетела пуля! Убийце просто феерически повезло, что Веня захлопнул раму.

Преступник не живет постоянно в этом доме, очевидно, он там временно снял квартиру. Ведь не дурак же он, чтобы совершать убийство из своей комнаты.

В полном восторге я отлепилась от батареи. Ситуация крайне проста, надо узнать, кто во втором подъезде сдает квартиры или комнаты, и дело в шляпе. Причем меня интересуют только те помещения, которые выходят окнами во двор.

Я вылетела на завьюженную улицу и понеслась ко второму подъезду. Путь лежал мимо маленького покосившегося одноэтажного здания с облупившейся штукатуркой. Его украшала вывеска «Центр развития детей с нарушениями мозговой деятельности». На секунду притормозив около домика, я увидела у входа инвалидную коляску и мгновенно поняла, как надо действовать.

В полутемном подъезде возле почтовых ящиков стоял древний письменный стол, за которым сидела женщина лет шестидесяти с добродушным усталым лицом. Увидев меня, она приветливо поинтересовалась:

— Вы к кому?

— Понимаете, — зачастила я, — мы приехали с области, привезли ребенка в центр, вот я и хочу...

— Вот несчастье-то, — вздохнула лифтерша, — жаль мне вас, сил нет. Как утром увижу бедных деток в инвалидных колясках, так сердце и сожмется, ну за что невинной душе такое мученье! Комнату снять хотите?

Я кивнула:

— Надо же, сразу догадались!

— Так ваши сюда часто приходят, — пояснила

лифтерша, — в наш дом и в соседний. Намучаешься с коляской-то в городском транспорте. Ясное дело, поближе к центру площадь ищете. Вон у нас сейчас в пятнадцатой квартире Лиля живет, между прочим, москвичка, в Бибиреве прописана, только ей оттуда с больным ребенком не наездиться, вот здесь и сняла, а свою площадь сдала.

— Уж сделайте доброе дело, подскажите, кто сдает квартиры или комнаты!

Консьержка вытащила из ящика стола амбарную книгу.

— Так, сейчас по списку поглядим. Второй этаж. Тут никто тебе не поможет, люди обеспеченные, недавно ремонты понаделали, весь подъезд трясся. На третьем Родькина Зина людей принимает, только она сильно пьет. У нее тебе хреново будет! Четвертый этаж у нас теперь вообще одна квартира. Такая фря въехала! Фу-ты ну-ты, вся в золоте, на машине, шофер за нее сумки таскает. Кто такая, понятия не имею. Домоуправша нашептала, артистка она, эстрадная, песни поет. Уж не знаю, правда ли, но голос у девки звонкий. Как начнет свою домработницу матом крыть, на весь подъезд слыхать. Так, идем дальше. На пятом баба Клава народ пускает, мой тебе совет: к ней не стучись.

— Почему?

— Жадная очень, — вздохнула лифтерша, — три комнаты имеет, людей, как сельдей в бочку, напихивает, она койки сдает, правда, недорого. Но разве это жизнь? Хуже коммуналки: ни поспать, ни отдохнуть как следует. Сама хозяйка в прихожей кантуется, чисто собака, и все из-за денег.

— У нее живут?

— Полно! — покачала головой консьержка. — С детьми больными, прямо ад кромешный. На шестой не езди, люди там не нуждаются, хорошо зарабатывают, на седьмом... Знаешь, там тоже до недавнего времени жильцов не пускали, но вот у Зои Андреевны полгода назад муж умер, и я заметила, что к ней теперь посторонние ходить начали, небось тоже решила подзаработать. Ты к ней толкнись, женщина замечательная, аккуратная, положительная, бывшая учительница, квартира у нее чистая, просторная, ступай туда.

Но я не послушалась приветливую лифтершу и двинулась к Зине Родькиной, ведущей неправильный образ жизни. Будь я киллером, выбрала бы без всяких колебаний алкоголичку Зину. Думаю, вам не надо объяснять, почему.

Дверного звонка в нужной мне квартире не оказалось. Я постучала сначала кулаком, затем побила створку ногой, но никто не спешил открывать.

Скорей всего, никого нет дома. Раздосадованная неудачей, я отправилась к бабе Клаве. Звонок тут был на месте, и едва мой палец нажал на пупочку, как на пороге возникла грузная старуха с узлом сальных волос на макушке.

— Коечку хотите? — ласково пропела она, вытирая мокрые руки о цветастый фартук.

— У вас есть место? — Я решила начать издалека.

— Проходи, — распорядилась баба Клава, — куртку вешай на гвоздик, ботинки сымай, да сначала паспорт покажь и регистрацию. И уж не обессудь, коли из Чечни приехала, то не оставлю.

— Я москвичка.

— Да? — недоверчиво спросила хозяйка, листая паспорт.

— Свою жилплощадь сдаю, ищу поближе к центру, далеко ребенка возить.

— Ясное дело, — кивнула баба Клава, — вот гляди, есть одно местечко в зале.

Сильной, совсем не старушечьей рукой она впихнула меня в достаточно просторное помещение.

Комната смотрелась более чем странно. От стенки к стенке протянуты веревки, на которых болтаются простыни, а за ними стоят кровати. Баба Клава постаралась превратить «зал» в некое подобие гостиничных номеров.

— Вот, гляди, — сказала хозяйка, отдергивая одну простыню.

Я посмотрела и поежилась. От незаклеенного окна сильно дуло. Узенькая коечка застелена застиранным байковым одеялом, плоская подушка в подозрительных пятнах, деревянный ободранный стул и колченогая тумбочка, такие, как правило, украшают больничные палаты в муниципальных больницах.

— Мебель стоит, — зачастила баба Клава, — постельное белье твое, здесь стирать его нельзя, повесить негде, только мелочь можно, трусы с носками, в очередь. Да потом разберешься, на двери расписание прилеплено. Полку в холодильнике дам, чайник есть, и посуду брать можешь. Платить понедельно, по субботам, тысячу рублей, а если захочешь, чтоб убралась тут, тогда еще стольничек накинь. Задаток пятьсот, восьмерка на телефоне блокирована, туалетная бумага и мыло твои. Еще с тебя десятка на «Фэри», посуду небось мыть станешь.

Я содрогнулась. Боже, какой ужас! Жить в таких условиях! Хотя на что не пойдешь ради ребенка, наверное, в этом центре хорошо лечат, если в него со всех краев едут.

— А кто у меня в соседях будет?

Баба Клава принялась загибать пальцы:

— В зале уже трое, с тобой четверо станет. Людка с Киева, Верка с Вологды и Ленка, она с Подмосковья, второй месяц живут. Да не сомневайся, они бабы тихие, работают кто где, одна на лотке торгует, другая ремонты людям делает, третья шьет, не пьет никто.

— А на моем месте кто жил?

Хозяйка вздохнула:

— Валя, у нее девочка умерла, простудилась, и все, в два дня убралась. Валька убивалась, страх смотреть! А по мне, что ни делается, то к лучшему. Каково инвалида-то на себе тащить! Молодая еще, родит себе здорового.

Меня затошнило. Больше всего сейчас хотелось убежать из душной квартиры, где стены были пропитаны чужим горем. Но пришлось, борясь с дурнотой, продолжать расспросы.

— А еще в квартире сколько человек?

— В маленькой двое и в средней трое, — пояснила баба Клава, — сама в прихожей сплю, надо же людям помогать. Добрая я слишком, напустила полный дом из милости, покой потеряла на старости лет. Да ты не сомневайся! Лучше не найдешь! Цена копеечная, условия райские. Где еще такие отыщешь? Тебе просто повезло, что у Вальки дочка померла, у меня люди по году живут. Вон сейчас все старые, новых никого. Ну как, по рукам?

Я попятилась:

— Спасибо, нет.

— Не глупи, девка, — предостерегла меня баба Клава, — точно знаю, у меня дешевле всех выходит. Еще Зинка сдает, но там такой шалман! Вокзал-базар! Сама зашибает, жильцы тоже, берет за койку больше меня, ты там с ума сойдешь, чистый содом. Чем тебе мой угол не пришелся?

Я постаралась найти нужные аргументы. Ну не говорить же старухе правду!

— Комната очень хорошая, — наконец нашлась я, — просто замечательная, но у меня собака. Здоровая такая, алабай. Небось с ним не пустите!

— С ума сошла, — замахала руками бабка, — тут люди задами сталкиваются! Слушай, избавляйся от собаки и приходи. Ты мне понравилась, придержу угол.

— Как же мне собаки-то лишиться? — для поддержания разговора спросила я, натягивая сапоги.

— Эх, молодежь, — с укоризной протянула баба Клава, — всему учить надо. Возьми пса, отвези в другой район и привяжи у магазина. Его и отдадут на живодерню. Сама туда не сдавай, денег возьмут, а так какой спрос?

Понимая, что сейчас тресну «милую» бабулю по затылку, я выскочила на лестницу и побежала вверх. Встречаются же такие мерзкие люди!

Зоя Андреевна оказалась полной противоположностью бабе Клаве. Худенькая, в темном шерстяном платье, с волосами, аккуратно накрученными на бигуди. Комната, которую она продемонстрировала, после «залы» с простынями показалась мне царским дворцом. Большая, квадратная, с удобной кроватью и вполне пристойной мягкой мебелью. Имелся даже телевизор.

— Если хотите, — тихим голосом предложила хозяйка, — поставлю вам сюда холодильник, у меня их два. А вообще можно продукты на кухне держать, их никто не тронет.

Я улыбнулась, Зоя Андреевна совсем не похожа

на человека, который тайком станет отрезать куски от чужого батона колбасы.

— А кому до меня комнату сдавали?

Она покраснела:

— Никому, вы первая. Я с трудом решилась на это. Кстати, кто вам подсказал мой адрес?

— Лифтерша посоветовала.

— Уже весь подъезд знает, — горько вздохнула Зоя Андреевна, — у нас тут только подумаешь о чем-то, а люди уже в курсе. Стыдно-то как, а что делать? На пенсию не прожить, все накопления, которые были, на мужа потратила, болел он сильно. Вы мне паспорт покажите. Вижу, правда, что вы приличный человек, но уж не обижайтесь.

— Какие тут обиды, — пробормотала я, глядя в окно. Там, словно океанский лайнер среди волн, высился дом Семена Кузьмича. — Значит, тут никто из посторонних не жил?

— Нет, — покачала головой Зоя Андреевна, — комната служила спальней моему покойному мужу, он последние три года не вставал с кровати, парализованный лежал, но не бойтесь, умер Иван Филимонович в больнице. Так как? Согласны? Тут уже кое-кто приходили, да душа у меня к ним не лежала, а вы понравились.

— У вас просто замечательные условия, но мне не подходит комната.

Зоя Андреевна поморгала блеклыми, усталыми глазами.

— Не понравилась? Белье постельное дам и возьму недорого, жгите электричества сколько захотите, вот только... — она замялась, но потом все же продолжила: — ...насчет мужчин... Очень прошу, не оставляйте никого на ночь. Днем делайте что хотите, я к вам даже стучаться не стану.

— Увы, вынуждена отказаться.

— Курить можно, — быстро добавила хозяйка. — Иван Филимонович дымил, словно паровоз, я привыкла, даже нравиться дым стал.

— Понимаете, у меня собака.

— Ну и что? Я люблю животных.

Я растерялась.

— Большая такая, бойцовой породы, на всех кидается.

Зоя Андреевна с явным разочарованием протянула:

— Ну тогда конечно. Может, посоветуете кому мою комнатку? Вдруг подружка есть или родственница, ищут, где снять.

— Обязательно, — пообещала я.

— Вы уж не забудьте, — настаивала Зоя Андреевна, — тяжело жить на пенсию.

Я вышла на лестницу, спустилась на этаж ниже и села на подоконник. Хитрая, жадная баба Клава и интеллигентная Зоя Андреевна существуют в разных социальных слоях, объединяет их одно: невозможность прожить на подачку, которая называется пенсией. Очевидно, государство рассчитывает на то, что взрослые дети будут содержать стариков, потому как всем понятно — живя только на пенсию, быстро протянешь ноги. Небось, имей баба Клава достаточно средств, сидела бы сейчас у телика, пила кофе, вязала носки, может, и к собакам бы относилась по-другому. А то в ее понимании животное — это лишний рот.

Ладно, жаль и бабу Клаву, и Зою Андреевну, но моя-то проблема совершенно не решена. Осталась одна Зина, может, она уже вернулась?

ГЛАВА 18

Я спустилась вниз и принялась вновь жать на звонок, но никто не спешил открывать. Делать нечего, придется уйти, но не успела я сделать и шага, как раздался сначала скрип, а потом хриплый то ли мужской, то ли женский голос:

— Тебе чево?

Я обернулась. На пороге, покачиваясь, стояло существо неопределенного пола. Лицо у него было явно мужское: грубое, одутловатое, почти без глаз, вместо них под бровями виднелись две щелочки. Зато тело принадлежало женщине: маленькое, тощее, с крохотными ручками. Мой вам совет: если не можете определить пол собеседника, посмотрите на его обувь!

Я перевела глаза вниз: на правой ноге бесполого существа была ковровая тапка, на левой — черный ботинок.

— Позовите Зину, — осторожно попросила я.

— Ну!

— Это вы?

— Ну.

— Комнату сдаете?

— Ишь ты, — подбоченилась пьянчужка, — комнату ей подавай! В гостиницу ступай, в «Мариотт-отель», там тебе номер дадут, у меня койки!

— Место есть?

Зина поскребла голову длинными серыми ногтями.

— Не помню, вроде было! А может, и нет!

— Давайте посмотрим, — предложила я.

— За показ — десятка, — обрадовалась алкоголичка.

— За показ денег не берут, — усмехнулась я,

входя в крохотную, загаженную донельзя прихожую.

— Ладно, — мигом согласилась Зина, — твоя правда, давай пять рубликов всего.

Я вытащила из кошелька железную монетку и сунула в ее желтую, узкую ладонь.

— Вот, — распахнула Зина дверь, — гляди.

Никаких веревок с простынями, символически деливших довольно большую комнату на отсеки, тут не было. Железные панцирные койки стояли впритык. Я давным-давно не видела кроватей, роль спинок у которых играют никелированные штыри, украшенные шариками. Зина в задумчивости глянула на койки и икнула. В воздухе повис отвратительный «аромат» перегара. Стараясь не дышать, я отодвинулась в сторону.

— Вот тут, — забормотала Зина, — Сашка, у окна Танька, возле стены Юрка. Или он съехал? Тьфу, не помню.

— Сколько у вас сейчас жильцов?

— А... знает, — ответила Зина, — их приносит и уносит, словно ветром!

— Совсем не помните, кто живет в квартире?

Зина принялась яростно чесать шею. На всякий случай я отодвинулась еще дальше. Вполне вероятно, что у этой леди водятся блохи, только не хватало принести домой кожных паразитов и заразить наших собак.

— А, — махнула рукой Зина, — их и не посчитать! Вот Сашку помню, он давно живет, в ванной сидит.

Я обрадовалась. Может, незнакомый мне Александр окажется трезвым?

— Вы разрешите с ним поговорить?

— С кем? — Зина уставилась на меня мутным взором.

— С Сашей, когда он помоется.

— Ступай на лестницу, тама и жди.

— А тут нельзя?

— Давай десять рублей.

Я вытащила бумажник.

— Стой здеся, — смилостивилась Зина и ушла.

Из коридора незамедлительно понесся ее хриплый голос:

— Эй, Сашка, вылазь, хватит баниться, к тебе пришли.

— Кто? — донеслось издалека.

— Баба, — сообщила Зина.

Раздался щелчок, потом тяжелый топот, и в комнату вдвинулась гора мышц. Я попятилась. Саша выглядел устрашающе: огромные плечи, чудовищно бугристые руки, слоновьи ноги и неохватный торс, обтянутый застиранной футболкой.

— Вы ко мне? — прогудел он.

Я слегка приободрилась, кажется, мужик трезв.

— Вас Петрович прислал? — добродушно улыбаясь, продолжал Саша. — Не сомневайтесь, хорошо плитку кладу, много денег не беру, да нам, гастарбайтерам-то, сильно дорого не платят. Как понимают, что с Украины, так сразу копейки предлагают. Вам только плиточник нужен? А тут еще Юрка в простое, он паркетчик.

Я помолчала пару мгновений, потом спросила:

— Саша, хотите сто рублей?

— За что? — удивился он, хлопая голубыми глазами. — Я задаток не беру.

— Нет, просто так.

Саша сел на жалобно застонавшую под его весом койку.

— За просто так ничего не делают, — рассудительно сказал он.

— Ну не совсем так, — улыбнулась я, — ответьте мне на пару вопросов.

— Это зачем? — напрягся парень.

Я вытащила удостоверение и ткнула ему под нос.

Плиточник довольно долго шевелил губами, потом испуганно сказал:

— А я че? Ниче! У меня документы в порядке, регистрация есть. В Москве моя родственница живет, на Валовой улице, там на учет и встал, можете проверить.

— Отчего тогда у Зины койку снимаете?

Сашка вздохнул:

— Так у тети Гали однокомнатная, и в ней она сама, муж, дочка, полная коробушка. Они и рады пустить, да некуда. А тут ничего, хозяйка, правда, пьющая, но она к жильцам не вяжется, отдал деньги и спи себе.

Я решила слегка успокоить его:

— Саша, я не из того отдела, который вылавливает по Москве незаконно приехавших иностранцев. Скажите лучше, кто живет в этой комнате?

— Здесь я, — ткнул в койку корявым пальцем плиточник, — рядом Юра, у окна Таня.

— Женщина вместе с мужчинами?

Саша кивнул:

— Мы так за день накувыркаемся по квартирам, что и не разбираем, где баба, где мужик. Танюха Юркина любовь, они вместе приехали. Он паркетчик, она маляр, почти бригада.

— И давно вы тут?

— Уже полгода.

— А на этих двух кроватях?

Сашка вздрогнул:

— Разный народ, меняется постоянно. Зинка, когда оклемается, идет к вокзалу и там клиентов находит.

— И вам не страшно? — удивилась я.

— Да нет, — пожал чудовищными плечами Саша, — в основном тихий люд попадается. Мужик с бабой поругается, она его выпрет, пойдет он со злости на вокзал, а там Зинка мечется. Но такие тут долго не живут, день, два, и все. Еще с зоны часто сваливают. Через Москву домой катят, остановиться негде.

— Вот уж неприятное соседство, — вздохнула я.

— А кто же сейчас не сидел? — философски вздохнул Саша. — Какую семью ни копни, везде с автозаком знакомы. Да и приходят-то сюда мужики, это у авторитетов и квартиры, и дачи, и машины. К Зинке бедолаги попадают, сопрут от дури мешок комбикорма — и на зону. Выйдут — жена развелась, дети папку знать не хотят, мать умерла, ну куда податься? Ясное дело, к Зинке. Впрочем, они тоже долго не задерживаются, устраиваются как-то.

— За последний месяц кто тут был?

Саша покачал головой:

— Ну вы спросили! Разве всех упомнишь!

— Только мужчины?

— Одна баба была, с ребенком. Ее муж на любовнике поймал, ну и вытолкал на мороз, к маме она ехала, две ночи тут плакала. Остальные все парни.

— И сколько их было, не знаете?

— Не считал, да и недосуг мне. Приду, чаю попью — и на боковую, ночью покурить встану, все спят, лиц не видно. Вот в два ночи обязательно проснусь. Как пихнет кто и велит: «Вставай!» Подымлю у окошка, и хорошо. Это у меня после армии такое.

— Ничего странного не заметили?

— А чего?

— Ну... не знаю! Допустим, вы ночью проснулись, а кто-то что-то делает. Во сколько уходите из дому?

— Мы с Юркой и Танюхой в семь убираемся, нам на объекте в восемь быть велят, — вздохнул Сашка, — выходных нет. А насчет странного... Выл тут пару недель назад чудило, с телескопом.

— С чем? — изумилась я.

Саша заулыбался:

— Некоторые люди такие странные, ну на всю голову больные. Просыпаюсь ночью, гляжу, у окна мужик стоит около какого-то аппарата. Вроде трубы на треноге...

Сашке стало интересно, и он окликнул соседа:

— Эй, ты чего там делаешь?

Мужик вздохнул и попытался было заслонить собой странное сооружение, но Саша уже встал и подошел к нему.

— Что это у тебя?

— Телескоп, — улыбнулся тот, — хобби у меня такое, звезды разглядывать. Вот сюда посмотри!

Саша прильнул к окуляру и ахнул. Перед глазами неожиданно близко оказались светила.

— Красота-то какая! — вырвалось у плиточника. — Первый раз такое вижу.

— Некоторые не понимают! — с горечью воскликнул дядька.

Слово за слово они познакомились. Мужика с телескопом звали Семеном. Работал он на мебельной фабрике, делал диваны и кресла, а свободное время посвящал звездам. Семен был, как говорится, положительным: не пил, не курил, по бабам не шатался, золото, а не мужик. Но его жена придерживалась другого мнения. Страсть супруга к звездному небу доводила ее до бешенства, баба всеми силами старалась оттащить муженька от астрономического прибора. А когда Семен всю полученную на работе премию истратил на новый телескоп, разразился такой дикий скандал, что парень, схватив свое приобретение, ушел из дома.

Пошатавшись по улицам, он наткнулся на Зину и очутился в ее ночлежке.

— Такой отличный мужик этот Семен, — крякал Саша, — столько всего здоровского знал! Прямо энциклопедия настоящая! Всякие штуки рассказывал: про звезды, планеты... Они бывают красные карлики, черные карлики, а еще случаются черные дыры. Во как! Я даже привык: как ночь наступит, так Семен лекцию заведет, прям жалел, когда он с женой помирился, две недели тут прожил, недавно уехал. Нет, все-таки бабы дуры. Послал господь такого отличного мужика, чего ты его пилишь?

— Он вам телефончик случайно не оставил? — напряглась я.

Сашка покачал головой:

— Нет.

Я загрустила, от этого Семена можно было узнать небось много интересного. Парень сидел ночами у телескопа, вдруг да и заметил чего-нибудь.

— И адреса не дал, — продолжал плиточник.

— Может, хоть фамилию знаете, — цеплялась я за последнюю надежду.

— Зачем она мне, — пожал плечами Саша, — в курсе только, что он на мебельной фабрике работает, диваны сколачивает, все предлагал: если надумаешь мебель покупать, свистни мне, сделаю без торговой наценки, визитку дал фабричную.

— И где она? — оживилась я.

Саша, сопя, полез под кровать, вытащил пластиковую полосатую сумку и стал рыться внутри, приговаривая:

— Куда подевалась, зараза? Тут была. Во! Нашлась! Держите.

У меня в руках оказалась белая карточка: «Производственно-торговое объединение «Альма», изготовление мебели по индивидуальным проектам»

Сунув визитку в сумку, я вышла на улицу и побежала к метро. Холод моментально проник под короткую курточку. Надо же свалять такого дурака: не надела теплое пальто. А все потому, что последнее время стала ездить на автомобиле и отвыкла бегать по улицам. Некоторое время назад Катюша купила себе новую машину, симпатичный «Фольксваген Гольф», правда, подержанный, но от этого совсем не ставший хуже. Мне же достались ее старые «Жигули».

— Добивай доходягу, — ухмыльнулся Сережка, вручая мне ключи, — наберешься опыта, поглядим, а пока с тебя и этих колес хватит.

Наверное, многие автовладельцы согласятся со мной. Машины, они, знаете ли, как люди, каждая со своим характером и судьбой. Одна новая, красивая, дорогая, а постоянно ломается, глохнет на дороге по непонятной причине, капризничает и потребляет бензин лишь супердорогих марок. Другая вроде ничего собой с виду не представляет, зато служит своему хозяину, словно верная собака, бегает и бегает без продыху.

Вот Катюшина машина оказалась из второй категории. Я очень люблю «жигуленка», регулярно мою его и не жалею денег на то, чтобы пропылесосить салон. Машина платит мне взаимностью, она всегда заводится с пол-оборота, даже в самый трескучий мороз, такой, как сегодня, когда термометр зашкалил за двадцать пять ниже нуля.

Только сейчас моя верная лошадка стоит в сервисе и ждет, когда мастера приведут в порядок смятый багажник, а я по дури влезла в коротенькую куртенку и вот несусь на всех парусах в метро.

В вестибюль я ворвалась, ощущая себя гигантским эскимо. Так, теперь еще предстоит купить подарок для Юли. Насколько мне известно, гости приглашены к семи, следовательно, мне надо быть дома пораньше, чтобы помочь накрыть на стол.

В большом универмаге, расположенном около нашего дома, я принялась бродить по этажам, разглядывая прилавки. Итак, что купить? Одежда отпадает сразу.

Во-первых, я почти стопроцентно не угадаю размера, во-вторых, не угожу Юльке. Мне, например, очень нравится вон тот розовый пуловер. Но вдруг Юле по вкусу голубой? Нет, вещи она себе купит сама. Нельзя дарить пудру или помаду, я не знаю ни ее любимого цвета, ни фирму. И духи лучше не брать.

Приуныв, я шлялась по этажам. Органайзер? Их у Юли уже три! Чехол для мобильника? Он у нее есть. Авторучку? Часы? Калькулятор?

И тут на глаза попался посудный отдел. В полном отчаянии я забрела в него и замерла от восторга перед стеклянной витриной. На полке стояла фарфоровая кружечка, совершенно прелестная, украшенная изображением собачек.

— И сколько такая? — повернулась я к продавщице.

— Четыреста семьдесят пять рублей, — подскочила она ко мне, — настоящий английский фарфор, подарочная упаковка бесплатно. Берите, последняя осталась, сегодня пять штук продали.

Я на секунду заколебалась. Ну насчет настоящего английского фарфора она загнула, вот там есть ярлычок с надписью «Made in China». Но и китайская посуда хороша. Более того, фарфор ведь изобрели трудолюбивые представители этой самой многочисленной на земле нации. Конечно, бессовестно дорого, но день рождения-то раз в году! И Юлька обожает подобные штуки.

— Беру, — решительно сказала я, — упакуйте в коробочку, вон в ту, розовенькую, а сверху прилепите бантик!

Девушка ловко завернула коробку в хрусткую бумагу. Очень довольная собой, я пришла домой и обнаружила на кухне абсолютно всех домашних, занятых приготовлением стола.

— Юлечка, — заулыбалась я, протягивая подарок, — расти большая и умная, это тебе, надеюсь, понравится!

Юля клюнула меня в щеку.

— Спасибо, Лампуша.

— Хочешь, угадаю, что там? — хихикнул Сережка, резавший салями.

— Попробуй, — улыбнулась я.

Юля принялась аккуратно разворачивать шуршащую обертку.

— Внутри этой коробочки, — торжественным голосом объявил Серега, — лежит кружка, украшенная изображением собачек, производство якобы Англии, а на самом деле Китая. Цена сему предмету четыреста семьдесят пять рублей, упаковка бесплатная.

Я разозлилась:

— Кто же говорит вслух о стоимости подарка?

— Значит, я попал в точку, — кивнул Серега.

— Кружка! — воскликнула Юля, раскрывая коробочку. — Спасибо, Лампуша, прелестная вещица.

Но отчего-то в ее голосе звучало явное разочарование. Не успела она произнести благодарственную фразу, как Кирюшка выронил нож и захохотал:

— Ой, не могу!

— Вот прикол, — подхватила Лизавета, вытиравшая фужеры.

— Но она же не нарочно, — хихикнула Катюша, вываливая в салат майонез из банки.

Честно говоря, я растерялась и озабоченно спросила у Юли:

— Тебе не понравилось?

— Прелесть! — вздохнула она. — Глаз не оторвать.

— Но почему все смеются?

Юлечка поставила кружку на раковину.

— Сейчас ее вымою, открою сушку и...

Но конца фразы я не услышала, потому что в кухню бодрым шагом вошел Костин и, протянув новорожденной нечто, запакованное в ярко-зеленую бумагу, с чувством произнес:

— Расти большая и умная, это тебе, надеюсь, понравится!

На лице Юли заиграла фальшивая улыбка.

— Ой, спасибо! Там что-то чудесное...

— Кружка! — загрохотал Сережка.

— С собачками, — пропищала Лиза.

— Китайская, — перебил ее Кирюшка.

— Стоит около пятисот рублей, — вздохнула Катя.

— Что-то никак не пойму, — завел было Вовка,

но Юля быстро распахнула сушку и сунула туда вымытую кружечку, принесенную мной. Я ахнула. Перед глазами предстали совершенно одинаковые чашки: белые, украшенные изображением собачек. Вовка разинул рот.

— Мы все купили одно и то же, — довольно мрачно констатировала Катя, — более того, все сказали ей, вручая подарок: расти большая и умная! Ну отчего мы такие одинаковые?

— Глупо вышло, — пробормотал Вовка.

— А по-моему, замечательно, — засуетилась Юлечка, — теперь у нас почти сервиз.

ГЛАВА 19

Гостей неожиданно пришло на одного человека больше, чем ожидали. Лика, лучшая подруга Юли, явилась с кавалером, никому не знакомым парнем. Она, снимая шубку, сказала:

— Знакомьтесь, Константин, мы вместе работаем в журнале.

Но сам парень, протянув мне руку, кокетливо пропел:

— Котик, очень рад.

Точно так же он представился и всем остальным.

— Странный какой Котик, — шепнул мне на ухо Володя, — джинсы розовые, в ухе серьга...

— Ну и что? — так же шепотом спросила я. — Сейчас каждый одевается, как хочет!

Начался пир. Сели за стол, выпили, зашумели. Дождавшись того момента, когда гости разобьются на группы и примутся весело болтать, я взяла телефон, ушла к себе и набрала номер, указанный в визитке.

— Фабрика, — прозвучал тихий голос, — охрана.

— Вы уже закрыты?

— Девушка, — ответил секьюрити, — мы работаем с восьми до восьми, без перерыва, приезжайте завтра, сейчас тут никого. С чего вам в голову взбрело, что наше предприятие по ночам открыто?

Я быстро повесила трубку. Действительно, глупо! Все-таки это не супермаркет и не аптека. Хотя я совсем недавно узнала, что некоторые магазины, торгующие бытовой техникой, круглосуточно ждут к себе покупателей.

Из гостиной донеслись веселая музыка и визг. Я легла на кровать и взяла в руки газету, можно и отдохнуть немного.

Около полуночи ко мне заглянула Лика.

— Костик не у тебя?

— Нет, — удивленно ответила я, — а что ему здесь делать?

— Ну я подумала, забрел поболтать, — улыбнулась она, — он, между прочим, тоже музыкант, вернее, танцор, с группой «Биг Бен» работает, слышала про такую?

— Да, — покривила я душой, — замечательный коллектив.

Еще через час в мою спальню вошла раскрасневшаяся Юля.

— Здоровский день рождения вышел, мы так плясали.

— Вот и отлично, — воскликнула я, — как отметишь, так и год проведешь!

— Лику жалко! — вздохнула Юлечка.

— Это почему? — удивилась я.

— Мы с ней одногодки, — пояснила она, — но у меня муж есть, а у Лики никого.

— Ну какие ее годы, еще появятся женихи.

— В том-то и дело, — покачала головой Юля, — одни придурки ей попадаются, страх смотреть!

— Котик вроде ничего!

— Жуткий урод! — сердито воскликнула именинница.

— По-моему, вполне симпатичный, только одет странно, но, между нами говоря, у людей шоу-бизнеса весьма своеобразные вкусы.

— Он козел, — безапелляционно заявила Юлечка. — Что-то ему Лика сегодня не так сказала — прикинь, не постеснялся сначала при всех ее отчитать, потом стал к бутылке прикладываться, а когда Лика, увидав, что он совсем пьяный, отняла у него выпивку, распсиховался и ушел, бросил ее тут, и все.

— Не слишком красиво, — протянула я, — Лика...

Закончить фразу мне не удалось, потому что в коридоре раздался истерический вопль в такой тональности, что у меня заложило уши.

— А-а-а, помогите, крокодилы!

Мы с Юлечкой, чуть не столкнувшись в дверях, понеслись в санузел, распахнули дверь, зажгли свет и ахнули.

В ванне, наполненной бутилированной водой, полулежит Костик. Розовые джинсы он снял и бросил на пол. Я невольно отметила, что и белье у парня более чем специфическое: трусики-танга нежно-бежевого цвета. Впрочем, еще в то время, когда я училась в консерватории, танцоры-мужчины надевали под трико нечто, состоящее из тоненьких завязочек, потому что некрасиво, когда под облегающими тело лосинами проступают очертания нижнего белья. Так что танга — это профессиональная одежда, но никому из моих знакомых балерунов не пришло бы в голову носить их в повседневной жизни.

— Ты что тут делаешь? — оторопело спросила Катюша, заглядывая через наши спины.

Костик, плавающий в ванне в пуловере и носках, плаксиво спросил:

— Где я?

— В гостях, — вздохнула Юля, — у меня на дне рождения.

— А как сюда попал?

— Понятия не имею, — сообщила я.

— Зашла перед сном помыться, — дрогнувшим голосом пояснила Лиза. — А в ванне вдруг что-то как зашевелится, огромное! Вот я и подумала, что крокодилы так выросли, и испугалась!

— Какие крокодилы? — недоуменно поинтересовался Костик.

— А вон они, у кранов, — сказал Сережка, — неужто не разглядел? Ася и Вася, сладкая парочка, баран да ярочка.

— Где баран? — наморщил узкий лоб Костик.

— Это так, шутка, — ухмыльнулся Серега, — бараны отсутствуют, у нас лишь крокодилы.

Костик приподнялся, глянул в противоположный конец ванны и завизжал так, что кастрат Фаринелли, услышав его, враз бы скончался от зависти.

— Выньте меня, скорей выньте!

— Не кричи, — попыталась вразумить гостя Юля, — они тебя не тронут, недавно сытно поужинали.

— И вообще наши аллигаторы ничего, кроме «Вискаса», не жрут! — заявила Лиза. — Вылезай потихоньку!

Костик обвел нас безумным взглядом. Я пожалела парня. Надо же ему было так наклюкаться! Теперь никак сообразить не может, что к чему. Впрочем, смеяться над ним нехорошо! Вы бы сами, очнувшись с глубокого бодуна в ванне с рептилиями, как бы поступили, а? Я, скорей всего, лишилась бы рассудка от страха!

— Не волнуйся, — я решила утешить пьянчугу, — садись осторожненько, вот так, молодец. Теперь поднимай ножку...

— Ножку, — фыркнул Сережка, — ой, не могу, ножку!

Костик, вполне благополучно вставший, опять сел назад.

— Нет, пусть все выйдут.

Я разозлилась на Сережку. Мог бы удержаться от хиханек и хаханек! Сейчас бы Костик уже вылез!

— Милый, — как можно ласковее пропела я, — попробуй еще раз.

— Да дать ему по башке, — сердито заявил Серега, — сидит тут голый! Между прочим, здесь женщины!

— Я одетый, в пуловере, — возразил Костик.

— А ниже? — не успокаивался Серега. — Там-то ничего?

Изумленный Костик привстал, и тут неожиданно Ася, открыв пасть, усеянную мелкими, но устрашающими зубами, издала страшный звук: то ли шипение, то ли свист. Вася, резко оживившись, заклацал челюстями.

— Ща они его съедят, — взвизгнула Лиза, — вон как обозлились!

Услыхав последнее заявление, Костик выдал такой звук, какой испускает электричка, собираясь проследовать без остановки мимо платформы, набитой людьми. Я хотела успокоить его, но парень в одно мгновение выскочил из воды, сшиб Юлю и бросился к входной двери. Мы на секунду замешкались, помогая Юлечке подняться. Когда она вновь оказалась на ногах, Костика и след простыл. Он удрал из квартиры мокрый, в одном пуловере, без порток.

— Ну и классно, — пробормотал Сережа и сделал «козу» крокодилам, — молодцы ребята, хвалю, жаль, конечно, что не отхватили у дурака кусок филея. Но хоть прогнали, и на том спасибо. Где Лика этого урода взяла? Пришел, набрался, влез в ванну, фу!

— На улице мороз! Он замерзнет! — воскликнула Катюша.

— И чего? — ухмыльнулся Сережа. — Подумаешь! В другой раз думать будет не тем местом, с которого джинсы снял! Розовые!

Я подняла штаны, повесила их на крючок, потом, прихватив плед, спустилась на первый этаж. Лифтерша, грубоватая Алла Павловна, мрачно вязала носок. Сколько ее ни вижу, всегда у нее на четырех острых спицах полноска, ни разу не видела целый.

— Тут не пробегал парень? — спросила я.

— Нет, — рявкнула Алла Павловна, — спать давно пора:

— Значит, никого не было?

— Сказано, нет, — обозлилась бабуся, — я подъезд заперла. Давно бы легла, да этот, из восемьдесят третьей квартиры, опять около двух припрется! И никогда ведь рубля не дал! Жду его сижу, так сунь бабушке десяточку.

Провожаемая ее недовольным ворчанием, я пошла вверх по лестнице, неся на плече плед. Скорей всего, Котик сидит где-нибудь на этажах на подоконнике. Пропажа нашлась между четвертым и пятым.

— Вот где ты спрятался! — улыбнулась я. — Ну-ка, завернись в одеяло, и пошли домой.

— Вы кто? — пролепетал Котик.

— Забыл? Лампа, ты у нас в гостях был.

— Я?

— Ты.

— Нет, — замотал головой парень, — вы меня обманываете, я тут живу.

— Голый? На лестнице?

В глазах Котика заметался испуг.

— Ну... не знаю! Как я сюда попал?

— Послушай, — я попыталась привести его в чувство, — тебя привела Лика.

— Кто?

— Подруга Юли.

— Кого?

Тяжело вздохнув, я решила обстоятельно все ему объяснить:

— У Юли Романовой сегодня день рождения...

Но тут послышались женские голоса.

— Спасибо, — частило высокое сопрано, — что бы я без вас делала! Ну спасибо, ну спасибо!

— Не стоит благодарности, — возразило контральто, — всегда зови, если что приключится, у меня с этим строго.

Я похолодела и схватила Котика за руку.

— Пошли скорее!

— Нет, — начал сопротивляться плохо протрезвевший парень, — не хочу.

Я попыталась спихнуть его с подоконника, но щуплый с виду Котик оказался просто твердокаменным, он даже не пошевелился.

— Лампа Андреевна, — прогремело со ступенек, — и чем вы тут занимаетесь?

Я быстро набросила на Котика одеяло и, сладко улыбнувшись, ответила:

— Нина Ивановна? У вас бессонница?

Председательница правления, тяжело дыша, взобралась на площадку.

— Совсем плохая стала, думала, один пролет быстро пройду, чего лифт вызывать, ан нет, кое-как вползла! К Чеботаревым ходила, опять Михалыч супругу бил! В следующий раз милицию вызову. Сегодня уж хотела в отделение звонить, только жена попросила этого не делать, посадить могут!

— И поделом ему! — воскликнула я. — Нюра-то какая странная, ее лупят, а она муженька жалеет.

Нина Ивановна покачала головой:

— Всякое случается у людей, вы-то зачем на лестнице?

Я открыла было рот, но тут Котик вскочил во весь рост, одеяло свалилось на пол.

— Мама! — взвизгнула председательница. — Он голый! Ой, какой ужас!

На мой взгляд, женщине, прожившей много лет в законном браке, не стоит столь пугаться при виде обнаженного мужика.

Котик секунду постоял молча, глядя в наливающееся синевой лицо главной сплетницы нашего дома, потом понесся по ступенькам вниз. Я невольно залюбовалась парнем, все-таки занятие танцами замечательно отражается на человеке. Большинство из нас весьма неуклюже ковыляет по ступенькам, Котик же бежал, изящно вытягивая носок, он словно летел над ступеньками, как принц в «Лебедином озере». Кто смотрел, должен помнить, в этом балете есть восхитительное па-де-де. Музыка просто завораживающая: трам там, трамта-там...

— Ну Лампа Андреевна, — наконец ожила Нина Ивановна, — как только не стыдно, да...

Но я, стряхнув с себя мелодию Петра Ильича Чайковского, вскочила в лифт и нажала на кнопку с цифрой «один». Как бы обезумевший Котик не вырвался голым и босым на февральскую улицу, замерзнет же, дурачок!

Вниз я приехала очень вовремя. Лифтерша, выставив перед собой спицы, верещала:

— Охальник, прикройся, сейчас милицию вызову.

Я схватила Котика и потянула в кабину.

— Твой, что ли, мужик? — заинтересованно спросила консьержка. — Молодой больно!

— А зачем мне старый? — пропыхтела я, кое-как впихивая слабо сопротивляющегося балеруна в лифт. — Какой толк от пенсионера?

Лицо Аллы Павловны немедленно озарила хитрая улыбка.

— Этта точно! Со старого гриба только плесень сыплется. Гуляй, Лампа, пока можешь, доживешь до моих лет, будет чего вспомнить. Я вот иногда как начну думать... Эх! А другой и на ум ничего не придет. Чего она видела: муж пьяный да дети сопливые. Мой, правда, Колька, царствие ему небесное, тоже зашибить любил. Только сон у него сильно крепкий был, скушает бутылочку — и на боковую, а я через кухню да... Э! Ладно! Неинтересно тебе небось!

Я ткнула пальцем в кнопку, кабина медленно поползла вверх. Кто бы мог подумать, что противная, вечно ворчливая, похожая на кочан капусты Алла Павловна в молодости была гуленой! Большинство пожилых женщин, перешагнув определенный возрастной барьер, начинают без конца шпынять молоденьких девушек, приговаривая: «А вот я в твои годы!..» Интересно, что же они делали в юном возрасте? Неужели только пахали на производстве? Ох, не верится мне в это! Небось бегали по танцулькам и слышали от пожилых: «А вот я в твои годы!..» Старость добродетельна от отсутствия возможности грешить. Все мы хороши на определенном этапе. Интересно, как бы повела себя Нина Ивановна, найдись для нее соответствующий ее возрасту кавалер? Старичок-пенсионер с букетом и коробкой конфет?

Лифт замер на нашем этаже. Я втолкнула нервно трясущегося Котика внутрь и заперла дверь. Думается, Нина Ивановна мигом бы позабыла про наведение порядка в доме, потому что ни одна баба, даже старая и страшная, как ведьма, не променяет кавалера на общественную работу.

ГЛАВА 20

На мебельную фабрику я прикатила около полудня. Вошла внутрь и спросила у вахтерши:

— Где у вас отдел кадров?

— На работу, что ль, наняться хочешь? — зевнула тетка. — Так вакансиев нет, у нас люди за место зубами держатся. Платят хорошо, директор — свой парень... Много ли для счастья надо?

— Да нет, я ищу мастера, Семена. Он мне обещал кой-чего сделать, телефон свой дал, домашний, только я потеряла бумажку.

— Семен, Семен, — забормотала «боец невидимого фронта», — фамилию скажи.

— Не знаю.

— Эка! Как же его найти?

— Звезды он любит разглядывать в телескоп!

Вахтерша кивнула:

— А, Макарычев! Он один такой! Видишь телефон на стене? Набери сто двадцать, как раз к ним в цех попадешь; зови Макарычева.

Минут двадцать я протолкалась около вахтерши, пока с той стороны не появился щуплый мужчина лет пятидесяти в синем халате.

— Вы ко мне? — приветливо поинтересовался он.

Я кивнула.

— Проходите, — велел Семен и сказал вахтерше: — Слышь, Николавна, мы только поговорим в холле, не на холоде же стоять!

— А я чего? — хмыкнула вахтерша. — Бомбы небось в сумке у ней нет.

Я раскрыла ридикюльчик:

— Смотрите.

Николаевна бросила внутрь быстрый взгляд.

— Ну и ступайте себе, балакайте. Ты бы, Сеня, ее в кафе отвел.

— Уже открыли? — обрадовался он. — Думал, еще ремонтируют.

— Вчерась всех пускали, — сообщила Николаевна, — один ты не знаешь.

— Пошли, — кивнул Семен, — совсем заработался, ничего вокруг не вижу. Какой день недели, не помню.

Мы прошли по коридору и уперлись в большую комнату, сверкающую светлыми стенами.

— Красота! — восхитился Семен. — Тут тебе и кофе, и булочки! Ну спасибо Петровичу! Это наш директор! Вон что придумал!

Продолжая восхищаться, он устроился за пластиковым столиком и перешел к делу:

— Вам чего надо? Каталог видали?

— Мне вашу визитку дал Саша.

— Саша? — слегка удивился Семен. — А, Родькин! Я ему диван в гостиную делал.

— Нет, — улыбнулась я, — другой, плиточник. Вы с ним вместе у Зинки жили, когда с женой ругались.

Семен крякнул:

— Было дело.

Я протянула ему удостоверение.

— Очень нужна ваша помощь.

— Начальник оперативно-розыскного отдела... Из милиции, что ли?

Ну вот опять! Написано же сверху: «Частное детективное агентство «Шерлок»!

— Вы ведь по ночам поздно спать ложитесь, потому что астрономией увлекаетесь, — приступила я к допросу.

— Ну, как получится, иногда и в девять под одеяло заползу.

— Саша говорил, что у Зины вы до трех-четырех утра не спали.

— С женой поругался, вот и переживал, — вздохнул Семен.

— Ничего интересного не заметили? Во дворе, где ночлежка.

— Ну луна, например...

— Не о небе речь, — быстро перебила его я, — о земле. Может, кто проходил странный.

— Так я вверх больше смотрю, — развел руками Семен.

Действительно! Эх, похоже, я зря приехала.

— Ничего такого и не приметил, — бормотал Семен, — а чего увидишь-то? Тишина стоит, холодно очень, вот народ и прячется. Если у кого собака есть, то на секунду выскочит и назад, чай, не лето. Даже парни с девками не толкаются.

Я разочарованно слушала его. Надо же, так надеялась на этого свидетеля, а выходит, это пустой номер.

— Вы с мужиком там поговорите, с седьмого этажа, — неожиданно предложил Семен, — у него тоже телескоп есть, может, он чего приметил?

Я насторожилась:

— Каким мужиком?

— А на самом верхнем этаже живет, — пояснил Семен, — в какой квартире, не знаю.

— Почему вы решили, что у него телескоп есть?

— Так я видел!

— Где?

— В лифте.

Я вздохнула.

— Пожалуйста, расскажите подробно, пока я не слишком понимаю ситуацию.

Семен залпом выпил растворимый кофе и сказал:

— Да ничего особенного. Вечером, какого числа не помню, я ехал к Зинке, вошел в лифт, а сзади крикнули: «Не уезжайте, пожалуйста».

Семен человек вежливый, поэтому не стал нажимать на кнопку, а подождал, пока незнакомый мужчина войдет в кабину.

Тот, держа в руках небольшой чемоданчик, влез в узкое пространство.

— Вам какой? — поинтересовался мебельщик.

— Седьмой, — буркнул дядька.

— Эй, погодьте, — раздалось из подъезда, и в лифт втиснулась здоровенная старуха с сумкой на колесиках.

— Мне второй, — велела бабка, отдуваясь.

Семен нажал кнопку, лифт, скрипя, поднялся на один этаж, старуха ломанулась в открывающиеся двери и протащила «тачанку» по ногам парня с чемоданом. От неожиданности и боли он ойкнул и выпустил поклажу. Саквояж упал, раскрывшись от удара.

Выругавшись сквозь зубы, мужик попытался закрыть его, но не тут-то было, часть вещей вывалилась наружу. Семен увидел блокнот, термос, пакет с бутербродами и... довольно длинный черный кожаный футляр с надписью «Цейс». Точь-в-точь в таком он хранил свой телескоп. Естественно, Семен не утерпел и спросил:

— Тоже звездами увлекаетесь?

— Какими? — буркнул мужик, запихивая в чемоданчик вещи.

— Так телескоп у вас прямо как мой, — улыбнулся Сеня.

— Это удочка, — брякнул мужчина, — для подледного лова.

Тут лифт прибыл на третий этаж, и Сеня покинул кабину, недоумевая, отчего незнакомец не захотел признаться в своем увлечении астрономией. Наверное, побоялся, что Семен станет напрашиваться в гости. Некоторые люди, случайно познакомившись с тем, кто имеет одинаковое с ними хобби, начинают считать такого человека чуть ли не родственником.

— Но почему вы решили, что незнакомец нес телескоп? — спросила я. — Вдруг там и впрямь было удилище?

Семен хмыкнул:

— Я астрономией с детства увлекаюсь, мне первый телескоп мама подарила. Так вот, лучшие приборы для наблюдения за звездным небом делает предприятие «Карл Цейс». В Московском планетарии стоит оборудование их производства. Оптика шикарная, на любой вкус, есть подороже, есть подешевле. Что же, он в фирменном цейсовском футляре удочки нес? Глупости! У снасти своя упаковка есть, нет, он телескоп тащил, только мне признаться не захотел, знакомиться не пожелал, да и фиг с ним!

На обратной дороге мне повезло, маршрутное такси подошло сразу, и не пришлось долго прыгать на морозе, поджидая автобус. Устроившись на узком жестком сиденье, я уставилась в окно. Значит, я иду в правильном направлении. Футляр с надписью «Цейс». Да, это предприятие и впрямь делает отличную оптику. У моего отца имелись когда-то бинокли, упакованные в черные кожаные сумочки, которые украшала написанная золотом фамилия производителя.

Большими буквами там стояло «Карл Цейс», а внизу, помельче, виднелось «Йена», это название города, где расположен завод. Раньше он находился в ГДР, припоминаете, что Германия еще не так давно была разделена на две части: демократическую республику и федеративную.

Иногда мы с папой ходили в зоопарк и, настроив окуляры, направляли их на зверей. Очень хорошо помню, как я закричала от неожиданности, когда вдруг прямо перед глазами оказалась усатая морда тигра с немигающими круглыми глазами.

Только, думается, Семен ошибся. Дело в том, что заводы Цейса делают еще и оружие с оптическим прицелом, великолепные винтовки, служащие своим владельцам не один десяток лет. У моего папы не было оружия, кроме наградного пистолета, хранящегося в сейфе. Отец не умел, а главное, не любил убивать ничто живое, а вот у нашего соседа по даче, тоже генерала, Замощина, имелась снайперская винтовка. Когда вороны начинали очень уж досаждать Виктору Ивановичу, он выходил на участок и ловко отстреливал каркающих негодниц.

Оружие он хранил в тщательно запертом шкафу. Но его сыновья, мои ровесники, Колька и Димка, умели открывать любые замки и не раз показывали мне черный, довольно длинный футляр, приговаривая: «Папа обещал научить нас стрелять».

Увидев в первый раз винтовку, я заявила:

— А вот и врете, это не оружие!

— Самое всамделишное, — заверили близнецы и, дернув за «молнию», продемонстрировали мне набор железных трубочек, деревяшку и нечто, похожее на бинокль, но с одним «глазом».

— Ерунда какая-то, — не успокаивалась я, — винтовка длинная и одна, а тут всего много и короткое.

— Дура ты, Фроська, — хором ответили близнецы, — она же собирается из частей!

До сих пор помню свое удивление. Надо же! Винтовка, а раскладывается на части, словно игрушка.

Значит, надо возвращаться в дом, где Семен снимал место у пьянчуги Зинки. Мужик с футляром ехал на седьмой этаж, следовательно, он либо обитает в одной из соседних с вдовой, Зоей Андреевной, квартир, либо приходит туда в гости. Нет, скорей всего, живет. Гостю все-таки трудно незаметно вытащить оружие, разместить его...

Зоя Андреевна, увидев меня, обрадовалась.

— Надумали все-таки?

Я вздохнула:

— Вот, пришла еще раз взглянуть.

— Может, ваша собачка ко мне привыкнет? — спросила хозяйка, пока я стаскивала сапоги.

Я чуть было не ляпнула: «Какая собачка?» Но потом, слава богу, вспомнила, что являюсь владелицей злобного пса бойцовой породы, и сделала вид, что вожусь с заевшей «молнией» и не слышу хозяйку.

Мне еще раз продемонстрировали комнатку, а потом предложили чай. К такому повороту событий я была готова и достала из сумки только что купленный вафельный тортик. Зоя Андреевна захлопотала на кухне, усаживая меня в самый уютный уголок. Я получила из ее рук красную кружечку с чаем и спросила:

— Ваши соседи не будут против, если я поселюсь тут?

Зоя Андреевна улыбнулась:

— А их нет!

— Как это? — удивилась я. — Вроде еще две двери на площадку выходят.

— Слева Коростылевы живут, — пояснила Зоя Андреевна, — очень приятная пара, но они уже третий год как в Израиль уехали, приезжают летом, ненадолго, и опять на историческую родину. Справа Елизавета Марковна обитала, милейшая особа, умерла в декабре. Внучка ее собирается квартиру продавать, вот, выжидает полгода. Так что делать мне замечания за жиличку некому. Впрочем, ни Коростылевы, ни Елизавета Марковна никогда бы ничего и не сказали, они интеллигентнейшие люди. Слава богу, не на пятом этаже живу, там да!

— Баба Клава специфическая личность, — решила я поддержать разговор.

— Она еще ничего, — покачала головой Зоя Андреевна, — а вот Олеся... Это ужас! У нас балконов нет, дом давно построен, это сейчас у всех лоджии. Вроде бы и ни к чему балкончик, только ванные маленькие, где же бельишко стираное развесить? Вот и придумали. Чердачное помещение у нас отремонтировали, веревки натянули, мы там белье и вывешиваем. Раньше просто так ходили, а когда терроризм начался, чердак хорошо заперли, а нам ключи раздали, чтобы никто посторонний не проник!

Чердак! Я чуть не свалилась со стула. Как не подумала про него сама!

— Так эта Олеся, — мирно журчала Зоя Андреевна, — чего удумала! Притащила полный таз, увидела: все веревки заняты, скинула мои простыни, а свои повесила. Я решила ей выговор сделать, только у этой Олеси муж жуткий амбал, он меня просто взашей вытолкал. Вот какие люди встречаются, без стыда и совести...

— Можно на чердак посмотреть? — нетерпеливо воскликнула я.

— Отчего же нет? — удивилась Зоя Андреевна. — Если интересно вам, пошли. Ключик у меня всегда висит вот тут, на крючочке. Редко, правда, им пользуюсь — ну какая у одной старухи стирка? Так, печаль одна.

Всю дорогу до чердака, на который мы поднимались по лестнице, Зоя Андреевна рассказывала о ссоре с наглой Олесей.

Наконец она, повозившись с замком, распахнула тяжелую железную дверь. Перед моими глазами открылось большое помещение с протянутыми под потолком веревками. В правом углу висели чьи-то ядовито-розовые наволочки и ярко-красные полотенца. Чердак был чисто выметен, и пахло тут ополаскивателем для белья. Мы сами пользуемся таким, после него вещи и правда делаются мягче.

Впереди виднелось окно, я подошла к нему. Раму кто-то тщательно заклеил, но другие руки, не пожалев чужой работы, открывали окно уже после заклейки. Белая бумага была разорвана и кое-где висела лохмотьями. Я глянула в оконце и мгновенно увидела кабинет покойного Семена Кузьмича. Лучшего места для снайпера с винтовкой и не придумать. Я даже без всякой оптики великолепно видела гардины, письменный стол, кресло и даже часть комода, находившегося у дверей. Дом, где жил профессор, был чуть выше здания, на чердаке которого я находилась.

— Нам из-за этого чердака все завидуют, — болтала Зоя Андреевна. — Вот Лена частенько говорит: «Мне бы хоть какой кусочек, чтобы мокрое развесить». Ведь это проблема! Лена-то в коридоре сушит! Хорошо ли это? Влажность в квартире высокая.

— Кто такая Лена? — совершенно машинально поинтересовалась я, разглядывая подоконник. Интересно, от чего эти царапины?

— Подруга моя, — охотно пояснила Зоя Андреевна, — она, правда, сильно младше меня, но у нас много общего. Леночка великолепный человек...

Я пропускала ее слова мимо ушей, сами знаете, сколь болтливы бывают пожилые женщины. Задашь старухе самый простой вопрос и услышишь в ответ историю не только ее жизни, но и подробности биографии всех знакомых. Вот и Зоя Андреевна не оказалась исключением.

— Мне так жаль Леночку, — тарахтела она, — умная, с высшим образованием, интеллигентная, в библиотеке нашей районной работает, имени Виктора Гюго.

Внезапно меня царапнула фамилия великого

французского литератора. Тем, кто не в курсе, сообщу: мюзикл «Нотр-Дам» поставили по его книге «Собор Парижской Богоматери».

— Мы с ней там и познакомились, — вещала Зоя Андреевна. — Такая милая женщина, но вот не повезло в жизни! Попался подлец, сделал ребенка и не женился на Леночке. Она одна девочку тащит, правда, та уже выросла, но все равно! Наверное, любила она подлеца, раз дочь Женечкой назвала, в честь негодяя.

Я медленно складывала в уме куски головоломки.

— Кого назвали Женей?

— Да Лена, заведующая библиотекой имени Виктора Гюго! Подлеца, который на ней не женился, звали Женей, она в его честь дочке то же имя дала. Кстати, чудесная девочка выросла, умная, воспитанная...

Зоя Андреевна говорила и говорила, у меня перед глазами завертелись разноцветные круги.

— Вам плохо? — неожиданно осеклась старушка.

— Нет, — пробормотала я, — наоборот, очень, просто очень хорошо!

ГЛАВА 21

Убежав от Зои Андреевны, я вошла в кафетерий супермаркета, расположенный на первом этаже, устроилась за столом и задумалась. Первая жена Семена Кузьмича, Розалия Львовна, служила в библиотеке имени Виктора Гюго, там же работала девушка по имени Лена, так и не ставшая официальной невесткой Баратянского. А сына Семена Кузьмича звали Женей.

Я стала крутить в руках пластиковое блюдечко.

В моей голове родилась совершено дикая идея, которую следовало досконально проверить.

Опрокинув в себя полуостывший чай, я спросила у продавщицы, тетки лет сорока:

— Вы, случайно, не в курсе, где тут библиотека?

— В соседнем доме, — охотно ответила она, — дверь в дверь с магазином «Обувь».

Обрадовавшись, я выскочила на улицу, ежась от ледяного ветра, пробежала около ста метров и притормозила возле двери с табличкой: «Районная библиотека имени Виктора Гюго, выдача книг с 12 до 21, читальный зал с 12 до 22, понедельник выходной».

Я влетела в просторный холл и очутилась около гардероба. Там на стене висело объявление: «Вешайте пальто и берите номерки сами. Просьба ценные вещи не оставлять». Я послушно вылезла из куртки, сняла с крючка картонную бирку, пересекла холл и увидела дверь с надписью «Абонементный зал».

Я заглянула туда и наткнулась на объявление: «Сумки просьба оставлять здесь. Находиться на открытом доступе с пакетами категорически запрещается!»

Я посмотрела на свой ридикюль, потом вытащила из него кошелек, ключи, сунула их в карман брюк и пошла искать хоть одного живого человека.

Путь пролегал между стеллажами, плотно заставленными томами в потертых переплетах. Чехов, Толстой, Куприн, Бунин, Золя, Бальзак, Диккенс...

Пахло тут старой бумагой и пылью. Внезапно нос уловил аромат кофе, настоящего, не растворимого. Встрепенувшись, словно пойнтер, унюхавший дичь, я ринулась вперед. Полки расступились, открыв небольшую конторку, за которой сидела совсем молодая девушка с ненакрашенным личиком. Перед ней на столике стояла чашка, над которой поднимался пар, а на конторке, облокотившись, висел паренек.

— Ну, пожалуйста, — ныл он, — дай Достоевского, «банан» из-за тебя получу.

— Ты, Мясоедов, опять задержишь, — сурово ответила девушка, — сколько Гоголя не отдавал? Четыре месяца! Даем на две недели! Прошел срок, позвони по телефону, мы продлим. Даже идти не надо! Трубочку только сними! Ан нет, лень тебе! Видишь список должников? Фамилия Мясоедов на первом месте! Ступай себе, приказано тебе книг не выдавать!

— Ну не вредничай, — чуть не зарыдал неаккуратный Мясоедов, — ты меня без ножа зарежешь! Дай Достоевского! «Два» же получу!

— Ох, — погрозила ему пальцем девушка, — пользуешься моей добротой. Ладно.

С этими словами она встала, и я увидела большой живот, топорщившийся под просторным платьем. Библиотекарша вскоре станет матерью.

— Тебе какой роман? — уточнила она. — «Идиот»?

— А не обзывайся-ка, — протянул Мясоедов, — ну задержал книжки, разве это повод меня оскорблять!

Библиотекарша засмеялась:

— Ох, Мясоедов, «Идиот» — это название одной из книг Федора Михайловича.

— Мне «Горе от ума», — выпалил школьник.

Молодая женщина округлила глаза.

— Мясоедов! «Горе от ума» принадлежит Грибоедову.

— Не понял... — удивился парнишка. — Это кто?

Хозяин библиотеки? «Горе от ума» лично его книжка? Типа, не даст?

Будущая мама прикусила нижнюю губку, потом, еле сдерживая смех, сказала:

— «Горе от ума» написал писатель по фамилии Грибоедов, Достоевский к этому произведению никакого отношения не имеет.

— Да мне однофигственно, — отмахнулся мальчишка, — только дай, еще месяц назад прочитать велели!

Получив книгу, он, веселый, словно щегол, убежал. Девушка села на свое место, отхлебнула из чашки кофе и покачала головой:

— Видели? Однофигственно ему!

Я улыбнулась:

— Но он все же пришел в библиотеку, следовательно, не безнадежен. Может, в конце концов разберется в великих писателях, их на самом деле не так уж и много!

— Да дети сейчас поголовно такие! — по-старушечьи вздохнула девушка. — По барабану им: Толстой, Горький... Вот покемоны, черепашки-ниндзя или Человек-паук — это да, тут никто никого не перепутает. Вы записываться пришли? Паспорт прихватили? Принимаем только с постоянной пропиской.

— Вообще говоря, я хотела поговорить с вашей заведующей... э... Леной.

— Это моя мама! Она в своем кабинете, — сообщила девушка, — за гардеробом налево.

Вот это да! Надо же, значит, и дочь Лены Женя здесь работает.

Я пошла назад, обнаружила нужную дверь, толкнула ее и увидела женщину непонятного возраста, коренастую, но не толстую, с короткой стрижкой, открывающей большие уши. Ее слегка грубоватое лицо с крупным носом казалось некрасивым, но глаза, огромные, карие, были очень хороши.

— Вы ко мне? — тихо спросила она. — По поводу оборудования?

Понимая, что успех разговора целиком и полностью зависит от того, насколько сумею понравиться Лене, я заулыбалась во весь рот и положила перед ней удостоверение:

— Вот.

Заведующая взяла книжечку, внимательно изучила ее, потом уточнила:

— Вы же не из милиции? Тут написано: «Частное агентство».

Я удивилась: надо же, единственный человек, который обратил внимание на мелкие буквы!

— Абсолютно верно, наша контора называется «Шерлок».

— И чем я могу помочь?

— Вы знали Розалию Львовну Баратянскую?

Лена помолчала секунду, потом кивнула:

— Конечно. Она долгие годы была заведующей этой библиотекой. Я при ней прошла путь от работницы, выдающей книги, до ее заместительницы. После того как Розалия Львовна ушла на пенсию, я встала у штурвала и до сих пор рулю. А в чем дело? Она умерла несколько лет назад.

— Но между вами существовала особая связь, — осторожно ступила я на скользкий путь, — отношения были не только официальными...

Лена повертела в руках коробочку со скрепками, потом резко поставила ее на стол, рассыпав часть содержимого.

— Да, одно время я жила с сыном Розалии Львовны, Евгением, но у нас ничего не вышло. Розалия никогда не считала меня своей невесткой, а я и не напрашивалась. Да в чем, собственно, дело?

— Семен Кузьмич умер, совсем недавно.

Лена осторожно сложила скрепочки назад.

— Я с ним лично знакома не была, он сюда ни разу не приходил. Жалко, конечно, как всякого, кто скончался, но, с другой стороны, если не ошибаюсь, он был человеком более чем преклонного возраста.

— Его убили.

Лена снова уронила коробочку, скрепки веером разлетелись по столешнице.

— Как?

— Выстрелом из окна, из снайперской винтовки, потом таким же образом убрали и его молодую жену Ирину.

Лена хлопала глазами, не произнося ни слова.

— Понимаете, — продолжала я, — каждый детектив прежде всего задает вопрос: кому это выгодно? Семен Кузьмич был человеком интеллигентным, мягким, он никому не сделал зла, коммерцией не занимался, долгов не имел, зато обладал неплохой коллекцией драгоценностей, просторной квартирой, антикварной мебелью, дачей. Все это, как вы понимаете, стоит денег. Поэтому возникает естественный вопрос: кому достанется наследство?

— Его последней жене, — сохраняя спокойствие, ответила Лена.

— Она мертва, я же только что сказала — Ирину тоже убили.

— Ее детям.

— Их нет, Ира сирота, у нее никого не было.

— Ну тогда не знаю, — растерялась Лена, — наверное, отойдет государству...

— Вы можете потребовать свою долю.

— Я?!

— Ну да, ваша дочка им внучкой приходится, вот она-то имеет все права.

— Жанна, — начала было Лена, но я удивленно воскликнула:

— Жанна? Разве ее не Женя зовут?

— По паспорту она Евгения, — пояснила Лена, — но девочке имя не нравилось, вот она и велела звать ее Жанной. Очень она на меня сердилась в подростковом возрасте, все кричала: «Додумалась! В честь подлеца обозвала! Не смей даже произносить: «Женя»! Жанна я!» Только никаких ценностей мы не получим.

— Почему?

Лена сердито переложила бумаги.

— Брак наш с Евгением никогда не регистрировался, девочку он не признал, по закону никаких прав на имущество Баратянских мы не имеем!

— Но есть еще один человек, — медленно сказала я, — он-то без проблем получит все.

— И кто же?

— Евгений.

Лена с шумом вздохнула:

— Он... умер. Давно. Жанночка еще совсем маленькой была. Мне Розалия Львовна сказала.

— Думается, она соврала.

— Господи, — отшатнулась Лена, — с чего вы взяли?

— Простая психология, — объяснила я, — вспомнила кое-какие рассказы. После кончины Жени и мать, и отец больше не упоминали его имени, быстро сделали ремонт в комнате и словно забыли о горячо любимом сыне. Странно, правда? Думается, он жив, просто родители отказались от него по непонятной пока причине.

Лена нахмурилась, стала зачем-то открывать и закрывать ящики стола, затем сказала:

— Розалия Львовна давно умерла, тайну хранить незачем. Вы располагаете временем? Расскажу вам одну историю.

— Я никуда не тороплюсь, — заверила я и уселась поудобней.

— Розалия Львовна очень любила драгоценности, — начала Лена, — постоянно носила серьги, броши, кольца, цепочки. Наверное, не слишком уместно являться на работу, обвесившись, словно новогодняя елка, но Баратянскую подобный вопрос не смущал. Ее «бижу»[1] были экстра-класса, никаких стекляшек она не признавала, только бриллианты, изумруды, сапфиры, рубины — все настоящее, чистой воды, подлинный антиквариат.

Сотрудники библиотеки откровенно любовались украшениями заведующей. Особенно привлекали внимание серьги в виде виноградной лозы из мелких черных жемчужин. Необыкновенная работа, теперешние мастера даже под страхом смертной казни ничего подобного не сделают. А еще к этим серьгам прилагалась цепочка с кулоном, тоже в виде виноградной кисти.

Розалия Львовна частенько щеголяла в этом комплекте, привлекая всеобщее внимание, иногда посетители библиотеки, проводив заведующую взглядом, тихо спрашивали у выдававшей книги Лены:

— Откуда у нее такое? Дорогая вещица, наверное.

— У Розалии Львовны муж — профессор, — поясняла девушка, — может себе позволить купить жене, что ей нравится.

---

[1] Б и ж у — драгоценности *(фр.)*.

Как-то раз у Лены возник конфликт с посетительницей, недавно записавшейся в библиотеку, Радой Мастеровой. По правилам читателям на руки выдавали только три книги, а Рада набрала аж семь и принялась нагло настаивать:

— Мне все нужны!

Лена позвала Розалию Львовну. Покачивая своими уникальными серьгами, заведующая явилась в читальный зал. Уяснив суть конфликта, она твердо произнесла:

— Нет! Правила для всех одинаковы! Даже члены общественного совета при библиотеке получают те же три книги. Исключений мы не делаем.

Это была неправда. И сотрудники хранилища, и их общественные помощники никак не ограничивались в количестве томов, забираемых временно домой. Более того, некоторым постоянным читателям спокойно давали любой набор литературы. Но новенькой, совсем недавно записавшейся бабе рассчитывать было не на что. Поэтому позиция Розалии Львовны отнюдь не удивила Лену, более того, она целиком и полностью ее разделяла. Действительно, наберет Мастерова книжек и исчезнет! Озадачило ее другое. Обычно посетители, узнав о том, что не могут получить все, что хотят, начинали скандалить, грозились пойти в местную администрацию, а один дядечка даже полез драться. Мастерова же, сильно побледнев, вдруг воскликнула:

— Боже! Это ваши серьги?

Розалия Львовна попятилась.

— Вы предполагаете, что я ношу чужие драгоценности? — изумленно спросила она.

— Может, кто поносить дал, — пробормотала Мастерова, наваливаясь на конторку.

Розалия Львовна пожала плечами и ушла. Рада

продолжала висеть на стойке. Бледность на ее лице сменилась ярким румянцем.

— Так вы берете книги? — поторопила ее Лена. — Решайте скорей.

— Как зовут вашу заведующую? — прохрипела Рада.

— Розалия Львовна, — ответила Лена.

— Она москвичка?

Удивившись столь непонятному любопытству, Лена ответила:

— Розалия Львовна родилась в Ленинграде, пережила там блокаду, но уже очень давно живет в Москве.

Мастерова, оставив книги, пошла к выходу. Лена, подумав, что читательница решила поскандалить непосредственно в кабинете у Розалии, занялась каталогом. Ничего особенного в происшествии не было, пару раз в месяц в библиотеке случалось нечто подобное, и Лена бы преспокойно забыла о Мастеровой, но история имела продолжение.

На следующий день, после обеда из кабинета начальницы послышался сначала шум, потом слабые крики. Лена, проходившая в это время мимо комнаты Розалии Львовны, насторожилась и рванула дверь. Перед ее глазами предстала невероятная картина. Заведующая лежала головой на столешнице, ее за плечи держала Рада Мастерова и, методично стуча лбом несчастной Розалии по зеленому сукну, тихо, но с невероятной злобой повторяла:

— Отдавай ворованное, сука!

По шее Розалии Львовны стекала тонкая струйка крови. Лена на секунду испугалась, но потом заорала:

— Что вы делаете?

— Не твое дело, — заявила Рада и еще раз стукнула Розалию.

— Я сейчас вызову милицию! — воскликнула Лена, кидаясь к телефону.

— Да? — скривилась Рада. — А твоей начальнице хочется вмешивать в это органы?

Задав вопрос, Мастерова отпустила Розалию и отступила к окну.

Заведующая подняла голову и прошептала:

— Лена, не надо, пусть уходит отсюда.

Девушка замерла с трубкой в руке.

— Правильно, — ухмыльнулась Рада, — кому позор нужен!

С этими словами она, напевая себе под нос, удалилась.

Лена кинулась к Розалии Львовне и закричала:

— Боже мой! У вас мочки ушей разорваны!

— Пожалуйста, не кричи, — прошептала начальница, — оставь меня одну. Надеюсь, не надо просить, чтобы ты не болтала об увиденном?

Лена ушла в глубоком недоумении. Через два часа Розалия пригласила ее к себе в кабинет и сказала:

— Елена, сделай одолжение, никогда никому не рассказывай об этой сцене. В каждой семье есть свои скелеты в шкафу. Рада — моя очень дальняя родственница, седьмая вода на киселе. Она сумасшедшая, невесть что приходит несчастной в голову. Родство наше эфемерное, но все-таки оно есть, и мне не хочется заявлять в милицию.

— Конечно, — кивнула Лена, — я понимаю.

Потом она воскликнула:

— Господи! Где же ваши серьги? И кулон?

— Иди, Лена, — вздохнула Розалия, — они на пол упали.

— Давайте поищу...

— Ступай, — ледяным тоном приказала Розалия. Лене пришлось удалиться.

Но, честно говоря, она не поверила заведующей. Родственница, как бы не так! Отчего же Розалия, увидав посетительницу, стала беседовать с ней как с посторонней? Нет, тут что-то не вяжется.

Шли дни. Розалия Львовна целый месяц не носила никаких драгоценностей, но потом вновь стала щеголять в украшениях. Вот только замечательный комплект из серег и кулона в виде кистей винограда никто на ней больше никогда не видел.

После странного происшествия прошло примерно полгода. Лена дежурила на выдаче, когда позвонил председатель общественного совета книголюбов при библиотеке Вадим Иванович Котов и прохрипел в трубку:

— Детка, я совсем разболелся, не в службу, а в дружбу, пойдешь домой, занеси мне детективчиков почитать. Извелся от тоски, по телевизору одну дрянь показывают!

Сотрудники библиотеки никогда не разносили читателям литературу по квартирам. Но Вадим Иванович особый случай, поэтому Леночка воскликнула:

— Конечно, обязательно!

Вечером она, набив пакет книгами, двинулась к Котову. Жил старик в двух шагах от библиотеки, буквально в соседнем доме.

Леночка вошла в подъезд и обнаружила, что лифт не работает. Делать нечего, пришлось топать пешком на пятый этаж. Когда она, тяжело дыша, влезла наверх, на двери квартиры Вадима Ивановича она увидела записку: «Лена, мне укололи снотворное, звонок не услышу, будь добра, оставь книги в семьдесят второй квартире, можешь не волноваться, мне их обязательно передадут!» Начиная злиться на старика, Лена стала звонить в соседнюю дверь. Та незамедлительно распахнулась.

— Вот, — начала было Лена, — Вадиму Ивановичу...

Но тут у нее пропал голос, потому что на пороге стояла Рада Мастерова, та самая женщина, бившая головой о стол Розалию Львовну.

ГЛАВА 22

Лена попятилась, Рада ухмыльнулась:

— Не бойся, входи! Небось эта дрянь сказала тебе, что я сумасшедшая!

Лена машинально кивнула.

— Я совершенно нормальная, — продолжала Рада, — просто с катушек слетела, когда серьги увидела. Да иди сюда, расскажу, в чем дело.

Как все женщины, Лена любопытна, поэтому вошла в квартиру. Рада провела ее в большую комнату и вытащила альбом.

— Смотри сюда, — сказала она.

Перед Леной оказалась древняя фотография, сделанная на картоне: снимок был, естественно, черно-белым, вернее, желто-серым, но лицо запечатленной на нем женщины было великолепно видно: большие глаза, тонкий нос, высокий лоб и вьющиеся, поднятые вверх волосы.

— Это моя бабушка, — пояснила Рада.

Лена с недоумением глянула на Мастерову:

— И что?

— На уши обрати внимание, а заодно и на шею.

Лена ахнула. В мочках женщины висели серьги Розалии Львовны, те самые, в виде виноградной лозы, а на груди виднелся кулон.

— А это мать, — грустно сказала Рада, передавая Лене новый снимок.

Это был уже более современный снимок женщины, одетой по моде тридцатых годов. И ее уши украшали серьги Розалии Львовны.

Рада грустно улыбнулась:

— Поняла теперь?

— Нет, — ответила Лена.

— Серьги и кулон принадлежат нашей семье. Мой прадед в свое время заказал их у известного ювелира, очень давно, еще в девятнадцатом веке. Драгоценности считались нашим талисманом и передавались по женской линии: от прабабушки к бабке, от нее к моей матери, следующей владелицей должна была стать я, но мне ничего не досталось.

— Почему? — удивилась Лена. — И как комплект оказался у Розалии?

Рада грустно вздохнула:

— Моя мать и бабушка жили в Ленинграде, там и попали в блокаду. Не дай бог пережить все, что выпало на их долю. Бабушка умерла от голода, а вот маме очень повезло, ее свели с девушкой, очень молоденькой, почти ребенком, которая торговала продуктами в обмен на ценности. Звали умную девушку Роза, и она брала только золото с настоящими камнями. Несмотря на юный возраст, негодяйка великолепно разбиралась в украшениях. Мама отдала ей все, что имела, последними ушли серьги и кулон с черным жемчугом за пару банок сгущенки.

Рада замолчала, Лена пыталась переварить полученную информацию. Так вот откуда у Баратянской эксклюзивные бриллианты! Впервые Лена подумала, что на зарплату профессора никогда не купить подобных вещей.

— Все детство, — грустно улыбаясь, продолжала Рада, — мама рассказывала мне об этом комплекте. О других вещах, может, даже более ценных, она не вспоминала. Я очень хорошо помню, как она говорила: «Ходить мне приходилось через весь город, транспорт не работал. Утром, замотавшись во все найденные тряпки, я выползала из дома. Всегда думала, что не дойду, но шла, еле-еле, очень боялась упасть и замерзнуть. А эта Роза с каждым разом давала мне за вещи все меньше и меньше продуктов».

Рада слушала маму, и сердце у девочки обливалось кровью. Встречаются же такие негодяйки на свете.

— А откуда у нее были продукты, мамуля? — спросила она один раз.

— Так украла, — пояснила та, — перетаскала муку, крупу, консервы, масло к себе в квартиру из магазина, а потом подожгла его. Об этом знали люди, кто к ней ходил. Да только Роза отнюдь не со всеми дело имела, кое-кого даже на порог не пускала. А мне повезло, я понравилась ей.

— Ничего себе повезло! — возмутилась Рада. — Она у тебя последнее отняла.

— Зато я жива осталась, — вздыхала мать, — вот бабушка твоя умерла от голода, меня с Розой только после ее кончины свели.

— И ты, когда закончилась война, ни разу к ней не пошла? — недоумевала Рада.

— Меня вывезли, как тогда говорили, на Большую землю, — пояснила мать, — по Дороге жизни, проложенной по льду. Как мы ехали на грузовиках — отдельная история. Машина, идущая перед нами, провалилась в полынью, все погибли, а вот мне опять повезло! Потом, через пару лет, я вернулась в Ленинград и сразу отправилась в Розе.

— Чтобы все отобрать? Правильно! — воскликнула Рада.

Мать тяжело вздохнула:

— Понимаешь, детка, по большому счету, Розу нельзя считать виноватой.

— Как это? — возмутилась Рада, которую просто взбесила неконфликтность матери. — Она скупала ценности за копейки, обманывала умирающих, голодных людей!

— Люди шли на обмен добровольно, — пояснила мама.

— Все равно гадина!

— Ну конечно, — согласилась мать, — Розу нельзя назвать светлой личностью, но, с другой стороны, она же ничего ни у кого не отнимала силой, я лично была ей в те дни очень благодарна. Обида пришла позднее, вот я и поехала к ней, хотела просто сказать, глядя ей в глаза: «Роза! Вы мерзавка». Но в ее квартире проживали другие люди, она исчезла. Ну а потом я перебралась в Москву, очень уж тяжелые воспоминания обуревали меня в Питере.

Рада замолчала. У Лены тоже не нашлось слов. Она знала: Розалия Львовна детство и часть юности провела в городе на Неве, более того, ей было известно и о том, что блокаду начальница перенесла в родном городе. Но Розалия никогда не рассказывала о тех временах. А Лена и не расспрашивала, понимая, как тяжело человеку вспоминать о таком!

— Теперь понимаешь, отчего я съехала с катушек, когда увидела серьги в ушах этой стервы? — прошептала Рада. — Сначала ушла домой, всю ночь не спала, а под утро забылась. И тут мне приснилась мама, которая велела: «Радочка, отними наш семейный талисман, верни его назад!»

— Вдруг это не она меняла продукты! — воскликнула Лена. — Ну сама посуди, сколько времени прошло! Роза могла продать драгоценности!

— Она это, — с невероятной злобой протянула Рада, — она! Я просто свое назад забрала! Об одном жалею: не придушила гадину! А следовало ее жизни лишить!

Я ушла от Лены в страшном возбуждении. Ну отчего мне пришло в голову, что убийца рассчитывал на наследство? Месть — вот спусковой крючок преступления. Рада Мастерова имела достаточно мотивов для того, чтобы убить Баратянских. Наверное, она полагала, что Семен Кузьмич знает о происхождении драгоценностей жены.

К сожалению, иногда я бываю излишне суетлива. В данном случае следовало поехать домой, запереться в своей комнате, пораскинуть спокойно мозгами, наметить план действий... Но меня понесло назад в соседний дом. Не успела я сообразить, что к чему, как пальцы сами собой нажали на кнопку звонка. Вот в этот момент, честно говоря, я слегка испугалась и подумала: «Авось этой Рады нет дома».

Но я никогда не выигрываю в лотерею, дверь моментально распахнулась, на пороге возникла дама.

— Вы ко мне? — удивленно воскликнула она.

Можно было ответить: «Ой, простите, ошиблась дверью», но я брякнула:

— Это квартира Мастеровой?

— Да, — кивнула женщина.

— Вы Рада?

— Абсолютно верно.

— Я из журнала... «Караван историй», редактор отдела очерка.

— Правда? — удивилась Рада. — Очень люблю ваше издание, да вы входите. Скажите, а эти фотографии с переодеванием, проект Екатерины Рождественской, их трудно делать?

— Не слишком, — осторожно ответила я и, понимая, что Рада, к сожалению, хорошо знающая журнал, запросто может уличить меня в самозванстве, быстро добавила: — Но основными материалами у нас являются всякие жизненные истории. Вот поэтому я и пришла к вам.

— Но чем же я могу помочь? — недоумевала Рада, но провела меня в гостиную.

Усевшись в мягкое кресло, я сказала:

— Вроде ваша мама была блокадницей, а мы сейчас готовим номер, целиком и полностью посвященный юбилею Петербурга. Городу на Неве исполняется триста лет.

Сказав последнюю фразу, я испугалась. Вот уж понятия не имею, в каком году царь-реформатор Петр Первый заложил на болотах сие поселение!

Но Рада, очевидно, тоже получала в школе по истории двойки, потому что она кивнула.

Приободрившись, я продолжала:

— Одна из самых трагических страниц истории Ленинграда — блокада его немецко-фашистскими войсками.

— Да уж, — вздохнула Рада, — жаль, что об этом почти забыли!

— Вот мы и решили напомнить людям, — неслась я дальше. — Но прошло много времени. Свидетели тех дней уходят, вот ваша мама...

— Она умерла, — грустно перебила меня Рада.

— Но, наверное, она рассказывала вам кое-что?

— Конечно, если только для журнала подойдет ее история.

— Всенепременно, — заверила я Раду, — не сомневайтесь!

Та сложила руки на коленях и начала рассказ.

Целый час пришлось мне просидеть с самым заинтересованным выражением на лице, пока она наконец добралась до истории с Розалией Львовной.

— Надо же! Какие, однако, люди встречаются, — покачала я головой, — вы абсолютно правильно поступили, что отняли ценности.

Рада тяжело вздохнула:

— Знаете, первое время, вырвав у этой бабы из ушей серьги, я считала себя совершенно правой. Но потом пришли сомнения. А вдруг я фатально ошиблась? Вдруг она не та Роза? Честно вам скажу, я пережила не слишком приятные моменты. Успокаивала себя постоянно: «Если бы Розалия Львовна пострадала невинно, она бы мигом обратилась в милицию». Адрес мой отлично известен, он указан в читательском абонементе. Вот вы бы оставили безнаказанной тетку, которая ворвалась к вам, побила, вырвала из ушей серьги, сдернула с шеи кулон и ушла? Вы бы, зная все координаты хулиганки, как поступили?

— Естественно, вызвала бы милицию!

— Вот! А Розалия этого не сделала, почему? Да просто боялась, что я расскажу правду и погублю ее репутацию, — кивнула Рада, — я очень долго так думала, но потом пришли сомнения, колебания... Просто покой потеряла!

Рада промучилась пару месяцев и приняла решение. Им с Розалией Львовной следует обговорить все спокойно, без истерик. Рада решила сходить в библиотеку, встретиться со старухой и попытаться внушить той: никаких скандалов больше не будет, если она расскажет правду.

Еще несколько месяцев прошло, прежде чем она решилась на этот визит. Но в кабинете начальницы сидела хорошо ей знакомая Лена.

— Розалия Львовна давно не работает, — пояснила она, — сначала ушла на пенсию, а потом умерла, скоропостижно.

Рада расстроилась, ей очень хотелось расставить все точки над і и не чувствовать себя виноватой. И тут Лена, словно догадавшись о моральных терзаниях Мастеровой, добавила:

— Ее кончину спровоцировал сильный нервный стресс, могла бы еще жить да жить!

Рада ушла из библиотеки в смятении. Сильный нервный стресс! Очевидно, Лена имела в виду драку, которую посетительница затеяла в кабинете. Мастерова внезапно ощутила себя виноватой в смерти Розалии Львовны.

Ночь она провела без сна, в душе ворочались тяжелые сомнения.

Измучившись окончательно, Рада решилась на отчаянный шаг. Узнать адрес Розалии Львовны оказалось плевым делом. Самое интересное, что квартира заведующей находилась в двух шагах от места жительства Рады, их дома стояли напротив друг друга. Мастерова отправилась к мужу Розалии Львовны.

Естественно, она не стала говорить тому правду, представившись покупательницей, которая хочет приобрести колечко.

Семен Кузьмич был страшно удивлен. Он впустил Раду в квартиру и воскликнул:

— Голубушка! Во-первых, моя жена ничего не

продавала в последнее время, а во-вторых, она умерла. Кто дал вам наш адрес?

Рада принялась бойко врать:

— Ольга Лазарева, она приобрела у Розалии Львовны... браслет.

— Лазарева, Лазарева, — забормотал профессор, — мне не упомнить всех подружек Розы, только, наверное, это было давно?

— Да, — кивнула Рада, — но Ольга мне все время повторяла: «Хочешь эксклюзив, ступай к Баратянской, у нее антиквариат из Петербурга».

— Действительно, — подтвердил наивный Семен Кузьмич, — Розочка родом оттуда. Ее родители были ювелирами, и ей достались весьма неплохие вещи. Мы познакомились с женой уже в Москве, и ее драгоценности первое время нам сильно помогли. Денег не было, да откуда они у нищих молодых людей? Вот Розочка и продавала свои колечки, а мы жили на вырученные деньги, на них же и в кооператив вступили. Но потом материальное положение стабилизировалось, и жена перестала распродавать ценности. Я, знаете ли, испытывал некоторое неудобство из-за того, что одно время сидел на шее у супруги, и поэтому потом старался приобретать для нее украшения. Но увы, Розочка отдавала чужим людям семейные реликвии ради нашего счастья, а от меня получала не слишком дорогие вещички. Правда, последние лет пятнадцать, а то и больше, она ничего не продавала.

— Жалко, — фальшиво вздохнула Рада, — кстати, я тоже из Ленинграда, жила на Невском, а где обитала Розалия Львовна?

— На Петроградской стороне, — спокойно ответил профессор, не почувствовав никакого подвоха, — там есть такой дом, огромный, его местные жители «утюг» зовут, на первом этаже когда-то была аптека...

Рада чуть не вскрикнула. Именно об этом доме и говорила ее мать. Она словно услышала тихий голос покойной мамы: «Иду, иду, ноги заплетаются. А дом ее большой, «утюгом» все звали, издали видно. Такое иногда отчаяние охватывало. Вот оно, здание, кажется, на расстоянии вытянутой руки, а сколько еще ползти. И только когда показывалась разбитая вывеска «Аптека», я успокаивалась — все же дошла!»

— И вы ничего не сказали профессору? — тихо спросила я.

Рада покачала головой:

— Нет.

— Но почему?

— Пожалела старика. Поняла: он не в курсе дела, встретился с Розой после войны. Похоже, Баратянский порядочный человек.

— Его убили, — выпалила я.

— Как? — подскочила Рада. — Кто? Зачем?

На ее лице было выражение искреннего, глубокого удивления, и я внезапно с тоской поняла: не она стреляла.

— Кто-то взял снайперскую винтовку и застрелил Семена Кузьмича, выстрел сделали из окна дома, стоящего напротив.

Роза разинула рот.

— Вот это да! Прямо как в кино! Как же пуля так далеко долетела?

Я встала и подошла к окну. Легкий вздох разочарования вырвался из груди, перед глазами простирался небольшой сквер, за ним бежала дорога.

— У вас сколько комнат? — спросила я.

— Две, — удивленно ответила она.

— И они обе выходят на одну сторону?

— Да.

— А кухня?

— Тоже.

Я тяжело вздохнула:

— А ключ от чердака у вас есть?

— Какого?

— Ну вашего, где веревки для белья.

— А... нет!

— Где же вы белье развешиваете?

— У меня машина с сушкой, — недоуменно пояснила Рада, — а веревка в ванной висит. Да в чем дело?

Я снова села в кресло и попыталась дальше исполнить роль корреспондента.

— Вам никогда не хотелось убить Розу?

— Убить?

— Ну да, она же принесла столько страданий вашей матери.

— Что вы, — замахала руками Рада, — вот опозорить — да! Рассказать всем правду о мерзкой, не имеющей никаких моральных принципов особе, это с большой охотой. Но убивать! С чего вам в голову пришел такой ужас?

ГЛАВА 23

Еле живая от усталости, я вышла от Рады и, увидев вывеску «Кофе быстро», толкнула дверь в харчевню. Кофе и впрямь принесли быстро, более того, он оказался вкусным: крепким и не слишком сладким.

Я принялась размешивать сахар, пытаясь систематизировать услышанное. Рада не убивала ни Семена Кузьмича, ни Ирочку. Окна ее квартиры выходят вовсе не на дом, где жил Баратянский, на чердак она не ходит, ей нет нужды пользоваться веревками.

Конечно, у Рады был мотив убить Баратянских, но... Согласитесь, довольно странно ждать несколько лет и только потом начать мстить. Я опускаю такие простые вопросы, как: где Рада взяла оружие и умеет ли она им пользоваться? Его можно приобрести сейчас без особых проблем в нашем городе, и женщины подчас стреляют более метко, чем мужчины. Однако снайперская винтовка стоит целое состояние.

Нет, меня интересует другое. Ну отчего она не сразу отомстила? Дождалась, пока главная виновница, Розалия Львовна, скончается, а потом убила Семена Кузьмича и Ирочку? Ну не глупо ли, а? Причем стреляла в несчастных из дома, где живет сама? Да уж, Рада не показалась мне глупой. Значит, она тут ни при чем!

Я сходила к стойке, принесла себе еще кофе, на этот раз капуччино, и осторожно сняла ложечкой обильно посыпанную корицей пену. С чего мне в голову пришла идея о том, что Рада имеет отношение к смерти Семена Кузьмича и Ирочки? Нет бы сразу сообразить: Розалия Львовна скончалась от болезни несколько лет назад, а Баратянских убили на днях, ну не дура ли я!

Неожиданно моя рука дрогнула, и островок пены шлепнулся на пластиковую столешницу. Я схватила салфетку и быстро устранила беспорядок. В детстве мой папа звал меня «мастером пролитой жидкости и разбитых чашек». Но сейчас я уронила пенку не от неловкости. Меня внезапно осенило.

К мысли о том, что Семена Кузьмича и Ирочку убила Рада Мастерова, меня подтолкнула Лена, несостоявшаяся невестка Розалии Львовны. Она сначала была не слишком разговорчива, отвечала на мои вопросы вежливо, но без особого энтузиазма. А потом вдруг ни с того ни с сего рассказала мне историю про серьги и Раду.

Зачем она это сделала? Да очень просто. Это произошло после того, как я высказала предположение, что Женя, сын Баратянских, жив! Вот уж кто имел полное право на наследство: квартиру, дачу, драгоценности, сберкнижку. Семен Кузьмич был очень обеспеченным человеком, а Женя — единственный его сын. Значит, мое предположение оказалось верным!

Очевидно, Евгений жив! Лена, испугавшись, решила отправить частного детектива по ложному следу. Наверное, она до сих пор любит его, несмотря на то, что сын Баратянских не повел ее в загс даже беременной. Она, родив дочку, назвала ее Женечкой. Девочка, правда, сама себя переименовала в Жанну, ну да это уже другая история.

Я встала и решительным шагом направилась назад в библиотеку: нужно ковать железо, пока горячо.

Первая, на кого я наткнулась, была беременная Жанна, ловко моющая шваброй пол, выложенный кафельной плиткой. Я замерла на пороге.

— Идите, идите, — приветливо улыбнулась Жанночка.

— Неудобно как-то, — замялась я, — вы в таком положении моете пол, а я сейчас натопчу, на улице-то грязно.

Девушка оперлась на швабру. Она совсем не похожа на мать! У Лены грубые черты лица, крупный нос, большие уши, полное отсутствие макияжа и дурацкая короткая стрижка, которая совершенно ей не идет. У Жанны же был аккуратный крохотный носик, нежный цвет лица, красиво очерченный лоб и падающие на точеные плечи густые локоны. Очевидно, и характер у нее был замечательный, потому что она ответила:

— Мне совсем нетрудно вытереть, здесь же плитка. Раз — и готово!

Но я все равно не могла топать грязными сапогами по холлу, который моет беременная женщина, поэтому в растерянности пробормотала:

— Вам не следует мыть полы в таком положении.

— Наоборот, — воскликнула Жанна, — будущим мамам очень полезна физкультура!

Вымолвив последнюю фразу, она с энтузиазмом продолжила прерванную работу, я хотела было по стеночке пробраться к гардеробу, но тут мне в спину уперся острый кулачок, потом кто-то весьма сильно толкнул меня и прошипел:

— Ишь, развалилась в дверях, зараза.

Я машинально шагнула в холл. Из-за моей спины вырулила старуха с кульком. Сопя, она дошла до раздевалки, оставляя повсюду черные островки грязи. Ни чисто вымытый пол, ни беременная Жанна с ведром воды не смутили посетительницу. Повесив на крючок драповое пальто с воротником из облезлой норки, бабка пригладила у зеркала жидкие волосенки и весьма недовольным тоном спросила:

— Жанна, ты на абонемент идешь?

— Да, Ольга Михайловна, — отозвалась девушка, — сейчас ведро унесу и сяду на выдаче.

— Тогда прихвати мой кулек с книгами, — бойко приказала Ольга Михайловна, — мне нельзя таскать тяжести.

Вымолвив эту фразу, старуха, с сапог которой продолжала стекать грязь, двинулась в глубь библиотеки.

— Вот безобразие, — обозлилась я, снимая куртку, — ну и странная особа! Предлагает женщине в положении переть пакет с книгами! Давайте я его отнесу!

Жанночка весело рассмеялась:

— И не тяжело мне вовсе, там их не так много. Ольга Михайловна моя бывшая классная руководительница. Она очень забавная!

— Почему? — удивилась я.

Жанна открыла дверцу в стене, сунула в кладовку ведро со шваброй, потом схватила полиэтиленовую сумку и, продолжая улыбаться, ответила:

— А она всегда на нас в школе шипела: «Извольте здороваться». Сама же, сколько ни приходит, никогда «здрасте» не скажет. Ну обхохочешься!

С этими словами она исчезла. Я вздохнула: очевидно, Жанне от природы достался счастливый характер, ничто не может лишить ее веселого настроения.

Лена по-прежнему сидела в кабинете. Увидев меня, она слегка побледнела и спросила:

— Вернулись?

Я кивнула:

— Ага.

— Не нашли Мастерову?

— Спасибо, мы встретились и побеседовали.

— Да?

— Да!

И обе замолчали. Я смотрела на Лену, та опять схватилась за коробочку со скрепками и принялась вертеть ее в руках. Наконец молчание стало невыносимым, и Лена не выдержала:

— А зачем вы опять пришли?

— Поговорить, — односложно ответила я.

— О чем?

— О Жене.

— О ком? — Она прикинулась плохо понимающей ситуацию. — О моей дочери?

— Насколько я поняла, она не Женя, а Жанна!

— Да, конечно, но...

— Я говорю об Евгении Баратянском.

— Он умер, — тихо сказала Лена.

— Нет, — покачала я головой. — Женя жив. И вы это великолепно знаете!

Лена побледнела еще сильней. Я поняла, что иду по правильному пути, и приободрилась.

— Лучше будет, если вы расскажете правду!

Она молчала, прижимая к груди коробку со скрепками.

— Все равно отыщу Баратянского, — вздохнула я, — это, ей-богу, не так уже трудно. Но если вы нам не поможете, у нас возникнет твердая уверенность: вы с ним в доле. Если учесть богатое наследство, оставшееся от несчастного Семена Кузьмича, то вам не позавидуешь. Бывший любовник, отец вашего ребенка, решил избавиться от отца и его молоденькой жены, чтобы получить квартиру, дачу, машину и так далее. А вы ему помогали. Ну-ка, подумайте, чем это вам грозит?

— Я никому не помогала, — прошептала Лена.

— Вам трудно будет доказать вашу непричастность к преступлению, — выпалила я и быстро прикусила язык.

Да уж, подобную фразу никак не мог произнести человек, официально занимающийся расследованием. В нашей стране существует презумпция невиновности. Лене совершенно не нужно доказывать, что она не замешана в убийстве. Милиция обязана сначала найти веские улики, говорящие о ее виновности. Пока их нет, библиотекарша считается белой и пушистой. Вот так!

Но Лена, очевидно, не знала про презумпцию невиновности или забыла о ней, потому что пробормотала:

— Ладно, в конце концов, я ничем не обязана Баратянским, меня сдерживала только порядочность, да и умерли они, позор теперь их не коснется. Я расскажу вам печальную историю, но вы должны пообещать, что, узнав правду, оставите меня в покое. Я к убийству не причастна!

Я кивнула:

— Хорошо.

Лена неожиданно спросила:

— Хотите чаю?

Решив, что это поможет откровенной беседе, я кивнула. Она открыла шкафчик и занялась чайной церемонией. Наконец передо мной появилась кружечка с изображением собачек, точь-в-точь такая, какую я подарила Юлечке.

— Мне придется начать издалека, — вздохнула Лена, — а то вы не поймете.

— Вся внимание, — улыбнулась я.

Леночка познакомилась с Женей в библиотеке. Она только-только пришла туда на работу и чувствовала себя более чем неуютно. Лену воспитывала одинокая мама, учительница русского языка и литературы. Отца девочка не знала, он бросил жену еще до рождения ребенка. Анна Львовна больше никогда не связывала свою жизнь с мужчинами, целиком посвятила себя дочери, которую постаралась воспитать праведницей. Леночке с самого детства внушалось: с мальчиками не дружи, обязательно обидят.

Когда дочери исполнилось пятнадцать, Анна Львовна утроила бдительность и принялась внушать девочке, что работа — это главное в жизни, в семье нельзя быть счастливой, и всем мужчинам от женщины нужно лишь одно... А добившись своего, представители сильного пола мигом испаряются за горизонтом.

Когда перед Леной встал вопрос о выборе института, Анна Львовна настояла на библиотечном факультете. Девочка, не отличавшаяся особыми талантами, по привычке послушалась матушку. Отучившись один семестр, Лена поняла, отчего мать толкала ее именно сюда. По коридорам института ходили косяки девушек, юношей тут было всего двое: Алик, носивший бифокальные очки, и Роман, болезненно хрупкое существо, ростом чуть повыше кошки.

Но даже такие кавалеры мигом оказались прибраны к рукам. Впрочем, большинство девочек ко второму курсу нашли себе пару вне стен вуза, но Леночка никогда не ходила на танцы и шарахалась от парней, пытающихся с ней познакомиться.

Получив диплом, она попала в библиотеку имени Виктора Гюго и работала на выдаче книг. Коллектив состоял из одних женщин, их же было подавляющее большинство и среди читателей. А редкие мужчины, желавшие взять на дом книгу, оказывались, как правило, женаты. Впрочем, кое-кто из них явно был не прочь завязать интрижку с хорошенькой серьезной библиотекаршей, но Лена, увидев в абонементе слово «женат», моментально пресекала любые попытки к знакомству.

Ее так воспитала мать: береги себя, жди принца, а если он не появится, то живи одна. Умри, но не давай поцелуя без любви, лучше жить в хижине, чем во дворце, иметь деньги стыдно... И Лена ждала своего принца на белом коне, с букетом роз в одной руке и заявлением в загс в другой. И он появился — Женя Баратянский, сын Розалии Львовны.

Леночка влюбилась сразу, как только увидела парня. Он выглядел самым настоящим героем девичьих грез: во-первых, Женя был красив. Стройная фигура, чуть вьющиеся каштановые волосы, карие глаза, которые в зависимости от настроения парня меняли цвет: становились то ореховыми, то совсем черными. Еще Женя умел произвести хорошее впечатление на окружающих, он был улыбчив, воспитан, предупредителен, вставал, если в комнату входила дама, умел поддержать беседу на любую тему, великолепно одевался. И он не был женат!

Леночка только вздыхала, глядя на сына Розалии Львовны. Она понимала, что ей нечем заинтересовать такого потрясающего кавалера. Внешность у нее самая простецкая, фигура не ахти: узкие бедра, широкие плечи, у женщины должно быть все наоборот. Евгений не обращал на Лену особого внимания, он был с ней безукоризненно вежлив, но и только.

Потом у Лены случилось несчастье: умерла мама. Розалия Львовна мгновенно пришла на помощь. Мало того, что она дала обезумевшей от горя девушке денег на похороны, так еще встала к плите печь блины. Анну Львовну проводили как надо, Лене на поминках налили водки. Девушка, никогда до этого момента не пробовавшая спиртного, мгновенно опьянела и перестала воспринимать окружающих. Она ничего не помнила: кто убирал посуду со стола, чьи руки раздели ее и уложили в постель, кому пришло в голову снять с зеркала черный платок.

Очнулась она на следующий день к полудню. В комнате стояла тишина, только на тумбочке громко тикал будильник. Лене было не слишком удобно на своей кровати, отчего-то тесно. Она повернула голову и чуть не умерла. Возле стенки мирно посапывал обнаженный Женя. На секунду Лена лишилась дара речи, но потом закричала:

— Мама!

Парень мигом проснулся и начал ее успокаивать. Он сказал ей то, что обычно говорят мужчины женщине в таких случаях: «Я тебя люблю, мы обязательно поженимся».

Вот так начался их роман. Первые три месяца Леночка летала, словно за спиной выросли крылья. Женя казался ей самым красивым, самым умным, самым лучшим, самым потрясающим, самым, самым, самым... Розалия Львовна делала вид, что ничего не замечает. Она по-прежнему была с Леной приветлива, но не более того. Домой Женя свою любовницу не приглашал, встречались у нее на квартире. Сначала свидания происходили каждый день, потом стали реже. Женя сказал огорченной Лене:

— На работе нагрузили! Прямо продыху нет.

Она, естественно, поверила. Затем любовники стали встречаться раз в неделю.

— Вот чуть дела разгребу, — обещал Женя, — и все будет по-прежнему.

Лена согласно кивала: конечно, работа важнее всего. Где-то в начале декабря любимый позвонил и сказал:

— Сегодня не приду, я в библиотеке!

Лена огорчилась и устроилась у телевизора.

Часов в восемь она сообразила, что в доме нет хлеба. Ближайшая булочная была закрыта, пришлось ехать в центр. Купив батон, Лена увидела кинотеатр и вдруг решила: «Пойду одна на сеанс». Афиша обещала французскую комедию.

Купив билет, она вошла в зал, села и... увидела Женю, который весело болтал с прехорошенькой брюнеткой. Она встала, подошла к парочке и закричала:

— Вот в какой ты библиотеке!

Женя окинул Лену взглядом и спросил:

— Ты что здесь делаешь?

— В кино пришла! — выкрикнула она.

— И с кем?

— Одна!

— Тогда садись на свое место, потом поговорим!

— Как ты мог, — начала было она, но Женя прервал ее:

— Завтра побеседуем.

— Нет, сейчас!

— Потом.

— Нет!!!

Но тут в зале начал гаснуть свет, и недовольные зрители стали шикать на Лену:

— Сядьте, вы мешаете!

— Не хотите смотреть, уходите.

Она, глотая слезы, убежала домой. Женя появился лишь в конце недели и с порога заявил:

— Я очень на тебя обижен!

Лена оторопела:

— Ты на меня? А не наоборот ли!

— Устроила скандал, — как ни в чем не бывало продолжал Женя, — орала, вопила. Отвратительно! Моя кузина была в шоке.

Лена вытаращила глаза:

— Это твоя двоюродная сестра?

— Ну да, — кивнул Женя, — Катя, она внезапно приехала из Киева, и мне пришлось отложить учебники и повести ее в кино.

Лена бросилась любовнику на шею. Инцидент был исчерпан. Целый месяц они почти не расставались, но потом снова грянул гром, на этот раз Лене позвонила девушка и, назвавшись Светой, прошипела:

— Оставь Женечку в покое, он мой!

Лена растерянно забубнила:

— Вы, наверное, ошиблись!

— Вовсе нет, — заявила Света, — Евгений Баратянский мой жених, я собираюсь родить ему ребенка, тебе лучше отступиться.

Когда Женя приехал к Лене, та, рыдая, пересказала ему разговор и услышала в ответ:

— Ну и глупости! Я никогда не был знаком с женщиной по имени Света! Ах ты, ревнивый котик! Люблю только тебя. Кто-то ошибся номером. Женя — нередкое имя.

Леночка опять успокоилась, но через несколько дней, когда Евгений, поев, заснул на диване, она, забыв о щепетильности, полезла к нему в портфель и стала листать телефонную книжку. Сначала у нее упал камень с души, на страничках были одни мужские имена. Но потом она увидела свой собственный телефон. Около него значилось: Леня.

ГЛАВА 24

Остаток вечера Лена посвятила переписыванию книжки. Утром она села за телефон и очень скоро выяснила, что Ваня — это Аня, Степан —

Света, Надир — Надя, Тимофей — Таня... На четвертой по счету бабе у Лены случилась истерика.

Можете себе представить, какой скандал она устроила любовнику? Интеллигентная, спокойная Леночка колотила посуду и орала, как базарная торговка. Но мужчины не любят выяснений отношений. Женя сначала попытался успокоить любовницу, а потом сказал:

— Раз ты такая, прощай!

Подхватив портфель, он ушел, Лена осталась рыдать в одиночестве.

Вот с тех пор их отношения приобрели странный характер. Женя приходил к ней, потом исчезал на три-четыре месяца, вновь возвращался и говорил с порога:

— Ленуся, никто меня не любит так, как ты! Наконец мне стало понятно — ты единственная, самая лучшая!

Лена таяла, обнимала ветреника и прощала его. Следующие недели две Женя все вечера проводил с ней, потом вновь исчезал. Она опять рыдала и давала себе честное слово никогда больше не пускать его на порог, но стоило ему нарисоваться в дверном проеме, как вся ее решимость мгновенно таяла. Потом она поняла, что беременна. В ее душе поселилась радость. Вот он, способ привязать к себе Женю. Дитя — это серьезно, парень женится на ней, и они заживут счастливо, воспитывая сына или дочку. В тот момент около Лены не оказалось опытной женщины, которая сказала бы ей:

— Детка! Ни одного мужчину не отвернула от гулянок беременность подруги!

Леночка свято верила в то, что сообщение о беременности радостно поразит Женю. Вышло наоборот. Когда он после очередного загула явился к ней, она носила плод их любви уже больше четырех месяцев. Узнав новость, Евгений выпалил:

— Делай аборт.

— Убить ребенка? — в ужасе воскликнула Лена. — Никогда! Да и поздно уже! Он уже шевелится!

Недовольно поморщившись, Женя сказал:

— Ну ладно, пойду куплю шампанское, дай мне немного денег, надо отпраздновать это событие.

Леночка, обрадовавшись, открыла кошелек. К слову сказать, Евгений частенько перехватывал у любовницы мелкие суммы и всегда забывал их отдать. Но она, тщательно считавшая копейки своей полунищенской зарплаты, никогда не напоминала ему о долгах. Да и как она могла это сделать, считая Женю своим мужем?

В тот день она тщетно прождала его, просидев за столом с пустыми бокалами весь вечер. Парень не вернулся и шампанское не принес.

Побежали месяцы, Женя как в воду канул, на работу к Розалии Львовне он больше не приходил, Лене не звонил, а сама она никак не могла сказать строгой начальнице, что беременна от ее сына. Решимость пришла накануне родов. Леночка, очень нуждавшаяся в деньгах, стала просить Розалию Львовну пойти на небольшое, но довольно распространенное в советские времена нарушение.

— Я возьму декретный отпуск, — лепетала она, — а вы оставьте меня на работе, оформим кого-нибудь, а работать буду я. Очень деньги нужны на кроватку, коляску, пеленки...

— Ты предлагаешь мне обмануть государство, — прищурилась Розалия Львовна. — Ну нет, милочка! Нагуляла живот, теперь расплачивайся. Кстати, приличные женщины сначала в загс идут и только потом в постель ложатся.

Неожиданно Лене стало так обидно, что она воскликнула:

— Между прочим, я ношу вашего внука!

Розалия Львовна покраснела и отчеканила:

— А вот этого не надо! Женя не способен на такой поступок. Да, он мне рассказывал, как ты ему на шею вешаешься, и я в курсе того, что пытаешься навязать моему мальчику отцовство. Но имей в виду, начнешь распространять сплетни, мигом вылетишь с работы с волчьим билетом. Кляузниц и морально нечистоплотных женщин на службу берут неохотно.

Лена, еле живая, выбежала из кабинета Розалии Львовны.

Ей-богу, не стоит рассказывать о всех трудностях, с которыми потом столкнулась девушка. Одиноким матерям они очень хорошо знакомы: бессонные ночи, тотальное безденежье, всепоглощающая усталость и чувство вины перед ребенком, у которого нет и не будет папы. И все же Лене пришлось намного хуже, чем другим: около нее не было никого — ни мамы, ни бабушки, ни подруги.

В три месяца дочку пришлось отдать в ясли и пойти на службу. Розалия Львовна упорно делала вид, что ничего не произошло, Женя как в воду канул.

Но примерно через год ситуация изменилась. Однажды заведующая заболела, ее не было на работе около двух недель, а потом она вдруг позвонила Лене и попросила ту... прийти к ней домой.

Изумленная Лена явилась на зов и была еще больше поражена. Во-первых, квартирой, большой, богато обставленной, буквально набитой дорогой мебелью, коврами, хрусталем. В душе шевельнулось нехорошее чувство. Вот оно как! Она с дочерью перебивается на жалкие копейки, а тут такой достаток! Во-вторых, Лену шокировал вид Розалии Львовны. Грозная начальница, всегда появлявшаяся перед подчиненными при полном параде, стояла сейчас растрепанная, в халате, с заплаканным лицом.

— Только ты можешь мне помочь, — она умоляюще протянула руки к Лене.

— Что случилось? — отшатнулась та.

Розалия Львовна, глотая слезы, начала рассказ. Женя всегда тратил деньги в невероятном количестве. Мало того, что он брал их у матери, так еще и постоянно занимал у всех, кто попадался под руку. Причем действовал он всегда одинаково: просил энное количество рублей на неделю, а потом начинал бегать от кредитора. В конце концов обозленные заимодавцы звонили Розалии Львовне, и той приходилось отдавать немалые суммы, чтобы погасить назревающий скандал.

Сын при этом чувствовал себя просто великолепно. Веселый, словно щегол, он без конца менял девушек, ухитряясь порой одновременно крутить четыре романа. Кое-как получив диплом, Женя числился на службе формально, постоянно врал, прогуливал и, похоже, никогда и никого, кроме себя, не любил.

В конце концов он довел Розалию Львовну почти до инфаркта, и она внезапно разозлилась, ответив «нет» на очередную просьбу детинушки о деньгах. А недели через две ей позвонили из милиции и сообщили, что ее сын арестован, как член банды, совершившей налет на сберкассу.

— Что?! — закричала Лена. — Какой ужас!

— Да, — залилась слезами Розалия Львовна, —

ему грозит суровое наказание. Умоляю, Леночка, помоги!

— Но чем же? — недоумевала девушка.

— Если ты скажешь судье, что родила от Жени девочку, — сообщила Розалия Львовна, — то ему могут скостить срок. Понимаешь, первое преступление, маленький ребенок... Адвокат уверяет, что твои показания могут спасти сына.

— Конечно! — с жаром воскликнула Лена.

Потом был суд, приговор, более чем мягкий, поездка на зону, краткие свидания с Женей, который без устали повторял:

— Дорогая, я понял, ты единственная, кто мне нужен, вот выйду отсюда, и все станет по-другому.

Несколько лет Лена исправно писала письма, отправляла посылки, и наконец настал день, когда Женя вновь появился в ее квартире.

Следующие полгода она была абсолютно счастлива. Любимый вел себя безупречно, устроился на работу, по выходным ходил с дочкой в зоопарк и даже пылесосил ковры.

Ну а потом все вернулось на круги своя. Женя начал задерживаться на службе, затем под предлогом того, что Семен Кузьмич болеет, переехал к родителям и перестал звонить Лене. Розалия Львовна потеряла всякую любезность и избегала ее, а спустя пару месяцев к Лене постучалась разгневанная соседка и с порога заявила:

— Пора и честь знать! Когда деньги вернешь? Просила на неделю, полгода не отдаешь.

— Я у вас ничего не брала, — попятилась Лена.

— Так Женя приходил, перехватил до получки.

Лена молча отдала долг. Но через неделю явилась Ольга Николаевна из пятнадцатой квартиры с таким же разговором, затем Лев Сергеевич из семнадцатой, Танюшка с третьего этажа. Бедной Лене пришлось продать единственную драгоценность, оставшуюся от мамы, — золотые часики. Она поняла, что горбатого могила исправит, каким Женя был, таким и остался. Наверное, нужно было пойти к Розалии Львовне, устроить скандал, потребовать деньги.

Но это было не в ее характере, и еще — она не хотела иметь никаких дел с Баратянской. Только сейчас Лена поняла: Розалия Львовна такой же подлый человек, как и ее сын. Она попросту использовала Лену, чтобы добиться для Жени послабления, а когда сын вышел на свободу, мигом забыла о «невестке» и внучке. Впрочем, судьба девочки бабушку никогда не интересовала. Когда Жанночка приходила к маме на работу, Розалия сухо кивала ей: «Добрый день, детка», — и все.

Но не зря говорят, что время лечит. Через какое-то время Лена успокоилась и, окончательно махнув рукой на возможность семейного счастья, ушла с головой в работу. Она почти сумела убедить себя в том, что в ее жизни никогда не было человека по имени Евгений, но тут пришлось вновь его вспомнить. Как-то утром, придя на работу, Лена наткнулась на группу оживленно шушукающихся сотрудниц.

— Что случилось? — насторожилась она.

— Ты не знаешь? — кинулись к ней товарки. — Женя умер, сын Розалии Львовны.

Она узнала от них, что Евгений уехал в Петербург, устроился там на работу, и все было хорошо до вчерашнего вечера, когда, возвращаясь домой, он случайно попал под электричку.

Лена постаралась не заплакать. Никто в библиотеке, кроме Розалии Львовны, не знал об отношениях, связывающих ее и Женю. Лена никогда не откровенничала с коллегами, ничего не рассказывала об отце ребенка.

Весь день она просидела на выдаче как зомби, потом, проведя бессонную ночь, сказала себе: «Что ни делается, все к лучшему. Он для меня давно умер».

Через некоторое время Розалия Львовна, выйдя на работу, собрала коллектив и сказала:

— Вы знаете о постигшем меня несчастье. Очень прошу не задавать никаких вопросов и не выражать соболезнований.

Может, кто из библиотекарш и удивился такому заявлению, но виду не подал, и жизнь в книгохранилище потекла как обычно.

Прошло восемь лет. Лена так и не вышла замуж, Жанночка подрастала и радовала ее. Розалия Львовна и Семен Кузьмич ни разу не поинтересовались судьбой внучки, впрочем, Лена иногда думала, что жена ничего не рассказала профессору, он просто не знал о существовании внучки. Спустя некоторое время у нее с Розалией Львовной даже наладились отношения. Заведующая на всех собраниях подчеркивала высокую профессиональную подготовленность Лены и постоянно говорила:

— После моего ухода лучшей кандидатуры на место начальницы не найти.

Но вскоре размеренная жизнь Лены была опять нарушена.

Ясным январским утром, где-то около одиннадцати, в ее квартире раздался звонок. Лена подумала, что вернулась из школы внезапно заболевшая дочь. Она распахнула дверь и шарахнулась в сторону. На лестничной клетке стоял мужик ужасного вида, одетый в ватник, мятые брюки и жуткие ботинки. В руках он держал серую солдатскую ушанку.

— Вы к кому? — дрожащим голосом осведомилась Лена, как назло вспомнившая вчерашнюю телевизионную передачу о серийных маньяках.

— Не узнала? — улыбнулся дядька, обнажив черные обломки зубов.

— Нет, — покачала головой она.

— Вот оно как, — ухмыльнулось чудовище, — с глаз долой, из сердца вон, а ведь говорила, что любишь.

У Лены начала стремительно уходить земля из-под ног.

— Вы кто? — прошептала она, привалясь к косяку.

— Неужто я так изменился? — щерился беззубой улыбкой мужик.

Ленин взгляд задержался на его глазах цвета ореховой скорлупы. Мужчина продолжал усмехаться. Радужка его глаз стала стремительно темнеть.

— Женя! — воскликнула Лена и обвалилась на пол.

Она очнулась уже дома на диване. Евгений, снявший отвратительный ватник, разгуливал по квартире хозяином.

— Ты жив! — прошептала Лена. — Но почему Розалия Львовна...

Евгений скривился и стал похож на обозленную дворовую собаку.

— Тоже мне, мать называется! Никогда ей этого не прощу, бросила меня в беде, даже пачки сигарет за все годы не прислала...

— Где же ты был? — все еще плохо соображая, спросила Лена.

Женя рассказал, что сидел на зоне, попал туда якобы ни за что — ему приписали воровство.

— Я никаких денег не брал, — утверждал он. — Начальник сам растратил, а свалил на меня.

Лена с недоверием слушала бывшего любовника. А тот все больше входил в раж, размахивая руками:

— Ну прикинь! Я невинно пострадал, а они, отец с матерью, даже помочь мне не захотели. Передали через следователя письмо, типа, ты для нас умер. Уроды! Убить их мало!

Лена молча слушала. Она никогда особенно не любила Розалию Львовну, была обижена на нее, но сейчас от души пожалела заведующую. Это до какого же состояния надо дойти, чтобы объявить своего сына погибшим?

— Мне деваться некуда, — неожиданно зарыдал Женя, — ты единственный близкий человек, помоги, Христа ради, куда же мне идти? Ни денег, ни одежды приличной нет! Не дай погибнуть, у нас ведь ребенок! Я столько лет плакал по ночам, вспоминая дочку!

И вновь Лена простила его, поверила ему, забыв, что он уголовник со стажем, а тюрьма и зона не прибавляют людям благородства.

Через пару месяцев Женя отъелся. Лена купила ему одежду, вытряхнула всю копилку, чтобы он вставил зубы.

В апреле страшный мужик, от которого за версту шибало зоной, превратился в прежнего милого, интеллигентного, улыбчивого Женечку. Он опять начал исчезать из дома, а в июне Женя вовсе пропал, оставил записку: «Вернусь в понедельник». Прошло двенадцать понедельников, на тринадцатый позвонила баба и, рыдая, сообщила:

— Ваш брат сделал мне предложение, а потом взял денег на оплату свадебного ужина и исчез!

Лена опять отдала свои деньги.

Она замолчала, я подождала пару мгновений и тихо спросила:

— Дальше что?

— Ничего, — пожала плечами заведующая.

— Вы больше не виделись?

Она тяжело вздохнула:

— Нет, он иногда появляется и поет все ту же песню: «Ты одна-единственная, любимая, пусти переночевать, дай денег». Правда, был период, довольно длинный, когда он исчез. Я уж подумала: может, и впрямь умер? Но потом объявился снова!

— А вы?

— Я больше не попадаюсь на эту удочку, — мрачно ответила Лена, — был, впрочем, один момент.

— Какой? — насторожилась я.

— Розалия Львовна умирала в больнице, — сухо пояснила она, — буквально за день до кончины она попросила меня приехать.

Естественно, Лена явилась на зов.

Заведующая, казавшаяся щемяще маленькой в белых подушках, прошептала:

— Мне конец.

— Ну что вы, — еле сдерживая ужас, сказала Лена, — вы обязательно поправитесь.

— Прекрати, — прохрипела Розалия Львовна, — выполни мою просьбу.

— Какую?

— Дам тебе адрес Жени, сходи к нему.

— К кому? — Лена прикинулась ничего не понимающей.

— Не надо спектаклей, — неожиданно резко оборвала ее Розалия Львовна, — ты знаешь, что он жив. Материнское сердце не камень, пусть получит от меня прощение. Поедешь, дам тебе письмо для него. Я хочу, чтобы ты ему заменила меня.

Лене пришлось согласиться, хотя ей очень не хотелось встречаться с Евгением, но не отказывать же старухе, которая уже одной ногой в могиле.

Лена вновь замолчала.

— И вы выполнили ее просьбу?

— Нет.

— Почему?

— Розалия Львовна пообещала написать письмо, но не успела, умерла. Господи, значит, он еще и убийца!

— Кто? — тихо спросила я.

— Женя, — ответила Лена, — он просто взбесился, когда узнал, что Семен Кузьмич женился на молоденькой. Приехал ко мне и с порога заявил: «Убью старого идиота и эту пиранью. Наследство мое, я его столько лет ждал!»

— Женя умеет стрелять?

— Великолепно, — подтвердила Лена, — в свое время в секцию ходил. Это он их убил, часто говорил, что пора... Только я не воспринимала его слова всерьез, а оно вон как вышло!

— У вас есть его адрес?

Она развела руками:

— Я год не виделась с Евгением, могу сказать, где он тогда жил.

— Сделайте одолжение, — попросила я.

ГЛАВА 25

В нашем подъезде в темном углу у лифта кипела драка. Двое подростков молча мутузили друг друга.

— Эй, вы что не поделили? — крикнула я. — А ну прекратите!

Ребята разбежались в разные стороны. Я узнала примерных и вежливых детей Карабановых и вдруг обрадовалась. Значит, эти образцово-показательные брат с сестрой тоже выясняют отношения на кулаках.

— Да, — заныла девочка, — он у меня яблоко отнял.

— Нет, кто первым начал! — взвизгнул старший брат и снова налетел на сестричку.

Домой я вползла еле живая от усталости и была немало удивлена. В квартире оказалось пусто, но если отсутствие домочадцев еще как-то можно объяснить: дети на дополнительных занятиях, Катюша, Сережа и Юлечка на работе, то куда подевались мопсихи? Отчего они не встречают меня радостным лаем? В прихожей изо всех сил вертели хвостами только Рейчел и Рамик.

Почувствовав некоторую тревогу, я выдвинула ящик, где мы храним поводки. Стаффордшириха и двортерьер оживились до крайности и принялись нервно поскуливать.

— А ну замолчите, — приказала я, — никто не собирается вести вас на прогулку. Лучше скажите, где Муля и Ада?

В ящике обнаружились две связанные Юлечкой кофточки, в которые мы наряжаем мопсих перед выходом во двор зимой. Мопсы — гладкошерстная порода, они простудливы, поэтому мы тщательно их кутаем. Рядом с кофточками лежали и рулетки с ошейниками: синяя Адина и желтая Мулина.

Слабая надежда на то, что кто-то из домашних повел мопсих прошвырнуться по снежку, пропала.

Выкрикивая: «Муся, Адюша, вы где?» — я достигла кухни и испугалась еще больше.

На рыжей кафельной плитке около пустой миски, в которую мы наливаем собакам воду, лежали два светло-бежевых тельца.

Я бросилась к мопсихам.

— Девочки! Что с вами?

Но собачки, всегда радостно спешащие мне навстречу, сейчас даже не шевельнулись, продолжая молча лежать на полу.

Я схватила Мулю. Она просто повисла у меня на руках, раскинув в разные стороны лапы и хвост. На какую-то долю секунды мне показалось, что она умерла, но потом я увидела, что ноздри ее шевелятся.

Адюша тоже была жива. Когда я, положив Мульену на диван, подняла Аду, та издала такой жуткий звук, нечто между храпом и хрипом, что я ее уронила. Но, даже шмякнувшись на кафель, она не открыла глаз.

Пару секунд я в страхе смотрела на мопсих, в голову пришла ужасная мысль: их отравили! Одна наша знакомая, Людочка Плисецкая, не так давно лишилась своего скай-терьера. Кто-то на улице угостил собачку куском колбасы с ядом. Встречаются иногда негодяи, ненавидящие все живое вокруг.

Сбросив оцепенение, я ринулась к телефону и набрала номер нашего ветеринара Люси.

— Что на этот раз, — со смехом спросила она, — наша собачка-катастрофа опять занедужила?

Собачка-катастрофа — это про Аду. За свою короткую жизнь она перенесла четыре операции. К ней постоянно липнут болячки. То уши не в порядке, то высыпает аллергия, то подкашиваются лапы, то ни с того ни с сего начинается понос. Слава богу, что Люся живет напротив и через пять минут прибегает на зов. При виде ее Адюська мигом падает на живот и, быстро вертя задом, забивается под диван, зато Мульена, не знакомая ни с градусником, ни с наркозом, весело лает.

— Они умирают! — закричала я.

Сразу раздались короткие гудки. Люся человек решительный, она, не тратя времени на лишние разговоры, бежит к нам. Несмотря на молодость, она уже кандидат наук и замужем. Муж ее, Олег, классный хирург, он тоже ветеринар, и я страшно обрадовалась, увидев их на пороге вдвоем.

— Что это могло быть? — пробормотал Олег, щупая Мулю.

— Похоже, они спят, — протянула Люся.

Тут Ада вновь страшно захрипела.

— Она погибает! — завопила я.

— Ну-ка иди отсюда, — обозлился Олег. — Адка просто храпит!

— Ступай в спальню, — велела Люся, — только путаешься под ногами.

Пришлось выйти в коридор и оттуда слушать звуки, доносящиеся из кухни: плеск воды, какое-то звяканье и отрывистые команды Олега: «Дай сюда», «Поверни налево».

Наконец, когда ожидание стало невыносимым, из двери выглянула Люся:

— Все в порядке.

Я бросилась в кухню.

— Что с ними?

— Спят тяжелым сном, — хмыкнул Олег, — они пьяны.

— Что? — изумилась я.

Люся потрясла перед моим носом пустой коробкой.

— Смотри, она лежала на столе.

— Ага, — кивнула я, — вчера Сережа принес конфеты с ликером, я попробовала одну штучку. Честно говоря, мне не понравилось.

— Зато другим пришлось по вкусу, — засмеялся Олег, — да ты глянь сюда.

Я приблизилась к столу. Его украшали разбросанные в разные стороны фантики из фольги, а светло-желтая скатерть была покрыта коричневыми пятнами.

— Мерзавки! — возмутилась я. — Вот уж от Ады я не ожидала ничего подобного! Муля любит иногда поразбойничать, но Дюся! Она же никогда не залезает на стол.

— На этот раз она изменила своим привычкам, — подвела итог Люся. — Мы сделали все, что надо, теперь жди, пока алкоголички проснутся.

Я закрыла за ветеринарами дверь, скинула фантики в ведро, отправила туда же пустую коробку и стала менять скатерть. Вот негодяйки! Ну кто бы мог подумать, что им понравится спиртное?!

От дел меня отвлек звонок, я открыла дверь и увидела Нину Ивановну.

— Евлампия Андреевна, — возвестила та, — хочу поговорить с вами э... конфиденциально, так сказать, тет-а-тет, с глазу на глаз.

— Не откажетесь посидеть на кухне? — спросила я. — Дома никого нет, кроме животных.

— Вот и хорошо, — кивнула Нина Ивановна.

Уверенным шагом председательница прошла на кухню, опустилась на стул и со вздохом констатировала:

— Вы ведь уже немолоды!

Я удивилась подобному началу беседы и ответила:

— Ну, это с какой стороны посмотреть.

— Да сколько ни вертись, все не девочка, — усмехнулась гостья.

Я молча проглотила последнюю фразу, плохо понимая, куда клонит Нина Ивановна.

— Женщина без мужчины пустое место, — продолжала она, — бесплодная смоковница. Вот, например, Катя...

— Я бы, учитывая Сережу и Кирюшу, не называла ее бесплодной смоковницей, — вырвалось у меня.

— Но мужа-то нет! — воскликнула Нина Ивановна.

— Он ей не нужен.

— Ладно, — сдалась та, — не о Катерине речь, а о вас.

— Обо мне?

— Ну да! Что в вашей жизни хорошего?

— Да все вроде отлично!

Нина Ивановна погрозила мне пальцем:

— Ох, с трудом в это верится! Зачем же вы тогда с голым парнем на лестнице... хм... обнимались?

Я возмутилась:

— Какие глупости!

— Я сама видела, — не успокаивалась Нина Ивановна, — поднимаюсь по лестнице, а он голый! Прямо испугалась, но потом пожалела вас. Бедная Евлампия Андреевна, небось хочется женского счастья, а ее превратили в домашнюю работницу.

Отчего-то, услышав слова «женское счастье», я моментально представила следующую картину. Кухня, за столом, покрытым липкой клеенкой, сидит толстый мужик в грязной майке.

— Жена, — ревет он, — а ну неси еду!

От плиты отходит супруга с тарелкой в руках.

— Живей, — подгоняет «кабан», — жрать хочу!

Она спотыкается, жирный бульон выливается на мужика. Он хватает нож и начинает гоняться за неловкой женой. Пару минут парочка носилась по квартире, потом женщина на секунду остановилась, подняла голову, и я узнала себя.

— Не надо мне женского счастья! — закричала я.

— Я лучше знаю, что вам нужно, — отрезала Нина Ивановна, — но, с другой стороны, очень хорошо понимаю, что порядочного человека найти нелегко! Так вот...

При этих словах Ада села, потрясла головой, потом с трудом встала и поплелась к миске с водой. Нина Ивановна замолчала и с любопытством стала наблюдать за мопсихой. А та, еле-еле доковыляв до плошки, принялась хлебать воду. Звуки, которые при этом издавала Адюша, я не способна описать. Это было пофыркивание, повизгивание, чавканье, хлюпанье... Она втягивала в себя жидкость с таким наслаждением и стоном, что мне моментально захотелось пить.

— Никак селедки объелась? — предположила Нина Ивановна.

— Да нет, — улыбнулась я, — они с Мулей крепко выпили, теперь, похоже, похмелье мучает. Представляете, собачки...

Но председательница не дала мне договорить.

— Об этом и речь!

— О чем? — не поняла я.

— Вы уже начинаете от тоски пить водку.

— Я?

— Конечно! Такое часто происходит с одинокими женщинами. Вот когда мы с мужем служили в Средней Азии...

— С чего вам в голову пришла подобная глупость? — весьма невежливо перебила ее я. — Да я совершенно не употребляю спиртного, не люблю его ни в каком виде, даже в конфетах, которые украли...

Но Нина Ивановна снова не дала мне договорить.

— Не стесняйтесь, можете рассказать все!

— Но мне нечего рассказывать!

— Вы пьете втихую!

— Упаси бог! Никогда.

— А это что?

Председательница ткнула пальцем в сторону Ады, продолжавшей стонать от наслаждения у миски с водой.

— Мопсиха, — ответила я, — Адюся, вот ее мучает похмелье, она...

— Я слышала про такие истории, — отмахнулась Нина Ивановна, — алкоголики изобретательны и по большей части не любят куролесить в одиночку. Знаете, Евлампия Андреевна, я ведь всю жизнь по гарнизонам, насмотрелась всякого, пьют наши военные в темную голову. Чего только не придумают: поймают мышку, привяжут ее за заднюю лапку к тесемке, и вперед.

— Что — вперед? — окончательно растерялась я.

— Чуть ослабеет привязь, — охотно пояснила Нина Ивановна, — мышка отбегает, мужик рюмку опрокидывает: с отъездом. Потом подтягивает грызуна за веревочку к себе и снова — хоп: с приездом. И так до бесконечности. А уж какие дела творят спьяну!

Глаза председательницы заблестели, на щеки лег румянец. Я поняла, что мне сейчас придется выслушать очередную историю, и попыталась сохранить на лице улыбку.

— Году эдак в семьдесят третьем, точно не помню, — с азартом начала председательница, —

мы служили под Рязанью. Все начальство поголовно и весь личный состав напивались так, что ни в сказке сказать, ни пером описать. Бедные жены, как могли, пытались вразумить мужей. Куда там!

Если дома еще можно отнять бутылку и вылить ее содержимое в унитаз, то как проследить за пьянчугой, когда он на работе? Это же воинская часть, супругу дальше КПП не пустят. Жаловаться полковнику бесполезно, он сам такой. В общем, неразрешимая проблема.

Но одна женщина, Лидочка Попова, ухитрилась-таки отучить своего муженька от выпивки. Вам и в голову не придет, каким образом.

Внезапно мне стало интересно.

— Что же она сделала?

Нина Ивановна захихикала:

— Для начала взяла детей и объявила супругу, что едет на две недели к маме на Украину. Знала: Витька без нее точно гулять начнет.

Лида и впрямь съездила в Харьков, оставила внуков бабушке и мухой полетела домой. Когда она, осторожно открыв дверь, вошла в квартиру, то поняла, что муженек оттянулся по полной программе. Голый Витька разметался на супружеском ложе. Стол был уставлен пустыми бутылками и консервными банками. Судя по количеству тары, тут гулял почти весь полк.

Лида усмехнулась, именно на это она и рассчитывала. Здесь надо упомянуть, что в квартиру она пришла не одна. С собой она привела жуткую бабу-алкоголичку, подобранную на вокзале у винного магазина. Сколько лет было красавице, неизвестно: может, пятьдесят, а может, двадцать, но выглядела она страшней атомной войны — худая, грязная, вонючая, с испитым, опухшим лицом, огромными фингалами и двумя зубами, одиноко торчавшими во рту. Звали красу ненаглядную Машкой.

Лида велела бабе раздеться и лечь возле храпящего в беспамятстве мужа, а сама ушла. Машке за спектакль была заплачена невероятная сумма — пятьдесят рублей. Это при том, что бутылка водки в те времена стоила три рубля шестьдесят две копейки. Да и делать Машке ничего особенного не пришлось. Просто, когда Витька проснулся, отвратительное голое существо, лежащее рядом, нежно обняло его за шею, прижалось к теряющему от ужаса сознание мужику и, блестя двумя зубами, прокашляло:

— Милый, мне так понравилось! Давай еще раз!

Когда через две недели Лида вернулась от матери, абсолютно трезвый Витька встретил ее в чисто убранной квартире, он даже приготовил обед. Выпивкой в доме и не пахло. Супружеская кровать преобразилась: на ней лежал новый матрас, новые одеяла, подушки и белье, принесенное со склада части.

— С чего бы ты вдруг постель обновил? — спросила Лидочка.

Ей было интересно, что муженек скажет. Витька проявил чудеса изворотливости. Он вытащил крохотного котенка и заявил:

— Вот, давно хотел кота завести. Взял у Семиных, у них кошка разродилась, так этот пакостник всю постель уделал, пришлось выбросить. Я уже его поучил, теперь в лоток ходит!

Лида оценила находчивость мужа. Кота, названного в честь великого военачальника Багратионом, полюбила от души. Витька же больше никогда не брал в рот ни капли.

Нина Ивановна помолчала пару секунд, а потом резюмировала:

— Вот какие мы, жены военных, из любой ситуации найдем выход. Хорошо, Евлампия Андреевна, я не стану больше ходить вокруг да около, не привыкла ко всяким экивокам. Вы уже с собаками пьете, на троих! Негоже это! Короче говоря, у вас товар, у меня купец.

— Хотите сказать, что пришли меня сватать? — испугалась я.

— Именно, — кивнула она, — за хорошего человека.

— Но...

— Умный, непьющий.

— Однако...

— Обеспеченный.

— Но...

— За бабами не бегает.

— Понимаете...

— Очень порядочный и красавец!

Поняв, что Нина Ивановна не воспринимает мои возражения, я замолчала, а она продолжала заливаться соловьем:

— Интеллигентный, без родителей, никогда не был женат, веселый, щедрый... Одним словом, замечательная партия. Жду вас завтра в восемь вечера к себе на ужин, там и познакомитесь.

Пришлось согласиться, потому что иного способа избавиться от свахи не было.

Закрыв за ней дверь, я покачала головой. Умный, непьющий, обеспеченный, за бабами не бегает, порядочный, красавец, интеллигентный, веселый, без родителей, щедрый... Интересно, какой такой изъян у парня, если он, обладая столькими превосходными качествами, ни разу не был женат?

ГЛАВА 26

Утром и Ада, и Муля явно чувствовали себя плохо. Сережка, увидев, как Мульена отворачивает морду от рисовой каши, засмеялся и спросил:

— Может, им пивка налить?

— Еще чего, — обозлилась Юлечка, — ты, Лампа, в следующий раз не оставляй на столе конфеты. Ввела собачек в искушение, смотри, как страдают несчастные.

В первую секунду мне захотелось воскликнуть: «Вечно бедная Лампа во всем виновата!» — но, поразмыслив, промолчала.

С Юлечкой нечего спорить, бесполезное это дело.

— Действительно, — Сережка тоже не упустил момента уколоть меня, — перед уходом убирай со стола съестное.

— Вчера ты уходил последним, — напомнила я.

— Не может быть! — взвился Сережа. — Это ты у нас безголовая.

— И крокодилы в ванне плавают, — некстати вспомнила Юлечка, — помыться нельзя.

— Мои кофточки неглажены, — влезла Лиза.

— Пуговицу уже месяц прошу к брюкам пришить, — встрял Кирюшка.

Горькая обида накрыла меня с головой. Вот они какие!

Сережка, Юлечка, Кирюшка и Лиза толпой вывалились в прихожую, бросив на столе грязную посуду и остатки еды. Никому из них не пришло в голову убрать масло с сыром в холодильник и составить чашки в мойку. Кстати, Лиза вполне способна погладить сама свою одежду, а Кирюшке не помешает научиться обращаться с иголкой.

— Лампа, где мои перчатки? — донеслось из прихожей.

— Вот черт, сигареты забыл! Лампудель, принеси!

— Куда задевалась сумка? Лампуша, приволоки мой ридикюль.

— Ламповецкий! Притарань скорей кошелек, в спальне лежит!

— Ну где она?

— Эй, Лампуша, заснула?

— Мы опаздываем!

Я молча села у подоконника и уставилась в окно. Да, следует признать, противная Нина Ивановна права, со мной в доме абсолютно не считаются, держат за прислугу. Между прочим, я тоже работаю. Да, согласна, наше агентство не слишком-то доходно, но сейчас я выполняю заказ, за который мне уже заплатили, причем хорошую сумму. Пока я не имею морального права распоряжаться гонораром, потому что бедный Веня еще томится за решеткой, но поимка настоящего убийцы — вопрос нескольких дней. Я знаю его имя, дело за малым — отыскать его самого. И вот тогда я положу перед всеми на стол конверт с долларами, пусть знают: и Лампа кое на что способна...

На кухню прямо в уличных ботинках влетел Сережка.

— Лампудель! Ну какого черта торчишь тут, словно кактус в горшке? Где мои сигареты! Опаздываю же!

Я молча смотрела в окно. Чьи сигареты, тот пусть их и ищет!

— Ты чего, Лампецкий? — изумился Серега, расшвыривая в разные стороны газеты, лежащие на подоконнике. — Онемела? Чего молчишь?

Я встала и ушла к себе. Сегодня вечером, ровно в восемь, обязательно пойду к Нине Ивановне и посмотрю, что за замечательный жених приготовлен для меня.

Входная дверь хлопнула, в квартире воцарилась тишина. Я с трудом проглотила комок в горле.

Прямо сейчас отправлюсь по адресу, который дала мне Лена. А вот посуду убирать не стану. Просто выгоню мопсих-воровок и закрою дверь в кухню.

Уже стоя на лестнице и запирая замок, я мстительно подумала: «Ну погодите! Вот уйду от вас к интеллигентному милому дядечке без всяких родственников, посмотрим тогда, как вы найдете свои сигареты, ключи и сумки!»

Дом, в котором предположительно обретался Женя, выглядел более чем уныло, блочная пятиэтажка, построенная в шестидесятые годы. Срок ее службы был рассчитан на двадцать лет, по их истечении жильцам обещали предоставить комфортабельные квартиры с просторными кухнями. Люди верили и стоически ютились в крохотных комнатушках с низкими потолками. Но, увы, многие так и умерли, не дождавшись райских условий, а пресловутые пятиэтажки начали разбирать только сейчас, и если вы думаете, что несчастные очередники получили долгожданные квартиры в Центре, то ошибаетесь. Бедолаг отправили в Никулино или Бутово, то есть в такие микрорайоны, где уже не московское время. Впрочем, сейчас экологическая обстановка в Москве настолько плоха, что, на мой взгляд, лучше селиться подальше от Тверской или Садового кольца. Правда, будете жить в транспорте, так как дорога на работу и назад займет у вас часа четыре, не меньше, зато спать станете на свежем воздухе, не боясь открыть окно.

А уж для пенсионеров и молодых матерей Никулино лучший вариант, есть где погулять и магазинов полно.

Железная дверь в подъезд была закрыта на кодовый замок, пришлось топтаться на улице, поджидая, пока выйдет кто-нибудь из жильцов. Наконец выскочил парень, и я попала в дом. Несмотря на тщательно запертую дверь, на лестнице оказалось весьма грязно, на ступеньках валялись окурки. Очевидно, сами жильцы не слишком-то аккуратны. Наверное, многие из них, чтобы не дымить в квартирах, выходят на лестницу. Как правило, у таких людей стоят на подоконниках пустые банки из-под растворимого кофе, но здесь предпочитали просто швырять окурки на пол.

Нужная мне квартира оказалась на третьем этаже. Не успела я нажать на звонок, как дверь распахнулась и из нее выскочила девочка лет двадцати, одетая в красивый светло-бежевый полушубочек из щипаной норки.

— Вы ко мне? — удивилась она. — Вообще-то я бегу на занятия.

— Мне нужен Женя, — улыбнулась я, — на пару минут всего.

— Тут такого нет, — сообщила девица и стала запирать дверь.

— Женя Баратянский, — уточнила я, а потом, учитывая возраст девушки, добавила: — Евгений Семенович.

— Говорю же, нет такого, здесь я обретаюсь. Меня зовут Лариса.

— Простите, давно тут живете?

— Ну... скоро год будет.

— Вы купили квартиру?

— Куда мне, — усмехнулась Лариса, — снимаю.

— А до вас кто ее снимал?

Она призадумалась:

— Похоже, мужчина какой-то, его Лада за неуплату выгнала.

— Кто?

— Лада, хозяйка, вы с ней поговорите, небось она скажет, кто до меня жил, — ответила Лариса, — хотите, телефон дам? Правда, только рабочий.

— Давайте, — обрадовалась я.

Девушка вытащила из сумочки записную книжку, продиктовала номер и заявила:

— Все, тороплюсь очень. И так из-за вас опоздала.

Вымолвив последнюю фразу, она понеслась по лестнице вниз. Я покачала головой. Ну и нахалка! Вставать надо пораньше, тогда везде успеешь вовремя.

Сжимая в руке листочек, я вышла во двор. Позвоню из метро, там в вестибюле висят телефонные автоматы. Авось найдется работающий. Но сразу отправиться к подземке не удалось. Тротуар перегородил огромный «Мерседес». Я прижалась к двери подъезда, поджидая, пока он проползет мимо, но автомобиль замер в метре от меня, боковое стекло опустилось, высунулся водитель, мужчина лет сорока, толстый, с багровым лицом.

— Эй, — заорал он, — за каким фигом тут снежную бабу лепите?

Стайка подростков, увлеченно о чем-то спорившая возле снеговика, замерла, потом один мальчишка, аккуратно поправив круглые «гарри-поттеровские» очки, очень вежливо сказал:

— Видите ли, Анатолий Сергеевич, мы на тротуаре играем!

— Валите отсюдова, — взревел мерседесовладелец, — мне припарковаться надо!

Тинейджеры переглянулись.

— Но ведь не здесь же, — пискнула девочка в красной шапке, — тут люди ходят. Машины положено ставить там.

И она махнула рукой в сторону.

— Еще меня всякие козявки учить будут! — посинел от злости Анатолий Сергееевич. — Пошли вон! Ублюдки!

— Зачем вы ругаетесь? — укоризненно покачала головой девочка.

— Мы ничего плохого не делаем, — добавил «Гарри Поттер», — просто снежную бабу слепили.

— На... сказал! — ревел Анатолий Сергеевич.

— Машины не положено под окнами ставить, — не сдавались подростки.

Анатолий Сергеевич втянул голову в салон и нажал на газ. Мотор натужно взревел, я закричала:

— Ребята, бегите, он собрался снеговика переехать.

— Во классно! — завопила девочка, прижимаясь к стене около меня. — Ну прикол! Ну пенка!

Не понимая, отчего перспектива гибели любовно вылепленной из снега фигуры так ее обрадовала, я хотела было спросить: «И тебе не жаль снежного человека?» Но тут «Мерседес» рванул вперед и налетел на снежную бабу.

Раздался противный скрежет, потом звук сминаемого металла. Подростки захохотали и мигом скрылись в подъезде. Я разинула рот. «Баба» развалилась на части, обнажился железный столбик, очевидно, остаток уличного фонаря.

Из «Мерседеса» полился поток мата. Я постаралась сдержать смех. В конце концов, противный Анатолий Сергеевич сам виноват. Дети спокойно играли на тротуаре. Они не бегали по проезжей части, не мешали автомобилям, не грубили хамоватому дядьке, просто не предупредили его, что мягкий снаружи снеговик внутри чугунный.

Анатолий Сергеевич вылез наружу и, безостановочно матерясь, принялся оглядывать помятый капот, испорченное крыло и разбитую фару.

— Поймаю — убью! — ревел он, пиная ногой остатки несчастного снеговика. — Урою! Всех!!!

Я тихонько отлепилась от стены дома, бочком протиснулась мимо «мерса» и побежала к метро в самом хорошем настроении. Ну, Евгений, погоди! От меня не спрячешься!

Девушка по имени Лада более чем любезно ответила:

— Вы приезжайте ко мне на службу, здесь и поговорим, нам не разрешают телефон надолго занимать!

Я вскочила в поезд метро и поехала на станцию «Чистые Пруды». Лада служила на складе, где отпускали мелким оптовикам мыло, зубную пасту, стиральный порошок и прочую бытовую химию.

Очень давно, в то время, когда я была женой казавшегося весьма удачливым бизнесмена, меня мучила тотальная аллергия на все. Достаточно было просто посмотреть на картинку с изображением кошки, как из глаз начинали литься слезы, из носа сопли, а все тело — чесаться... Не помогало ничего, о домашних животных я даже и не мечтала. Но потом моя жизнь переменилась, Ефросинья умерла, на свет появилась Лампа[1]. Вместе с Фросей канула в небытие и аллергия.

Теперь я сплю вместе с мопсами, спокойно гляжу Рамика и Рейчел, беру на руки кошку, ем цитрусовые и совершенно забыла о тех временах, когда была болезненной, хрупкой, ничего не умеющей делать особой.

Но сейчас, открыв дверь склада и вдохнув воздух, наполненный «ароматами» моющих средств, я мигом расчихалась, а по щекам потекли слезы.

— Во, — сказал стоявший у двери охранник, — прикинь, как нам тут хорошо!

— Вам должны противогазы выдавать, — прокашляла я, чувствуя, как во рту непонятно откуда появился вкус мыла.

— Ты его хоть раз надевала? — хмыкнул секьюрити. — Ваще караул!

Закрыв лицо носовым платком, кашляя и чихая, я добралась до огромного зала, заставленного стеллажами, и стала искать Ладу. Она сказала, что ее рабочее место возле ящиков с мылом.

Поплутав между коробками со стиральным порошком, бутылками «Аса» и «Ленора» и прочими моющими средствами, я наконец наткнулась на женщин, бродивших вдоль полок, толкая перед собой огромные тележки, забитые доверху товаром. Одна из них была в синем халате.

Я подошла, чихнула и спросила:

— Простите, где Лада?

«Синий халатик» обернулся:

— Это вы мне звонили?

Я кивнула и снова чихнула, раз, другой, третий.

---

[1] См. книгу Дарьи Донцовой «Маникюр для покойника».

— Ступайте на улицу, — велела она, — через дорогу находится пирожковая. Сейчас приду туда, только товар отпущу. Идите скорей, а то задохнетесь тут с непривычки.

Я кивнула и пошла в кафе.

Лада появилась минут через пятнадцать. Она скинула куртку, повесила ее на спинку стула и спросила:

— Чего не взяли пироги? Здесь вкусно готовят.

— Спасибо, — улыбнулась я, — но у меня такое ощущение, будто я съела пару кусков «Дав» или «Детского».

Лада рассмеялась:

— Это точно! Я сама, пока привыкла, как пьяная ходила, зато теперь нос ничего не воспринимает. Могу сидеть на берегу моря из одеколона и даже не чихну. Так чем я могу вам помочь?

— Вы сдаете квартиру?

Лада откусила полпирожка и с набитым ртом пробормотала:

— Ага, бабушка умерла, жилплощадь мне досталась. Чего ей зря пропадать? Я с родителями живу, вот выйду замуж и перееду, а пока мне и с мамой хорошо.

— А где клиентов берете?

Лада пожала плечами:

— Агентство присылает, «Инком», я через них действую, боюсь просто так людей пускать — неизвестно, на кого нарвешься. А в чем, собственно говоря, дело?

— Я ищу человека по имени Евгений Баратянский, Евгений Семенович. Вроде он жил у вас?

Лада нахмурилась:

— И зачем он вам?

Я тяжело вздохнула:

— Да денег он у меня одолжил, достаточно большую сумму, и исчез. Все обещал отдать завтра, через неделю, спустя месяц, а потом пропал. Приехала сегодня, а на квартире какая-то Лариса живет!

Кладовщица покачала головой:

— Такой мерзкий тип! Он и меня обманул, недоплатил за три месяца и убежал! Да еще у всего дома в долг набрал. Мне теперь там просто появляться страшно, люди с кулаками кидаются. Хотя, рассудите сами, ну чем я виновата, а? Тоже пострадавшей стороной являюсь! Денег-то с него не получила.

— Вы бы в «Инком» обратились, — посоветовала я, — что же они таких клиентов рекомендуют! Несолидно получается, пусть теперь хоть часть долга компенсируют.

Девица быстро доела второй пирожок.

— Так этого негодяя мне не в агентстве дали.

— А где?

— Яна посоветовала, подружка моя.

— Она знакома с Баратянским? — обрадовалась я.

— Вроде, — сердито протянула Лада, — надеюсь, не с улицы мне его привела! Вот дрянь! А я-то! Хороша идиотка! Нет бы паспорт спросить! Поверила Янке, подругой ее считала, и что получилось? Арендную плату не отдал, у соседей в долг набрал, да еще мой телик прихватил, когда съезжал, и видак.

— А Яна что?

— Ничего! — злобно воскликнула Лада, запивая пирожки чаем. — Стала какие-то глупости нести... Поругалась я с ней! Больше не встречаемся.

— Телефон ее дадите?

— Пишите, — пожала она плечами. — Только, думается, вы этого подлеца не найдете. Похоже, он

Янку тоже кинул, как меня, точно не знаю! То ли спер у них чего, то ли денег назанимал. Позвоните ей, может, что и знает, хотя она дура, вообще без ума.

— Это рабочий номер?

— Домашний.

— А когда ваша подруга приходит со службы? Лучше, наверное, после семи звонить?

Лада злобно сказала:

— Яночка у нас не работает, она творческая личность, художница, ищет себя, бумагу красками пачкает! Впрочем, ей с такими родителями нет никакой необходимости ломаться за копейки. Все принесут и подадут. Яне бы на моем складе посидеть, вот тогда бы поняла, почем фунт лиха! Уж могла бы при таких деньгах вернуть мне долг за этого Женю, раз посоветовала негодяя. Дома она, в ванне небось лежит, а не ящики с мылом ворочает.

ГЛАВА 27

Лада оказалась права, на пятый звонок трубку сняли, и раздался мелодичный голосок:

— Слушаю.

— Можно Яну?

— Это я.

— Разрешите представиться, Евлампия Андреевна Романова, лучше просто Лампа, хочу заказать вам картину.

— Мне? — изумилась Яна. — Вы ничего не путаете?

— Нет, вы где учитесь?

— Я закончила Строгановку, — ответила она.

— Вот-вот, Строгановку! — воскликнула я. — Помните свою однокурсницу Иванову?

— Иванову?

— Иванову!

Яна притихла. Я постаралась сдержать вздох. Неужели ошиблась? Ну не может быть, чтобы среди студенток не нашлось ни одной, носящей эту фамилию.

— Иванова, — растерянно повторила Яна, — ах, Тамарка!

— Точно, — пришла я в восторг, — именно Тамара. Она мне ваш телефон дала и сказала: «Яна лучше всех картину напишет, она удивительно талантлива!»

— Вот уж странность, — недоуменно воскликнула Яна, — я занимаюсь книжной графикой, делаю иллюстрации!

— Это просто я так выразилась — картина! Ищу художника для своей книги, я писательница! Когда к вам можно подъехать?

— К трем успеете? — спросила Яна. — Вечером я в театр иду. Живу в самом центре, на улице Алексея Толстого.

— Уже лечу! — воскликнула я и кинулась к метро.

Яночка оказалась милой, застенчивой женщиной лет тридцати. Она провела меня в большую, светлую, обставленную дорогой мебелью комнату и вздохнула:

— Наверное, вы зря приехали.

— Почему же? — улыбнулась я.

— В каком издательстве выпускаете книгу?

На секунду я растерялась, но потом бодро ответила:

— «Музыка».

— И договор уже на руках?

— Конечно, даже аванс дали.

— Понимаете, — замялась Яна, — в издательствах имеются свои художники. Там очень не любят, когда оформлением книги занимается человек со стороны. Исключением является тот случай, когда автор делает иллюстрации сам. Я с удовольствием посмотрю вашу книгу, но, думается, издатели будут настаивать на своей кандидатуре иллюстратора. Вы принесли рукопись?

— Нет, хотела сначала просто договориться, — ответила я, — узнать ваше мнение.

— О чем книга?

— О музыке, об истории арфы.

— А-а-а, — протянула Яна, — не художественная литература.

Испугавшись, что сейчас разговор заведет нас вообще не в ту степь, я быстро сообщила:

— Ну, ее читали мои друзья, всем очень понравилось, Женя Баратянский даже законспектировал кое-какие главы.

— Кто? — отшатнулась Яна.

— Женя Баратянский, — медленно повторила я, глядя ей прямо в глаза.

Яночка вспыхнула огнем, покраснели даже ее маленькие ушки. Потом румянец стек с лица.

— Это вы? — прошептала она. — Я сразу подумала, дело нечисто! Но зря вы приехали, мы с ним расстались, я не помеха вашей жизни! Да, с моей стороны было некрасиво крутить роман с женатым человеком, обремененным детьми, но я ничего с собой поделать не могла. Увы, путь к прозрению был долгим и мучительным. И я никогда не подбивала Евгения на развод, поверьте мне!

Я спросила:

— А зачем вы с ним связались? Разница в возрасте-то у вас значительная.

— Женя сначала показался мне удивительным человеком, — тихо призналась Яна, — очень тонким, интеллигентным. Он необыкновенно тонко понимает живопись, и потом...

Она замолчала. Я сочувственно посмотрела на нее, слова тут не нужны, все и так понятно. Баратянский пустил в ход все свое обаяние, чтобы обольстить богатую невесту. Странно, однако, что он наврал ей про семью. Мне казалось, что Женя должен был, наоборот, уверять Яну в полном отсутствии каких-либо женщин в своей жизни.

Но Яночка поняла мое молчание по-своему.

— Конечно, — медленно произнесла она, — вы меня презираете, я бы тоже не испытывала уважения к девушке, которая пыталась отбить у меня мужа.

Ага, значит, Яна приняла меня за жену Евгения.

— Но поверьте, — лепетала девушка, — я узнала о вашем существовании чисто случайно. Мы с Женей пошли в театр, потом он проводил меня домой и, уходя, выронил мобильный. Я не знала, как он отключается, а аппаратик начал безостановочно звенеть, вот я и решила ответить.

Яна нажала на зеленую кнопочку и услышала высокий, слегка задыхающийся женский голос.

— Жека!

— Его нет, — ответила она.

— А вы кто? — возмутилась женщина. — С какой стати отвечаете по телефону моего мужа?

— Вашего мужа? — прошептала Яночка.

Было от чего оторопеть. Женя твердил ей о своей любви, между ними, как считала Яна, все было давно решено, намечался даже день свадьбы, и вдруг такое заявление!

— Моего мужа, — недовольно повторила баба.

Яночка интеллигентный человек, поэтому на всякий случай решила уточнить:

— Вашего супруга зовут Евгений Баратянский?

— Именно так, — подтвердила тетка, — Евгений Семенович, а я — Рита. А вы кто, милочка, немедленно отвечайте!

Больше всего на свете Яна боится скандалов и выяснения отношений, поэтому она дрожащим голоском ответила:

— Медсестра из стоматологического кабинета. Евгений Семенович, когда был у нас на приеме, выронил аппарат. Передайте ему, чтобы забрал.

— Хорошо, — буркнула Рита и отсоединилась.

Яна глянула на дисплей телефона и увидела высветившийся там номер, запомнить который оказалось крайне просто: 1000000.

Женя приехал на следующий день и недовольно сказал:

— Ну зачем ты решила отвечать по моему телефону?

— Хотела отключить его и не сумела, — принялась оправдываться Яна.

— Так и не трогала бы, — злился он.

Тут до нее дошла абсурдность ситуации, и она, рассердившись на себя за мягкотелость и излишнюю интеллигентность, воскликнула:

— Извини, конечно, но я не предполагала, что тебе станет звонить жена. Я считала тебя свободным человеком.

— Нет у меня никого, — рявкнул Женя, — глупости! Не бери никогда мой сотовый!

Яночка, когда на нее начинают кричать, мигом чувствует себя виноватой, и в тот раз она сразу залепетала:

— Прости, прости, это вышло случайно.

Женя сменил гнев на милость:

— Ладно, собирайся, поедем в кино.

Вечером в ее душе вновь вспыхнули подозрения. Яна промучилась всю ночь без сна, а наутро...

— Позвонила вам и узнала правду, — сказала Яна, — только сейчас вы зря приехали, прикинувшись писательницей. Жени тут нет, мы расстались. Я, конечно, виновата перед вами, но...

— Меня зовут Евлампия, — перебила ее я, — Евлампия Романова, вот служебное удостоверение.

Яночка взяла бордовую книжечку и недоуменно воскликнула:

— Так вы не Рита Зверева? Не жена Евгения?

— Нет, я ищу Баратянского.

— Зачем?

Секунду поколебавшись, я ответила:

— Он разыскивается по подозрению в воровстве. Моя клиентка не хочет привлекать к делу милицию, потому обратилась в нашу контору.

Яна вспыхнула:

— Да, понятно. В воровстве...

— Он и у вас что-то взял? — дошло до меня.

Она медленно кивнула:

— Мне неприятно даже думать о нем. Евгений очень непорядочный человек.

— Вы знаете, где он?

— Понятия не имею.

— А зачем тогда, если вы считали его непорядочным человеком, посоветовали Ладе сдать квартиру Баратянскому? Решили насолить заклятой подруге?

Яна стала просто пунцовой.

— Нет, конечно, в то время я еще не знала правду. Чувствовала себя очень виноватой перед ним, из-за меня он лишился жилплощади, вот и решила помочь...

— Это каким же образом вы ухитрились отнять у Евгения квартиру?

Она грустно вздохнула:

— Понимаете, я, наверное, очень наивна, если не сказать — глупа. Кое-кто из знакомых считает меня клинической дурой. Лада, кстати, из их числа. Но меня так родители воспитали. «Всегда говори правду, лучше умереть, чем солгать». Вот я и позвонила этой Рите, телефон-то легко запоминающийся.

Яночка набрала номер и с детской непосредственностью поинтересовалась у Риты:

— Баратянский ваш муж?

— Да, — ответила та.

— И дети у вас есть?

— Двое, — недоуменно ответила Рита и спросила: — А вы кто?

И тут Яна не выдержала, заплакала и рассказала ей, что собиралась выйти за Евгения замуж, что родители дали согласие на свадьбу, осталось лишь назначить день бракосочетания.

Рита молча выслушала ее и рявкнула:

— Пошла вон, дура. Евгений женат, оставь его в покое!

Бедная Яна кинулась пить валокордин. Спустя сутки явился Женя и заорал на нее:

— Какого черта ты разговаривала с Ритой?

— Но... — заблеяла Яна.

— Вот тебе и «но», — завопил всегда вежливый Баратянский. — Чего хотела добиться? А?

— Она твоя жена, — прошептала Яна, — законная, как же мы можем пожениться?

— Надеюсь, ты не рассказала родителям эту историю? — деловито осведомился Евгений.

— Нет, мне стыдно, — прошептала она.

— Не будь дурой, — оборвал ее кавалер. — Рита мне не жена.

— А кто?

— Никто!

— Но она говорит...

— Врет, — отрезал Евгений, — кстати, из-за тебя я остался без квартиры, Ритка выставила мой чемодан за дверь. Где мне ночевать?

— Постой, постой, — перестала что-либо понимать Яна, — так ты жил у этой Риты?

— Не у нее, а в одной квартире с ней, — рявкнул Женя.

— Но почему?

— Она моя бывшая жена, — пояснил он, — между нами все давно кончено. Я поймал ее в постели с другим мужчиной, вот и произошел разрыв. Рита, правда, надеется на возобновление отношений, но я никогда не пойду на это.

— А дети? Жалко их, — прошептала Яна.

— Спиногрызы не мои!

— Чьи же?

— Риткины, от первого брака, да и взрослые они уже. Она ужасно ревнива, вот и выставила меня после твоего звонка!

— Но какое она имела право...

— Я там не прописан, — пояснил Женя.

У Яны голова пошла кругом, и она, как всегда, почувствовала себя виноватой.

— И где мне теперь жить? — злился Женя. — У тебя в подъезде?

— Сейчас, сейчас, — подхватилась Яна, — Лада, моя подруга, квартиру сдает.

По счастью, «однушка» пустовала, и Женя отправился по новому адресу. Яночка же, провертевшись до трех утра без сна, не выдержала, разбудила маму и рассказала ей эту историю. Ангелина Федоровна нахмурилась.

— Знаешь, детка, похоже, он водит тебя за нос.

— Ты так считаешь?

— Конечно, — кивнула мама, — концы с концами не сходятся. Значит, он жил на квартире у бывшей жены, не будучи там прописан? В такое верится с трудом. Да ни одна женщина не потерпит около себя прежнего супруга, если только не надеется на возобновление отношений. Значит, либо он не развелся, либо спит с этой Ритой. И потом, где же он прописан?

— Не знаю, — развела руками Яна, — никогда не была у него в гостях.

— Он тебя не звал? И почему?

— Ну... говорил, что живет вместе с бабушкой в крохотной однокомнатной квартире, спит на кухне...

Ангелина Федоровна с жалостью посмотрела на недалекую дочь и велела:

— Когда твой жених соберется к тебе в гости, предупреди меня, нам надо поболтать.

Та кивнула и выполнила просьбу матери. Ангелина Федоровна увела Евгения в свою спальню, скоро оттуда послышался ее гневный голос, Баратянский выбежал в коридор. Не попрощавшись с Яной, жених натянул ботинки и был таков.

— Деточка, — сказала Ангелина Федоровна, — увы, он негодяй! Не спрашивай подробности.

Яна зарыдала, мать ее обняла.

— Не плачь, мое солнышко, мы найдем того, кто полюбит тебя по-настоящему.

Через неделю Евгений приехал к Яне, предварительно уточнив:

— Твоих родителей нет?

— Нет, — ответила Яна. Она дала маме честное

слово больше никогда не встречаться с Баратянским, но, услыхав любимый голос, мигом потеряла голову.

Женя явился с букетом и запел соловьем:

— Я люблю тебя больше жизни, но Ангелина Федоровна против нашего брака, счастья нам не будет.

Он выпил чаю, поцеловал Яну и прошептал:

— Увы, придется расстаться, не поминай меня лихом.

Она залилась слезами и стала умолять его остаться.

— Не могу, — отбивался Женя, — твои родители настроены против меня.

На том и расстались. Когда за бывшим женихом захлопнулась дверь, Яночка разрыдалась. Потом, успокоившись, опять задала себе вопрос: «А зачем приходил Женя? Какая нужда была в этом разговоре? И так понятно: отношения разорваны, что за необходимость подчеркивать это еще раз?»

Ответ она получила в субботу, когда вместе с отцом стала собираться в театр. Девушка решила надеть дорогое сапфировое ожерелье, подарок отца на день рождения, но бархатная коробочка оказалась пуста. Все сразу стало ясно. В спальню Яна пускала только Женю, он знал об ожерелье и о том, где оно хранится. В их последнюю встречу Евгений находился некоторое время один в комнате, Яна пошла на кухню за чаем. Вот зачем приходил бывший кавалер!

Кляня себя за глупость и наивность, она соврала родителям, что колье потерялось.

Мама поахала, поохала, да и забыла о случившемся. Яночка же пыталась не вспоминать о Евгении Баратянском. Но, к сожалению, это удавалось ей с трудом.

Сначала к ней подошла консьержка и робко сказала:

— Яна, пусть Женя должок отдаст.

— Какой? — удивилась та.

— А он разок перехватил у меня двести рублей, — пояснила старушка, — таксист ему сдачи дать не мог, вот я и выручила. Для него две сотни небось копейки, вот он и забыл, а у меня зарплата крошечная.

Яна вытащила кошелек и вернула деньги. Но этим дело не закончилось. Потом точь-в-точь такую же историю озвучила домработница, у нее Женя перехватил триста рублей, а спустя пару недель пришла дворничиха и потребовала полтыщи.

Бедная Яна больше всего боялась, что сведения о привычке Жени брать у всех взаймы дойдут до родителей. Но ни Ангелина Федоровна, ни Петр Степанович ничего не узнали. Ну а потом приехала Лада и устроила скандал, требуя с нее плату за три месяца. Но тут Яна обозлилась и резко ответила:

— При чем тут я?

— Как это? — возмутилась подруга. — А кто его рекомендовал?

— Я ему никто, — отрезала Яна.

— Вот ты какая! — закричала Лада, и дружба в одночасье лопнула.

На улице уже стемнело. Когда я вышла от Яны, часы показывали ровно семь вечера. Ежась от холодного ветра, я пошла к метро. Да уж, чем больше узнаю о милейшем Жене, тем сильней он мне не нравится!

Приехав домой, я открыла дверь, вошла в прихожую и услышала гневный голос Юли:

— Нет, какое безобразие, она просто с ума сошла!

— А уж грязи-то, — ответил Сережка, — грязи!

— Какой от нее толк? — зудела Юля.

— Да выгнать давно пора вон, на улицу, откуда пришла, пусть туда и возвращается! — откликнулся Серега.

— Вы, ребята, не горячитесь, — перебил их Володя Костин, — нельзя с бухты-барахты решать судьбу человека.

— Пусть катится прочь, — взвизгнула Юля, — видеть ее не могу!

Я быстро влезла в сапоги и выскочила на лестницу. Это они говорили про меня! Юлю, пришедшую с работы, разозлила грязная посуда и неубранная кухня. Но кто же сказал, что я всегда должна мыть за всеми тарелки? Внезапно мне стало грустно. И куда теперь идти? У меня была своя квартира, но она давно продана, собрание картин, доставшееся от родителей, хранится в банке... Если Юля и Сережа считают меня нахлебницей...

К глазам подступили слезы, я-то полюбила их всех, но очень не хочу превращаться в «Тыбы»: «Ты бы сходила...», «Ты бы принесла...», «Ты бы сделала...»

Постояв пару мгновений на лестнице у окна, я приняла решение и побежала к Нине Ивановне. Еще вчера утром мне не пришло бы в голову даже смотреть на того, кого сватает председательница. Но сейчас-то обстоятельства изменились.

На сердце лежал камень, а рука еле поднялась к звонку. Мне показалось, что она весит килограммов пятьдесят, не меньше. И еще было очень, просто очень обидно! Вот они как со мной!

ГЛАВА 28

Нина Ивановна распахнула дверь и заулыбалась.

— Евлампия Андреевна, проходите, проходите, страшно рада, вот сюда, в большую комнату!

Я вошла в помещение, сильно смахивающее на юрту зажиточного кочевника. Повсюду тут были ковры: один на полу, два на стенах. Буфет забит хрустальными фужерами и рюмками. В центре громоздились стол и четыре стула. В углу сверкал телевизор, чуть поодаль стояли два кресла, прикрытые кружевными накидками. Окно закрывали парчовые шторы, зеленые с золотом. Рисунок на них напоминал перезревшие огурцы: большие, толстые, желтые. Дышать здесь было нечем.

— Вы садитесь, дорогая моя, — суетилась Нина Ивановна, — сейчас Петр Леонидович выйдет. Ах, он такой стеснительный, прямо до смешного! Пойду его потороплю, небось галстук выбирает.

С этими словами она убежала. Я осталась одна и уставилась на буфет. Вон тот пузатый чайник Нина Ивановна привезла из Средней Азии, а стоящий рядом с ним сервиз «Мадонна» прибыл из Германии, где служил супруг председательницы.

...Однако жених заставляет себя ждать.

Тут раздался звонок, потом голоса:

— Пришла чуть раньше, не страшно? — спросил кто-то. — Мы договаривались на полдесятого, но закончила работу...

— Ничего, ничего, — запела Нина Ивановна, — сейчас вам тапочки принесу.

Через секунду хозяйка влетела в гостиную и зашептала:

— Вот принес черт! Это моя дальняя родственница, седьмая вода на киселе! Набилась в гости, поболтать ей охота. Ну что за люди! Предупредила же, не раньше чем в девять тридцать. Нет! Приперлась без пятнадцати восемь! Совсем без понятия! Вот что, Евлампия Андреевна, вы ей не дай бог про сватовство не сболтните. Такая противная баба! Прямо беда! Я скажу, что вы моя... э... подруга! Идет?

— Конечно, — кивнула я, — мне самой не слишком хочется объясняться с посторонними.

— Вот и чудесно! — просияла Нина Ивановна. — Сейчас Петр Леонидович оденется, попьем чайку, ненавязчиво познакомимся!

Резко повернувшись, она убежала и спустя мгновение вернулась, толкая перед собой женщину лет пятидесяти, в ярко-красном костюме.

— Знакомьтесь, это Кирочка. Кира Григорьевна, разрешите представить вам мою лучшую подругу Евлампию Андреевну.

— Здравствуйте, — церемонно произнесла вошедшая.

— Добрый вечер, — кивнула я.

— Вы тут пока пообщайтесь, — фальшиво-весело закивала хозяйка, — а я Петра Леонидовича потороплю!

Мы с теткой уставились друг на друга. Когда молчание стало невыносимым, я решила завести светскую беседу:

— Какой холодный сегодня вечер!

— И не говорите, — отозвалась Кира Григорьевна, — мороз!

— Очень скользко!

— Просто каток!

— Впрочем, мне такая погода больше нравится, чем слякоть.

— Однозначно! Но у нас вечно катаклизмы, под Новый год всегда дождь идет!

— И не говорите, а летом вдруг заморозки начинаются!

Вымолвив последнюю фразу, я поняла, что больше ничего не могу сказать о погоде, и замолчала. Кира Григорьевна тоже притихла. Мы посидели в неловкой тишине, потом родственница Нины Ивановны предприняла новую попытку завести разговор:

— Что-то морозит!

— И не говорите, холодает!

— А под ногами лед.

— Просто ужасно, дико скользко.

— Но, согласитесь, когда зимой тепло, это ненормально!

— Да уж, но у нас вечно с погодой безобразие творится!

Вновь повисло молчание. Я уже собиралась пойти по третьему кругу, но тут в комнату заглянула Нина Ивановна.

— Не скучаете?

— Нет, — хором ответили мы с Кирой Григорьевной.

— Вот и чудесно, — оживилась хозяйка, — сейчас Петр Леонидович оденется, и мы вместе попьем чайку.

Я удивилась. Ну почему он так долго не выходит? Впрочем, Нина Ивановна вроде сказала, что он выбирает галстук! Конечно, это дело важное, сразу и не сообразишь, какой повязать, но сколько же их у незнакомого Петра Леонидовича? Ведь не тысяча же!

— Простите, — кашлянула Кира Григорьевна, — я понимаю, что мой вопрос покажется глупым или, не дай бог, бестактным, но, поймите меня правильно, дело такое... Вы же близкая подруга Нины Ивановны?

Я решила играть роль до конца и кивнула.

— Да.

— И как он?

— Кто?

— Петр Леонидович, естественно, как он?

— По-моему, нормально, — ответила я осторожно.

— Он здоров?

Я на секунду замешкалась. Что ответить? Вдруг он недавно болел гриппом? Я-то его совершенно не знаю!

— Ну, кажется, Петр Леонидович хорошо себя чувствует, насколько это возможно в его возрасте.

— В каком? — вдруг оживилась Кира Григорьевна.

— Что вы имеете в виду? — осторожно поинтересовалась я.

— Сколько ему лет?

— Кому? — Я решила прикинуться валенком.

— Да Петру Леонидовичу! Вы же должны знать!

— Э... э... э... — протянула я, — ну... точно цифру не назову... в общем, он мужчина в самом расцвете сил.

— А здоровье? Здоровье как?

— Чье?

— Петра Леонидовича?

Честно говоря, непонятное назойливое любопытство Киры Григорьевны стало меня несколько раздражать.

— Отличное, — рявкнула я, — в космос отправлять можно! Туда-сюда слетает, с выходом на внешнюю сторону модуля, и даже не запыхается.

— Ах, милая Евлампия Андреевна, — закатила хитрые, похожие на бусинки, глазки Кира Григорьевна, — надеюсь, мы будем долго дружить, вместе пить чай под яблоней. У него же в саду есть фруктовые деревья? Вы должны знать, вы ведь ближайшая подруга нашей милой Нины Ивановны.

— У кого? — на этот раз совершенно искренне спросила я.

— Да у Петра Леонидовича, на даче.

— Ага, — кивнула я, — и яблони, и груши, и сливы, и капуста.

— Ах, дорогая Евлампия Андреевна, — Кира неожиданно пришла в бурный восторг, — можно я вас поцелую?

Я терпеть не могу, когда меня трогают посторонние люди. Если в метро кто-то случайно задевает меня локтем, в особенности летом, когда тело не защищает толстая одежда, мне тут же хочется пойти помыться. Поэтому я собралась воскликнуть: «Нет, нет, я, кажется, грипп подхватила, могу заразить вас», но не успела.

Кира Григорьевна с резвостью молодой лошади подскочила ко мне и мгновенно заключила в свои объятия, обдав запахом дешевых духов, и несколько раз чмокнула в щеку.

— Дорогая, милая, любезная Евлампия Андреевна, считайте меня своей подружкой.

С огромным трудом мне удалось вырваться из ее душных объятий. Она явно собралась предпринять еще одну атаку, но тут дверь распахнулась, и появилась сияющая Нина Ивановна.

— А вот и мы, Петр Леонидович, иди сюда!

Кира Григорьевна мгновенно выхватила из сумочки пудреницу и шепотом спросила:

— У меня тушь не осыпалась?

— Чудесно выглядите, — успокоила ее я.

— Ну, Петр Леонидович, — ворчала Нина Ивановна, — не конфузься! Не съедят тебя, право слово, вот ведь скромный какой!

Послышался мерный стук, и в комнату вошел наконец столь долго ожидаемый мной принц.

— Ой, — тихонько выдохнула Кира Григорьевна и выронила пудреницу.

Я разинула рот. Да уж, приходится признать, Нина Ивановна не солгала. Петр Леонидович определенно был сиротой. Его родители умерли давным-давно. Если я соглашусь стать женой этого человека, мне нечего бояться ни злой свекрови, ни сердитого свекра. И за бабами он гоняться не станет. Отчего я пришла к такому выводу, кинув на жениха беглый взгляд? Ну очень просто! Петру Леонидовичу на вид было лет... восемьдесят. Надо сказать, что выглядел он как огурец, правда, слегка увядший и скособоченный.

Щуплое тельце дедушки было втиснуто в довольно приличный, аккуратно выглаженный костюм, на его шее болтался столь долго выбираемый галстук. Вообще говоря, Петр Леонидович зря нацепил его. Либо у дедули дальтонизм, либо он просто перестал различать цвета из-за старческой слепоты, потому что синий галстук совершенно не гармонировал с зеленой сорочкой и светло-коричневым костюмом.

Абсолютно лысый череп сверкал под светом люстры. Может, он его чем-то мажет? Человеческая кожа просто не может быть такой гладкой. И еще дедуля плохо слышит, потому что в одном ухе торчит слуховой аппарат. Да и с мозгами у него, наверное, беда, иначе как объяснить, что Петр Леонидович вышел к гостям в разных ботинках? Левая нога его обута в черный кожаный штиблет, а правая — в сабо рыжего цвета.

— Садитесь, садитесь, — суетилась Нина Ивановна, вытаскивая из буфета чашки.

— Что? — повернул к ней голову божий одуванчик.

— За стол иди.

— Что?

— Вот стул!

— Что?

— О господи! — в сердцах воскликнула председательница, выдернула из уха бравого жениха пластмассовый крючок, потом сунула его на место. — Сколько раз тебе говорить: не уменьшай громкость!

— Что ты так кричишь, Нинуша, — укоризненно пропищал Петр Леонидович, — не глухой ведь!

— Вот зефир, печенье, — сводница решила сменить тему, — прошу, угощайтесь! Мы с Петром Леонидовичем очень рады, что вы заглянули на огонек.

Я взяла розовую пастилу и отхлебнула чай. Да уж! Женишок-то слегка поеден молью, правда, он весьма бойко разговаривает.

— Чай — это великолепно, — вещал Петр Леонидович, размешивая ложечкой сахар, — помнится, в двадцать седьмом году я впервые попробовал... это... ну как его зовут... Нинуля! Ты же знаешь, ну такое коричневое!

— Какао, — невольно пришла я на помощь.

— Нет, нет, по-другому называется...

— Кофе.

— Да нет же, экие вы несообразительные!

— Компот, — попыталась угадать очнувшаяся от потрясения Кира Григорьевна.

Петр Леонидович сердито засопел:

— Ну это, это же...

— Горячий шоколад!

— Нет!!!

— Кефир, — брякнула я.

— Ряженку, — быстро добавила Кира Григорьевна. Она явно была находчивее меня, согласитесь, ряженка ближе к «коричневому», чем кефир.

— Нинуля, — обиженно протянул Петр Леонидович, — отчего они такие непонятливые?

— Ты лучше расскажи про свою дачу. — Сваха опять решила сменить тему разговора. — Сколько у тебя соток?

Бравый дедок пожевал нижнюю губу.

— Сорок.

— Скажите пожалуйста, — восхитилась Кира Григорьевна.

Глаза ее загорелись, и она мечтательно протянула:

— Мне бы такой участок! Весь могу цветами засадить! А что у вас там растет?

Петр Леонидович кашлянул и принялся довольно уверенно перечислять:

— Яблоки, сливы, малина, эта... на букву «ф», ну как ее... Нинуля!

— Флоксы, — подсказала Кира Григорьевна.

— Нет.

— Фуксия, — гостья вновь предприняла попытку угадать.

— О, нет!

— Фикус, — выпалила я.

— Он же несъедобный! — с гневом отверг эту версию склеротик.

На секунду я растерялась. А что, разве флоксы и фуксию можно употреблять в пищу? Впрочем, может, из них делают салаты? Едят же японцы орхидеи.

— Финики! — воскликнула Кира Григорьевна.

Петр Леонидович обиженно засопел.

— Фонарики китайские, — обрадовалась я. А что, с Петром Леонидовичем интересно беседовать, словно кроссворд разгадываешь!

Нина Ивановна вновь решила взять руль беседы в свои руки:

— Петр Леонидович всю жизнь находился на ответственной работе, отдал себя служению государству, семьи завести не успел. Ну-ка, Петруша, расскажи, какая у тебя квартира?

— Пятикомнатная, — охотно ответил старичок, — приватизированная, вся обставленная.

— Вот это да! — прошептала Кира Григорьевна, потом более громким голосом спросила:

— И где же она находится?

— На... ну... там... — замахал руками рамолик, — прямо возле метро.

— Очень хорошо, — подхватила Кира Григорьевна, — а какая станция?

— На «с», — просвистел дедок.

Мы с жаром принялись угадывать.

— «Семеновская»?

— Нет.

— «Сухаревская»?

— Нет.

— «Смоленская»?

— Нет.

— «Савеловская»?

— Да нет же!

Мне стало весело. Ей-богу, Петра Леонидовича следует приглашать на вечеринки, гости никогда не соскучатся.

— Садовая, — ляпнула Кира Григорьевна.

— Такой нет, — покачала я головой.

— О! Точно! — взвился над стулом старичок. — Садовая! Но какая? Триумфальная или Спасская? Нинуша! Ответь!

— Лучше съешь конфету, — велела Нина Ивановна.

— Вы давно дружите с Петром Леонидовичем? — полюбопытствовала Кира Григорьевна.

Неожиданно Нина Ивановна довольно сердито ответила:

— Всю жизнь почти! Он старший брат моего мужа. Видите, как несправедливо получилось! Володя сильно младше был, а давно умер. Петр же только о себе всегда думал, жил, как хотел, а потом решил ко мне переехать.

А, понятненько! Прогнать престарелого родственника Нине Ивановне не позволяет воспитание, вот она и решила найти выход из положения, самой-то совсем неохота ухаживать за посторонним стариком. Конечно, Петр Леонидович обеспеченный дедушка: квартира, дача, хорошая пенсия, но как бы поскорей убежать отсюда?

— Нинуля! — воскликнул дедушка. — Я не выпил мезим, а ем сладкое! Почему ты за мной не следишь!

— Возьми таблетку в аптечке, — велела председательница.

— А где она?

— В ванной.

— Как туда попасть?

— По коридору, последняя дверь!

— Это куда идти, направо или налево?

— Пошли, — потянула его за рукав Нина Ивановна. — Извините нас, — пробормотала она, — сейчас вернемся.

Мы с Кирой Григорьевной остались одни.

— Евлампия Андреевна, — мгновенно примоталась ко мне тетка, — скажите откровенно, он как?

— Кто?

— Петр Леонидович.

— Замечательный человек, — осторожно ответила я, — но не для меня, знаете, я люблю блондинов.

— А мне без разницы, брюнет, шатен, был бы богатый, — протянула Кира Григорьевна.

Мы помолчали, потом вдруг моя собеседница резко вскинула голову:

— Погодите, что значит «не для меня»? Вы здесь при чем?

— Нина Ивановна хочет сосватать нас с Петром Леонидовичем, — сказала я сущую правду и тут же вспомнила, что председательница просила меня этого не говорить. Но поздно! Слово не воробей...

— Как, — посерела Кира, — и вас тоже? Вы не ее подруга?

— А вы не родственница, а тоже невеста? — дошло до меня.

Она кивнула.

— Странно, однако, что Нина Ивановна решила позвать нас вместе, — пробормотала я.

Кира Григорьевна деликатно кашлянула.

— Ну, это я напутала. Она велела приходить не раньше полдесятого, но я работаю здесь рядом, в химчистке. Смена закончилась в полвосьмого, вот и подумала: чего по улицам попусту два часа шататься, темно и холодно! А оно вон как получилось!

Я постаралась сдержать смех. Однако Нина Ивановна полна решимости избавиться от «брата», небось надоел ей до зубовного скрежета.

— Интересно, — протянула моя «соперница», — нас только двое? Или еще кто имеется в запасе?

— Не знаю, — пожала я плечами, — вполне вероятно, что тут очередь, а может, лишь две претендентки.

Внезапно Кира Григорьевна схватила меня за руку:

— Милая Евлампия Андреевна, у меня ужасное положение. Вы где живете?

— Тут, в этом подъезде.

— А я на вокзале.

— В каком смысле?

— В прямом. Дочь вышла замуж, зять меня из дома выгнал, квартирка маленькая, полуторка. Вот и заявил: «Ступайте отсюда, здесь троим места нет!»

— Вы ушли? — возмутилась я. — И дочь не остановила?

— Она ему в рот смотрит, — грустно ответила бездомная, — каждое слово ловит. Уступите Петра Леонидовича мне, а? Для меня это сказочный вариант: дача, квартира...

— Забирайте старика себе, — охотно согласилась я, — он выглядит совсем древним!

— Вот и здорово! — кивнула Кира Григорьевна. — Я ему скрашу последние денечки, а потом останусь богатой вдовой. Приползут еще ко мне зять с дочкой на коленях — всем охота летом на даче под яблонькой чаек пить!

— Пожалуйста, он ваш.

— Может, сразу уйдете? — засуетилась Кира Григорьевна.

Я кивнула:

— Конечно, удачи вам и счастливой семейной жизни.

— Убегайте скорей, — поторопила меня она, — пока они таблетки в ванной ищут. Даст бог, и вы свою судьбу скоро найдете, а я за вас молиться стану.

Я вышла на лестницу и рассмеялась. Представляю, что сказали бы мои домашние, увидев дедушку в качестве родственника. Внезапно веселое настроение испарилось без следа. Мне-то что делать? Куда податься? В квартиру, где живут Катюша, Сергей и Юля, возвращаться не хочу. Может, как Кире Григорьевне, двинуть на вокзал?

ГЛАВА 29

Чувствуя себя усталой и никому не нужной, я посидела на подоконнике, а потом, приняв решение, спустилась на первый этаж, открыла дверь, вышла во двор...

Под ноги, отчаянно лая, кинулись две собачки, одетые в полосатые желто-коричневые кофточки. Мулечка и Адюша, радостно повизгивая, пытались обнять меня лапами. Я села на корточки и заплакала. Собаки заскулили и принялись слизывать слезы с моих щек. Их нежные, теплые языки напоминали бархат, и я поняла, что моя решимость уйти начинает испаряться.

— Эй, Лампудель, — вынырнул из темноты Костин, — ты где была? Там все волнуются! Дуй домой.

Я принялась вытирать сопли.

— Чего ревешь? — насторожился Володя.

— Отстань!

— Быстро рассказывай.

— Отвяжись, — прошипела я, — голова болит. Слушай, можно у тебя сегодня переночевать?

Вовка внимательно посмотрел на меня и велел:

— А ну ступай ко мне наверх, сейчас только собак отведу.

Я приехала в его квартиру, скинула сапоги, повесила куртку и рухнула на диван. Очень не люблю врать про то, что заболела, потому как мигом начинаю себя плохо чувствовать. Вот и сейчас к виску стала подкатываться мигрень. Я вдавила лоб в пахнущую табаком подушку и натянула на себя плед. Никто в целом свете меня не любит, ни одна душа, разве что Муля с Адой, но и те мигом вычеркнут меня из памяти. Слезы потоком хлынули из глаз.

Из прихожей послышались голоса, потом топот ног, и в комнату ворвалась толпа.

— Лампуша! Что случилось?!

— Она плачет!

— Ламповицкий, прекрати.

— Лампудель, на, это тебе...

Передо мной возникла коробка страшно дорогого шоколада «Линдт».

— Ну съешь конфетку, — заныл Сережка.

— Быстро колись, голуба, — велел Вовка, — чего наваляла?

Я скинула набор на пол.

— Вы меня не любите, совсем...

Слова полились потоком, временами я задыхалась от жалости к себе, начинала рыдать, потом, слегка успокоившись, продолжала выплескивать накопившееся горе. Наконец ведро с обидами опустело.

— Да уж, — протянул Сережка, — мы вообще-то не о тебе говорили.

— А о ком?

— У нас на работе одна дрянь появилась, — пояснила Юлечка, — на всех грязь льет, такая сволочь! Вот, хотели ее выгнать.

— Ты, как всегда, неправильно поняла чужие слова, — покачал головой Вовка, — поэтому ваше агентство «Шерлок» и умирает, слышите одно, а понимаете совсем другое. Эх, бабы!

— Мы тебя любим! — заорали Лиза и Кирюшка.

Я снова зарыдала, на этот раз от радости. Размахивая руками и причитая, домочадцы отволокли меня в спальню и запихнули в кровать. Сережа притащил горячий чай с лимоном и, поставив чашку около коробки шоколадных конфет, заявил:

— Знаешь, Лампудель, любой бабе иногда хочется закатить истерику.

Юлечка принесла мне мандарин, Кирюшка, подмигивая, протянул журнал «Детектив», Лизавета подоткнула одеяло и заявила:

— Сейчас по городу вирус бродит, скорей всего, ты его и подцепила.

Когда все ушли, я снова заплакала, уже от умиления. Вот как они меня, оказывается, любят, а мне и невдомек. Наконец слезы иссякли. Я выпила чаю, слопала почти все конфеты. Кстати, ничего особенного. Я ожидала от шоколадок стоимостью почти в тысячу рублей большего. Глаза уставились в журнал, полежу почитаю. Нет, как хорошо дома!

Дверь тихонько приотворилась, заглянула Лиза.

— Лампуша, погладь мне кофточку.

Я отложила журнал. Девочка исчезла, ее место незамедлительно занял Кирюшка.

— Лампудель, будь другом, пришей пуговицу к брюкам.

— А у меня на завтра нет чистой рубашки, — перебил его Сережа, — и вообще, на ужин пельмени варили, отвратные, клейкие, с невкусной начинкой.

— Картошечки хочется жареной, с луком, — заныла Юля. — Лампуша, ты одна умеешь такую делать. Сейчас скончаюсь от голода.

— Дайте вы ей отдохнуть, — отпихнул всех от моей двери Костин, — сами же решили: Лампа сегодня лежит в кровати, ест шоколад и читает журнал.

— Ага, — прозвучал хор расстроенных голосов, — конечно, мы подождем до завтра.

— В конце концов, — грустно сказала Юля, — наедаться на ночь очень вредно.

Я рассмеялась, нашарила тапки и отправилась на кухню жарить картошку, гладить кофту и пришивать пуговицы. Больше всего на свете боюсь стать ненужной, а журнал можно и в метро почитать.

«Детектив» я на самом деле прихватила с собой в дорогу на следующий день, когда отправилась к Рите. Она жила в противоположном конце города, и я за полтора часа тряски в метро и маршрутном такси успела прочитать издание от корки до корки.

Замечательный, легко запоминающийся телефон оказался рабочим.

Мы договорились о встрече у Риты дома, после шести вечера, но я, не думая, что Зеленый тупик находится на краю света, сильно опоздала и приехала позже семи.

Длинная узкая улочка начиналась от довольно широкого проспекта. Маршрутное такси высадило группу людей и умчалось, народ резво бросился в разные стороны и исчез в подъездах стоявших вокруг блочных башен.

Я глянула на одну и приуныла, номер два, а мне нужен семьдесят девять «а». Я стала искать дом. Девятиэтажки уступили место более низким домам, потом улочка превратилась почти в тропинку, по обе стороны которой потянулись покосившиеся избушки. Москва мгновенно трансформировалась в деревню. Я шла, поглядывая на номера, — вот наконец и нужный! Вполне добротный забор с железной калиткой закрывал кирпичное здание. Я увидела домофон и нажала кнопку.

— Кто там? — прохрипело из динамика.

— Вы Рита?

— Етит твою налево, — обозлился домофон, — Ритка в доме семьдесят девять «а» живет, чего сюда прешься? Людям после рабочего дня отдохнуть не даешь!

— Простите, а где этот дом?

— Глаза протри, — гаркнули из динамика, — налево башку поверни!

Я послушно выполнила указание и увидела чуть поодаль строение, напоминавшее полупокосившийся сарай. На стене черной от грязи избенки виднелся намалеванный белой краской номер 79 а.

Я перелезла через гору мусора, больно ударилась о какую-то железку, порвала брюки, но в конце концов добралась до деревянной двери. Ни звонка, ни домофона тут не было. Я постучала.

— Эй, Рита!

— Открыто, — донесся издалека глухой голос.

Я потянула на себя ручку и оказалась в крохотном тамбуре, заваленном тряпьем. Перед носом возникла новая дверь, она приоткрылась, и из щели донеслось:

— Снимайте обувь и куртку.

Я покорно стянула сапоги, поставила их у стены, повесила верхнюю одежду на ржавый гвоздь и, чувствуя под ступнями совершенно ледяной пол, вошла в жилое помещение.

Ногам стало теплее. Большая комната была застелена домоткаными разноцветными дорожками. С потолка свисала трехрожковая люстра, в которой горела только одна лампочка. Полированная «стенка» занимала пространство от окна до двери, в центре «залы» стоял массивный стол, на нем высилась ваза с пластмассовыми ромашками. Хозяйка, баба непонятного возраста, обладательница тучной фигуры, визгливо осведомилась:

— Ну, ты, что ли, из органов? Показывай документ!

Я протянула ей удостоверение. Естественно, Рита не обратила никакого внимания на слова «Частное детективное агентство».

— Вон оно, значит, как! — протянула она. — Опять его ловите или поймали уже?

— Вы имеете в виду Евгения Баратянского? — решила я прояснить ситуацию.

— А кого же еще? — с шумом вздохнула она. — Я человек честный, по тюрьмам не сидела. Чего он на этот раз натворил?

— Убил двух человек из-за денег.

— Никак отца и его жену?

— Точно, — удивилась я, — откуда вы знаете?

— Так он давно об этом мечтал, — медленно ответила Рита, — все вздыхал: «Эх, скорей бы они померли»... Да ладно, слушайте, все расскажу по порядку, только имейте в виду, я к этой истории никакого отношения не имею. Мне Женька ни копейки не дал.

Я внимательно слушала ее не слишком грамотную речь.

Судьба Риты, к сожалению, очень похожа на судьбу многих женщин, обделенных мужским вниманием. Она, правда, побывала один раз замужем, но семейное счастье длилось недолго, осталась с ребенком на руках. Годы летели, а кавалеры не появлялись. На работе сидели одни бабы, подружки давным-давно устроили свою жизнь, только Рите никак не удавалось подыскать пару. И тут ей, как на грех, попалась газета с брачными объявлениями.

Одно привлекло ее внимание. «Молодой человек без вредных привычек, воспитанный, ищет женщину для серьезных отношений. Наличие ребенка приветствуется». Ниже стоял адрес: УУ-7942/4. Наивная Риточка решила, что написавший объявление служит в армии. Люди в погонах любят шифровать свои координаты. Практически не надеясь на удачу, она написала письмо. Ответ пришел очень скоро, из конверта выпала фотография.

Сердце Риты заколотилось, мужчина оказался очень хорош собой, его звали Женя, Евгений Баратянский.

Несколько месяцев они обменивались посланиями, и Рите все больше нравился кавалер, он так хорошо рассуждал о смысле жизни, писал, что любит столярничать, возиться со скотиной, копать огород. А еще Евгений не курил, презирал пьяниц и мечтал о детях.

Воображение нарисовало Рите замечательную картину. Вот они вдвоем с мужем возвращаются из бани. Дом отремонтирован, в сарайчике стоит верстак, на котором муж делает мебель. Пока она возится на кухне, готовит ужин, супруг играет с новорожденным сынишкой. Простое человеческое счастье, разве Рита не заслужила его?

Поразмыслив немного, она пригласила Евгения к себе и получила совершенно неожиданный ответ:

«Прости, милая Ритуля, но я думал, что ты, увидев мой адрес, поняла, в чем дело. Я сижу на зоне, мотаю срок. Не пугайся, тебе пишет не вор, не убийца, не мошенник, просто несчастный человек, случайно попавший за решетку. Знаешь, за что я сюда попал?

Вечером, возвращаясь с работы домой, я случайно сбил пьяного, который ни с того ни с сего бросился под колеса моей машины. Вот так не повезло. Была жена, но она мигом забыла меня и запретила дочери со мной встречаться. Я же чувствую в себе запас огромной нерастраченной любви, очень надеюсь на счастливую жизнь с тобой после освобождения. Если ты, конечно, не побоишься связать свою судьбу с таким, как я.

Впрочем, очень хорошо пойму тебя и не обижусь, если не получу больше весточки. Жаль, конечно, коли все так повернется, ты успела стать для меня близким и родным человеком».

Рита облилась слезами, прочитав строки, написанные ровным, аккуратным почерком мальчика-отличника. Отрыдав, она написала ответ.

«Дорогой Женя, я тоже полюбила тебя, сообщи мне свой адрес, приеду сама».

Вот так она стала невестой. Срок у Жени оказался немаленький, дали ему восемь лет, но к тому моменту, когда в его жизни появилась Рита, шесть из них уже благополучно миновали.

Многие женщины, узнав, что их избранник посажен на восемь лет, да еще мотает срок на зоне в Сибири, мигом бы насторожились. За наезд на пешехода столько не дают, а если водитель все же получает срок, то, как правило, отбывает его недалеко от места прописки. Но Риточка не знала Уголовный кодекс, поэтому приняла рассказ Евгения за чистую монету.

Два года она исправно привозила ему передачи, покупала одежду и отправляла посылки, а еще были письма: нежные, страстные, со стихами. Плохо знакомая с поэзией Риточка, глотая слезы, читала: «Вы помните, вы все, конечно, помните, как я стоял, приблизившись к стене, взволнованно ходили вы по комнате и что-то резкое в лицо бросали мне...»

Она не знала, что это стихотворение написал поэт Сергей Есенин, думала, что его автор Женя, который таким образом рассказывает ей, как у него произошел разрыв с супругой. «Бедный мой, бедный Женечка, — качала головой Рита, — он столько страдал».

Но всему рано или поздно приходит конец. Женя приехал в Москву, и Рита с радостью поселила его у себя. Но с еще большей радостью она объявила ему о том, что находится на пятом месяце беременности. И тут он неожиданно спросил:

— Ребенок мой?

— Конечно, — воскликнула она, — помнишь, нам предоставили длительное свидание, на три дня? Вот тогда я и забеременела!

Женя ничего не сказал, он молчал до вечера, а потом начал уговаривать ее... сделать аборт.

— Пойми, — внушал он оторопевшей Рите, —

мне нужно сначала устроиться на работу, заработать денег и только потом можно думать о детях.

— Ерунда, — ответила влюбленная Рита, — прорвемся. Пока я ребеночка ношу, ты пристроишься.

— Хорошо, — согласился Женя, — пусть будет по-твоему.

Но накануне родов он исчез. Рита пришла домой и обнаружила, что жених пропал, из шкафа улетучились все его вещи, на столе даже не было записки.

Рита, кляня себя, провела бессонную ночь, вспоминая, как накануне они поругались и Женя тихо сказал:

— Вижу, ты меня не любишь.

— Нет, это ты меня не любишь! — в запале выкрикнула она и добавила уж совсем зло: — Все никак на работу не устроишься!

Женя промолчал и лег спать в «зале», а не в спальне, и вот теперь стало ясно: он обиделся и ушел.

Рита просто не находила себе места: к утру у нее начались роды, и на свет появилась маленькая девочка, названная Люсенькой.

Бедная Рита хлебнула горя полной ложкой. Тяжело одной с двумя детьми. Старший сын, правда, уже подрос и мог служить помощником. Женя объявился только через год, просто пришел и сказал:

— Я тебя простил, ребенку нужен отец.

Она с радостью пустила его назад. Женя осел в ее домике, денег у него не было совсем.

— Контора, где я работал, накрылась медным тазом, — объяснил он Рите, — теперь надо новую службу искать!

Она поверила и посоветовала:

— Ты не торопись, не бросайся на первое попавшееся место. Осмотрись как следует.

Полгода Женя жил в свое удовольствие. Вставал к полудню, долго брился, одеколонился, надевал выглаженную Ритой рубашку и отправлялся на поиски работы.

Возвращался он поздно вечером, ближе к полуночи. Зевающая Рита открывала дверь, ей смертельно хотелось спать. Ателье начинало принимать клиентов в десять, но до него еще надо было доехать!

— Все ерунду предлагают, — сетовал Женя, плюхаясь на диван, — я устал и испереживался, принеси-ка мне ужин.

Так прошло примерно семь месяцев. Потом Женя снова исчез, оставив на этот раз на столе записку:

«Извини, не могу и не хочу сидеть на твоей шее нахлебником. Устроюсь на хорошее место и вернусь».

Рита чуть не полезла в петлю. И тут она решила предпринять отчаянный шаг: отправилась к своему соседу, участковому, и упросила того посмотреть в компьютере, по какому адресу прописан в столице Евгений Семенович Баратянский.

ГЛАВА 30

Добрый сосед согласился помочь, и через некоторое время Рита получила полную справку о Баратянском. Лучше бы она не заглядывала в бумаги. Оказалось, что Евгений был трижды судим, и все за воровство. Единственное, о чем он не соврал, это о разводе с женой. Елена Сергеевна Калашникова и впрямь ушла от Евгения, но... очень давно, еще до второй посадки, да и супругой его она была недолго. Прописан же Женя был у... своих родителей — Семена Кузьмича и Розалии Львовны Баратянских.

Рита принадлежит к той породе людей, которые, получив пинок от судьбы, не мобилизуются и начинают бороться с обстоятельствами, а опускают лапки и заливаются слезами.

Пару дней она рыдала без продыху. Три судимости! Все за воровство! Она родила ребенка от уголовника.

Потом слезы иссякли, и ей пришла в голову еще одна замечательная идея: надо съездить к родителям мужа. Да, да. Рита, несмотря на то, что не имела в паспорте штампа о браке, искренне считала Евгения своим супругом. Она решила отправиться к старикам Баратянским, показать им Люсеньку, авось сердца их дрогнут при виде прелестной внучки. Рите очень тяжело материально, но еще тяжелее без моральной поддержки близких людей.

Сказано — сделано. Нарядив дочь в красивое платьице и повязав ей пышный бант, Рита отправилась к старикам.

Дверь в квартиру внушила ей надежду: большая, массивная, дорогая, за такой небось живут обеспеченные люди.

Глубоко вздохнув, она позвонила. Открыли ей сразу, на пороге стояла хорошенькая девушка.

— Здравствуйте, — робко сказала Рита.

— Привет, — ответила девица.

Завязался разговор, в процессе которого Рита выяснила, что в этой квартире живет Семен Кузьмич Баратянский. Он действительно был женат на Розалии Львовне, но та скончалась. Семен Кузьмич женился вновь, на той самой девушке, которая открыла дверь.

— Муж сейчас на работе, — объяснила она, — но, думается, произошла какая-то ошибка. Дело в том, что у него и Розалии Львовны никогда не было детей. Компьютер что-то напутал, случается иногда такое! Если оставите свой номер телефона, я вам позвоню, поговорив с Семеном Кузьмичом.

Рита вышла во двор, купила раскричавшейся Люсеньке мороженое и поехала домой. На душе было темно: потратила весь выходной на глупую, никчемную поездку. На одни билеты в транспорте улетела немалая сумма, да еще на эскимо дочке — сплошные расходы. До получки три дня, а в кошельке болтается одна пятирублевая монетка.

Ирочка позвонила на следующий день и окончательно выбила у Риты почву из-под ног:

— Действительно, это ошибка. Никаких детей у Баратянских нет. Впрочем, был сын, его звали Женей, только он очень давно умер.

Риточка снова принялась плакать, и тут дверь в ее избенку распахнулась и появился Женя. Муж поставил на пол сумку и заявил:

— Я вернулся, дочь должна иметь отца.

У Риты началась истерика, она накинулась на Женю с кулаками, выкрикивая бессвязные фразы:

— Ты кто? Он умер! Сидел три раза!

Женя спокойно выслушал Риту, потом поморщился:

— Ну и дура же ты! Чего поволоклась к Баратянским? Ладно, придется рассказать, как дело было, неохота, правда. У меня от этих воспоминаний сердце останавливается, да черт с ним, слушай.

Рита притихла. А любовник начал излагать свою историю. Да, у него есть родители, на первый взгляд интеллигентные люди: отец — профессор, мать —

заведующая библиотекой. Но это только на первый взгляд, потому что на второй ситуация выглядит иначе. Отец был против рождения ребенка, а мать, не послушавшись, все же произвела на свет сына. Семен Кузьмич ненавидел Женю и изводил его, как мог. Когда сын вырос, папочка окончательно озверел и посадил его в тюрьму.

— Он заплатил кому надо в уголовке, — грустно вещал Женя, — и меня повязали ни за что. Естественно, жена от меня ушла. Но я отсидел, вышел на свободу, а потом отец снова сунул меня в кутузку.

У Риты вновь полились слезы. Бедный Женечка! Вот какие родители бывают на свете!

— Да как вы могли ему поверить! — не выдержала я.

Рита развела руками:

— Сама не понимаю! Словно под гипноз попала, он так убедительно говорит, он такой красивый!

Я обозлилась. Евгений Баратянский, очевидно, хороший психолог, все его женщины из породы ведомых. Лена, подавленная матерью, послушная дочь Яна и Рита, наивная, глуповатая, мечтающая о простом бабьем счастье. Только, думается, этими тремя дело не ограничилось. Небось есть и другие, о которых я ничего не знаю.

— И где сейчас Евгений, — прервала я Риту, — он по-прежнему живет у вас?

— Нет, — ответила она, — я его выгнала.

— Неужто решились? — удивилась я. — За что, если не секрет?

Она помолчала и тихо ответила:

— Изменял он мне, с другой шашни крутил. Наденет мною выстиранное и поглаженное белье, поест щей и улепетывает к другой бабе. Ладно бы она одна была, так их две оказалось, сразу!

— Да ну?

— Вот вам и ну, — плаксиво отозвалась Рита, — и ведь узнала я случайно. У Жени имелся мобильный телефон, дорогая, кстати, игрушка. Я его спросила: откуда взял? Денег-то у нас никаких не было, впроголодь жили на мою зарплату.

— А он что ответил?

— «Друг подарил, себе новый купил, а мне старый отдал».

Так вот, я ему позвонила, Люся заболела, лекарства купить надо было, а трубку баба взяла...

Я слушала уже известную мне историю про Яну.

— Он ей ни словечком не обмолвился про нас с Люсей, — рассказывала Рита, — но только это не все. Через неделю тетка заявилась, уж не молоденькая, хорошо за тридцать, и давай расспрашивать: «Дом приватизирован? Хозяев двое?»

Удивленная Рита, сначала решившая, что перед ней представительница местной администрации, вынула документы и показала непрошеной гостье. Уже давно шли разговоры о том, что домишки на этой улице снесут, а на их месте поставят блочную башню, в которой дадут всем выселенным квартиры. И если большинство домовладельцев были недовольны, то Рита только радовалась. Ее избенка дышит на ладан, продать ее практически невозможно, кому нужна развалюшка?

Женщина изучила бумаги и воскликнула:

— Минуточку, а где же указан ваш брат?

— Какой? — изумилась Рита. — Нет у меня родственников, только дети: сын и дочка.

— Евгений Баратянский вам кто?

— Муж.

— Муж! — подскочила баба. — Врешь!

— Я лгать не приучена, — с достоинством ответила Рита и только потом сообразила спросить: — Да вы кто такая?

— Фира Яковлевна Вайнштейн, — ответила та, — мы с Женей хотим пожениться. У меня риелторская контора. Евгений говорил, что живет вместе с сестрой Ритой Зверевой в частном секторе и очень устал от своей родственницы — крикливой истерички, не дающей ему и шагу ступить. Вот я и решила ему сюрприз сделать: дай, думаю, гляну на жилплощадь, может, придумаю что!

Вот это был удар! Сначала Яна, а потом эта Фира Яковлевна! Тут даже у такой женщины, как Рита, лопнуло терпение. Глотая злые слезы, она сложила вещи неверного, лживого любовника в сумку и вышвырнула их за дверь. И если в случае с Яной она все же поговорила с Женей, сказала про звонок «медсестры», то про Фиру Яковлевну даже и упоминать не стала. Более того, она не открыла дверь, когда Евгений начал в нее стучать и кричать:

— Немедленно отвори, я все объясню. Маргарита, ты сбрендила? Куда мне деваться?

Удары становились все сильней, хлипкая дверь тряслась, Рита, испугавшись, заорала:

— Убирайся вон, или сейчас Павлика пошлю к соседу, участковому!

Шум стих. Евгений, испугавшись, ушел в неизвестном направлении. Рита по своей привычке проплакала пару дней, но теперь успокоилась и надеется, что больше никогда в своей жизни не услышит голоса Жени и не увидит его порочно красивого лица с ангельской улыбкой.

— Это он убил отца и мачеху, — заявила Рита, — уголовник и врун. Такому человека удавить ничего не стоит! Знаете, как он взбесился, когда узнал, что Семен Кузьмич женился на этой Ирочке! Прямо затрясся весь. И ведь что странно! Я ему сообщила, что Розалия Львовна умерла, так он никакого горя не выказал, ну хоть бы вздохнул, ведь мать она ему. Нет, молчал и курил спокойно, а как услышал, что мачеха появилась, да еще совсем молоденькая, в дочери Евгению годится, так прям заметался. Забегал по кухне, чашки посбрасывал, закричал: «Ну уж нет, квартира и дача мои, да и драгоценности тоже! Я один наследник, я! Ишь, дрянь какая, решила мои бабки себе прикарманить. Убить ее! И Семена заодно! Зажился старый пень на свете, совсем из ума выжил, таких либо в сумасшедший дом надо сажать, либо отстреливать. Впрочем, второе лучше!»

Выпалив это на одном дыхании, Евгений осекся, схватил сигареты, успокоился и обнял Риту.

— Это я просто так болтаю. Надо немного подождать, и мы с тобой станем богатыми. Все получим, поверь, есть у предков деньги. Мать уже убралась на тот свет, очередь за отцом. Вот, блин, пень трухлявый! Надеюсь, он недолго протянет!

— И вы не знаете, где сейчас обитает Баратянский?

— Понятия не имею, — воскликнула Рита, — и очень хорошо! Никаких дел с ним затевать больше не хочу, у меня другая задача! Надо дочь так воспитать, чтобы врать и воровать не стала. Отец-то у нее кто? То-то и оно!

Я хотела было спросить: что же ты, милочка, решила родить от уголовника? Неужели никогда не слышала про науку генетику? Но потом передумала: зачем? Каждый кузнец своего счастья. Может, Люсенька еще и не в папочку пойдет. Вот Жанна, дочь Лены, нормальная девушка, работает в библиотеке, ждет ребенка. Судя по всему, никаких проблем у Лены с дочерью нет. Авось и Рите повезет, ей-богу, она заслужила немного удачи! Говорить ли ей, что у Люси есть сводная сестра?

Я заколебалась. Что хорошего в этом известии для измученной женщины?

— Вы извините, — протянула Рита, — но рассказывать больше нечего, мне постирушку сделать надо да ложиться пора, вставать рано.

— Только два вопроса.

— Ну, — нахмурилась Рита, — что еще?

— Фамилию жены Евгения помните? Ну той женщины, с которой он давно развелся?

— Калашникова Елена Сергеевна.

— Адрес или телефон ее знаете?

— Откуда!

— Ладно, а координаты Фиры Яковлевны Вайнштейн?

Рита встала, подошла к комоду, выдвинула верхний ящик и стала перебирать какие-то бумажки, приговаривая:

— Визитка была... О! Вот, держите.

Я прочла напечатанные золотом на бордовом фоне буквы: «Фира Вайнштейн, председатель совета директоров фирмы «Новая квартира». Здесь же были указаны и несколько телефонных номеров.

Рита усмехнулась:

— Эта Фира веселая тетка! Уходя, протянула мне карточку и сказала: «Мы вроде с тобой теперь как родственницы, сотрахальщицы. Надумаешь свою халупу на нормальное жилье сменить, звони, постараюсь помочь».

Маршрутного такси пришлось ждать почти

полчаса. Как назло, на улице еще больше похолодало, и я бегала по тротуару, похлопывая себя руками по бокам. Вот ведь ужас! И пешком до метро не дойти, очень далеко, и автобуса нет, и маршрутка как сквозь землю провалилась, и ни одной машины на дороге. Наконец из-за угла вынырнул фыркающий «рафик». Я вскочила внутрь и прижала ноги к печке, хорошо-то как!

Дело близится к концу, скоро Веня окажется на свободе, я смогу со спокойной совестью распоряжаться полученным гонораром. Теперь, после разговора с Ритой, я окончательно убедилась в том, что убийца Семена Кузьмича и Ирочки — Евгений. Он постоянно нуждается в средствах, любит жить на широкую ногу, а зарабатывать не умеет, вернее, не хочет.

Большую часть своей пестрой жизни мужик прожил за счет женщин, надеявшихся на счастье. В конце концов у любовниц открывались глаза, и они выставляли женишка за дверь, но он не тужил, а быстренько находил себе новую дурочку, и все начиналось заново. Интересно, сколько у него еще есть детей?

Небось он очень ждал смерти проклявших его родителей, надеялся на богатое наследство. Женя великолепно знал о драгоценностях матери, а еще есть квартира, дача, раритетные книги из библиотеки отца. Продав кой-чего, можно без всяких проблем жить в свое удовольствие. Представьте теперь его негодование при известии о женитьбе отца на молоденькой девушке. Она станет основной наследницей. Если Женя официально заявит о своих правах на имущество, он получит отнюдь не все, а только часть, причем меньшую, большая отойдет молодой жене.

И, поняв это, негодяй схватился за винтовку с оптическим прицелом.

Я просто слышу, как некоторые из вас возмущенно восклицают: «Это невозможно! Сын не станет убивать отца, это совершенно нереальное предположение!»

Дорогие мои, в жизни случается такое, что никогда не придет в голову ни одному писателю.

Вместе со мной в консерватории училась талантливая скрипачка Сусанна Кац. Ее родители, когда мы перешли на третий курс, переехали сначала в Израиль, а потом в Америку, Сусанна благополучно завершила образование за границей и теперь играет в Нью-Йоркском симфоническом оркестре. Брат ее, Савик, трудится на заводе Форда. В общем, они отлично зарабатывают, имеют дома, счета в банках, но не об этом речь. После перестройки Сусанна стала довольно часто наезжать в Россию, и однажды она рассказала мне замечательную историю. Это лучшая иллюстрация тому, что самое фантастическое и даже идиотское, как правило, имеет логическое объяснение.

В отдел, где работал ее брат Савик, пришло письмо: «Уважаемые господа! Пару месяцев назад я приобрел сделанную вами машину и теперь пребываю в глубочайшем удивлении. Дело в том, что моя семья очень любит мороженое, и я каждый вечер езжу в супермаркет за банкой «Баскин Роббинс». Так вот, если я покупаю ванильное, то машина потом не заводится. Если беру любое другое: вишневое, ромовое, шоколадное — проблем нет. Понимаю, что это звучит глупо, но, может, в ваших автомобилях есть нечто, что реагирует именно на ванильное мороженое? Джон Рафески».

Начальник отдела посмеялся, но все же велел Савику связаться с Джоном и разобраться в этом деле. Савик очень скрупулезный человек, он сел вместе с Рафески в автомобиль и поставил эксперимент. Представьте теперь его удивление, когда все написанное исполнилось до буквы. Стоило Джону принести ванильное мороженое, как авто не завелось, а когда Рафески носил шоколадное или крем-брюле, с машиной все было в порядке.

Для чистоты эксперимента Савик отправил Джона сначала за ванильным пудингом, а потом за ванильным сахаром. Но когда запыхавшийся Рафески доставил покупки и бросил их в багажник, машина завелась с пол-оборота. Следовательно, дело не в ванили, а в чем?

Савик человек обстоятельный, как все технари, даже занудливый, поэтому он начал педантично отмечать все: на каких колонках Джон заправляется, что за температура на улице, куда Рафески ездит. Но логического объяснения этому феномену не находил. Тогда Савик начал с хронометром в руках высчитывать время, которое Джон тратил на покупку-мороженого. Очень быстро выяснилось, что с коробочкой ванильного Рафески прибегал через пару минут, а с клубничным или шоколадным являлся через четверть часа.

— Отчего ты так долго возишься, когда ходишь за другими сортами? — удивился Савик и получил ответ. Ванильное — самый ходовой товар, оно лежит в холодильнике прямо у входа, и деньги за него можно отдать стоящему рядом продавцу. Остальные сорта, пользующиеся меньшей популярностью, находятся в дальнем конце супермаркета, и эту покупку уже следует пробивать через кассу, в которую частенько змеится очередь.

Савик хлопнул себя по лбу! Вот оно! Задача перешла в разряд технических: отчего мотор не заводится, если владелец машины пытается завести его спустя короткое время после остановки? Ответ был найден довольно быстро. Честно говоря, я не слишком хорошо помню, в чем там было дело — что-то связанное с карбюратором и испарением бензина. Ну да это и неважно. Савик написал докладную записку, «Форд» этой серии был доработан, брат Сусанны получил внушительную премию и повышение по службе.

А теперь скажите, вам придет в голову, что между ванильным мороженым и не желающим заводиться автомобилем существует связь? То-то и оно. Иногда самые невероятные предположения оказываются справедливыми!

ГЛАВА 31

Если у вас есть собака, то кто с ней гуляет? Вроде ерундовое дело — вытащить пса на улицу и пошататься с ним полчасика в скверике. Ага, это если на улице ясно светит солнышко, кругом зеленеет травка и у вас полно свободного времени. Намного хуже вывести собачку во двор зимним утром, перед работой, когда кругом темно, холодно и скользко.

Впрочем, зимним вечером это тоже никому неохота делать. Поэтому после программы «Время» у нас начинаются разборки. Вот и сегодня, не успела я пройти на кухню и налить себе горячего чаю, как Юлечка грозно спросила:

— Кто поведет собак?

— Мне надо посмотреть по НТВ новости, — быстро отозвался Сережка, — просто необходимо, они идут с десяти до без четверти одиннадцать!

— Я сочинение пишу! — крикнула Лизавета. — Неужели нельзя один раз оставить меня в покое?

— Голова болит, — заныл Кирюшка, — просто отваливается, заболел я, бедный.

— Так кто пойдет гулять? — настаивала Юля.

Услыхав знакомый глагол, наша стая начала потягиваться, вертеть хвостами и лаять.

— Сама и иди, — велела Лизавета, — только на мопсов свитера надень, там такой дубняк!

— Ты это мне? — возмутилась Юля.

— А кому ж еще? — хмыкнула Лизавета. — Бери поводки — и вперед!

— Я?! — повысила голос Юлечка.

— Ты, — хором ответили Лизавета и Кирюшка.

— Вы с ума сошли, — обозлилась Юля.

— Почему бы тебе один разок не погулять вечером во дворе? — спросил Сережка.

— Там дикий холод, — обозлилась его жена, — а Муля имеет привычку по полчаса выбирать местечко, словно собирается жить на этом пятачке.

— Все врачи советуют перед сном совершать моцион, — зевнула Лизавета и убежала.

— Это просто безобразие, — завела Юля, — форменное негодяйство! В доме двое детей, мужчина, а я должна шляться по темному двору со сворой псов. Ну и жизнь у меня! Днем ни секунды отдыха, вечером не помыться, в ванне крокодилы! Нет, когда мы наконец избавимся от рептилий? А все Лампа! Кстати, где она? Эй, Лампа, пора гулять с собаками!

Я отложила в сторону газету «Скандалы» и стала натягивать свитер.

Юля заглянула в комнату:

— Ты чего молчишь?

— Одеваюсь.

— Значит, пойдешь гулять с собаками?

— Ага.

— Могла бы и раньше об этом сказать, — продолжала злиться Юля, — ну почему не крикнула из комнаты: «Не спорьте, ребятки, я самая старшая, мне и прогуливать собак».

Я стала застегивать джинсы. Ну насчет того, что домашних животных должен водить «до ветру» самый престарелый член семьи, можно и поспорить. А не высовывалась я из спальни по одной причине: надеялась, что домочадцы без меня разберутся и кто-нибудь выведет песиков во двор, забыв про то, что я мирно сижу в кресле со «Скандалами» в руках. Ан нет, нашли Лампу и выгнали на мороз.

Открыв дверь подъезда, я вздрогнула. Холод и впрямь стоял невероятный, одно хорошо, ветра нет. Черное небо усеяли крупные, неправдоподобно яркие звезды, вокруг царила тишина. Все собачники нашего двора гуляют где-то около восьми, мы выходим позже всех. Тому есть простое объяснение. Муля и Ада, увидев других собак, начинают затевать игры и совершенно забывают, зачем их вывели во двор.

Я наклонилась и отцепила от поводков Рейчел и Рамика. Мигом два тела, состоящие из литых мышц, рванули к гаражам. Мопсы болтались на концах длинных веревок, торчащих из рулеток. Этих отпускать нельзя, могут потеряться.

Наши собаки очень разные. Рейчел и Рамику совершенно по фигу, какая на улице погода: дождь, снег, град, камнепад, цунами... Они все равно будут носиться, поднимая фонтаны воды или грязи. Ни мороз, ни духота им не страшны. Мопсы иные. Мулечка выползает на улицу и медленно бредет по двору. На ее складчатой мордочке написано крайнее отвращение: мне, благородному мопсу, существу с тонкой душевной организацией, и здесь? Господа! Вы сошли с ума, пошли домой, там весьма комфортно можно пописать на мягкий, только что выстиранный коврик в ванной, и никто этого не заметит!

Потом, поняв, что домой не поведут, Муля начинает метаться, выискивая подходящее, на ее взгляд, местечко. То тут попытается присесть, то там. Но нет! Все ей не в кайф. Остальные собаки давным-давно стоят у двери, всем охота ужинать, но Мульена упорна в своем желании обнаружить экологически чистый участок. Иногда мне хочется наподдать ей за капризы, но приходится терпеливо ждать, потому что, если дернуть за поводок, она обидится, засопит и вообще откажется что-либо делать.

Но поверьте мне, противная разборчивость Мульдозера ничто по сравнению с поведением Ады. Она без проблем выходит из подъезда только тогда, когда термометр показывает +25, на небе нет туч и даже намека на ветер. Сами понимаете, что такая погода бывает в Москве от силы два-три раза в году, поэтому в оставшиеся дни я выталкиваю Адусю наружу чуть ли не пинками, словно ишака, не желающего двигаться.

Если на дворе холод, она мигом поджимает лапы, сначала одну, потом вторую, третью, затем, пробалансировав мгновение на последней конечности, шлепается на живот и закатывает глаза. Все, Адюша умерла, несите ее в подъезд, кладите у батареи, она лучше там сделает свои делишки. Тебе ведь, Лампа, нетрудно будет потом помыть лестницу? Ей-богу, такая ерунда, прихватишь бутылочку хлорки — и вперед, даже запаха не останется.

Справедливости ради следует сказать, что Ада никогда не ведет себя так, если на улице дождь. Она крайне брезглива и падать в лужу не станет. Тут применяется иная методика. Оказавшись на тротуаре, по которому бегут потоки воды, мопсиха сначала тщательно трясет лапками, а потом, поняв, что опять надо встать в лужу, начинает выть. Адюля замечательная мастерица по вою, в ней пропала великая оперная певица. Я, музыкант с консерваторским образованием, заявляю это вам со всей ответственностью.

Диапазону голоса Ады может позавидовать любая дива. Сначала раздается длинное, тягучее до, потом спокойное ре, следом нежное ми, чуть-чуть более высокое фа, звенящее соль, чистое-чистое, как звучание камертона, ля, пронзительное си, которое выводится столь долго, что у вас закладывает уши, ну а потом Адюша уходит в ультразвук.

Одно хорошо: продолжая «распевать», она мгновенно делает то, ради чего ее выволокли во двор, и стремглав уносится в подъезд, где поет гамму в обратном порядке: си, ля соль, фа, ми, ре, до.

Вот и сегодня все шло по заведенному кругу. Рейчел и Рамик галопировали у гаражей. Муля топталась около мусорных бачков, Адюся поджимала лапы. Я подпрыгивала на месте. Ну не дура ли ты, Лампудель! Забыла надеть теплые носки!

В конце двора показалась знакомая фигура. Через несколько мгновений она приблизилась ко мне, и я узнала Нину Ивановну. Честно говоря, я удивилась, ну куда председательница ходила в столь поздний час?

— Здравствуйте! — крикнула я.

— Добрый вечер, — кивнула она, в руках у нее был пакет из нашего супермаркета. — Вот, захотелось на ночь чайку попить, а хлеба-то нет! Пришлось бежать в магазин!

Нина Ивановна говорила и говорила, поставив пакеты на снег, в ее речах сквозило несвойственное ей легкое смущение: она словно оправдывалась передо мной. Я изумилась еще больше: с чего бы Нине Ивановне конфузиться? Ну побежала поздним вечером за булочками, что тут такого?

— Пойду домой, — сказала она, — холодно очень.

Я улыбнулась:

— Спокойной ночи!

Председательница подхватила пакеты и ушла. Я невольно глянула на то место, где только что стояла пластиковая сумка, и увидела темные капли. Испытывая непреодолимое любопытство, я наклонилась и поняла, в чем дело. В пакете Нины Ивановны была дырка, а внутри лежал не батон, а кусок мяса, причем, скорей всего, сильно несвежий, потому что от кровавого пятна пахло тухлятиной.

В полнейшем изумлении я построила собак и побежала в подъезд. Ну зачем Нине Ивановне понадобилось в столь поздний час мясо, да еще тухлое? Вот это вопрос так вопрос!

Утром я позвонила в риелторскую контору «Новая квартира», узнала ее адрес и, не откладывая дела в долгий ящик, поехала к Фире Вайнштейн.

Нуждайся я в смене жилплощади, ей-богу, не

преминула бы воспользоваться услугами этого агентства, настолько замечательно выглядел офис. Все тут внушало доверие: отлично отремонтированное здание, красивая мебель в приемной... Сразу становилось понятно: здесь зарабатывают хорошие деньги, бизнес крутится безостановочно. Но самое лучшее впечатление на меня произвела секретарь.

Посетителей встречала не девочка с модельной внешностью, не свиристелка в мини-юбке, с выкрашенными в яркий цвет волосами, а дама лет пятидесяти — никаких духов, элегантная прическа, очки в тонкой золотой оправе и море обаяния. Я не могу вам передать, каким тоном она осведомилась у меня:

— Чем могу вам помочь?

До сих пор только один человек на свете обращался ко мне с таким участием — моя мамочка.

Стряхнув некстати возникшее воспоминание, я улыбнулась.

— Мне хотелось бы побеседовать с госпожой Вайнштейн!

Лицо секретарши приняло самое озабоченное выражение.

— Ох, это невозможно.

— Почему?

— Фира Яковлевна на две недели уехала отдохнуть в Израиль, на Мертвое море.

— И когда вернется? — безнадежно поинтересовалась я.

— Через четырнадцать дней, она только вчера улетела.

Я в растерянности стала открывать и закрывать сумочку. Да уж, вот не повезло!

— Хотите, отведу вас к Ярославу Михайловичу? — засуетилась секретарша. — Он заменяет сейчас Фиру Яковлевну, имеет те же полномочия и способен решить любую вашу проблему!

Я сунула сумочку под мышку. Ну, насчет решения любой проблемы... Тут обаятельная, не желающая упускать клиентов секретарша, пожалуй, ошиблась. Впрочем, скорей всего, незнакомый мне Ярослав Михайлович и впрямь способен уладить все сложности, связанные с недвижимостью, но мне-то он ничем не поможет. Он не жил с Евгением Баратянским и не собирался выходить за него замуж. Я сильно сомневаюсь, чтобы Фира Яковлевна рассказывала своему подчиненному, да еще мужчине, о личных делах.

— Нет, спасибо, — я покачала головой.

— Ярослав Михайлович великолепный специалист!

— Благодарю, не надо.

— Он подберет для вас лучшие варианты.

— Не нужно.

— Надеюсь, вы не собираетесь ехать в «Элисто», — подскочила секретарша, — там одни мошенники сидят, вот они-то точно обманут, а мы...

— Мне хотелось побеседовать с Фирой Яковлевной, — успокоила я служащую, — исключительно по личным проблемам, не имеющим никакого отношения к торговле недвижимостью!

— А-а-а, — дама сразу потеряла ко мне всякий интерес, — тогда приходите через две недели.

Я вышла на улицу в расстроенных чувствах. И что теперь прикажете делать? Этот Баратянский просто неуловим. Осталась тоненькая-тоненькая ниточка, скорей всего, тоже ведущая в никуда. Рита назвала имя и фамилию женщины, той, которая недолгое время была женой Евгения, — Елена Сергеевна Калашникова. Надо же — тезка Лены, матери Жанны! Вероятно, дама давным-давно забыла о неудачном браке, и я снова вытащу удочку с пустым крючком. Но никогда не следует забывать наставлений Володи Костина, который не устает повторять: «Нельзя отбрасывать никакие версии непроверенными».

Значит, дело за малым — найти адрес Елены Сергеевны Калашниковой. И в наше время глобальной компьютеризации это плевое дело. Я осмотрелась по сторонам. Так, я нахожусь недалеко от метро «Маяковская», если доеду до «Театральной» и спущусь в подземный универмаг, то там на самом нижнем уровне найду то, что мне надо: Интернет-салон.

Прежде чем пойти к компьютерам, я зарулила в большой зал, где теснились харчевни: пиццерия «Сбарро», «Ростикс», «Макдоналдс»... Съев кусок цыпленка с картофельными дольками, я повеселела и купила мороженое в вафельном рожке. Если судьба занесет вас в «Манеж», обязательно попробуйте такое! «Кофе со сливками», «Рафаэлло», шоколадное — это что-то!

В Интернет-салон я прибежала почти счастливая и, купив час времени, принялась бродить по Сети. Десяти минут мне хватило, чтобы понять: самостоятельно я здесь ничего не найду. Взгляд упал на соседку — крепко сбитую блондиночку в обтягивающем красном свитере. На вид ей было лет шестнадцать. Девочка очень уверенно щелкала мышкой и стучала пальцами по клавишам.

— Простите, — робко обратилась я к ней, — вы в этом разбираетесь?

— А что надо? — зевнула девочка, уставясь на меня огромными голубыми глазищами.

— Понимаете, я очень неумелый пользователь...

— Научишься, никто еще не родился в обнимку с компьютером.

— Очень неловко вас беспокоить!

— Послушай, — резко перебила меня девочка, — у меня времени на приседания нет. Говори, чего хочешь, если знаю где, то покажу.

— Базу прописки ищу.

Девочка хмыкнула и застучала по клавишам моего компьютера.

— Это ерунда, ща откроется, только имей в виду, все фуфло.

— В каком смысле? — насторожилась я.

— Неверная она! Адрес указан, а человека там нет. Да и вообще сейчас прописка ничего не значит. Вон моя мама по документам с бабушкой живет, а на самом деле с папой. Во, гляди, загрузилась!

Я увидела список и воскликнула:

— Ой, ну здорово, а как букву К открыть?

— Вон туда жми, — посоветовала девочка и уставилась в свой экран.

Я, затаив дыхание, стала читать фамилии: Кавелин, Каверин, Каверзнев, Калашников... Калашникова! Причем не одна. Их тут целых шесть! Анна Семеновна, Евгения Ивановна, Лилия Анатольевна... Елена Сергеевна!

Вне себя от возбуждения, я выписала адрес и взглянула на часы. Вполне успею смотаться к ней и расспросить ее.

Потолкавшись около часа в метро, я наконец добралась до кирпичной пятиэтажки и шмыгнула в подъезд. Нужная квартира оказалась тут же, на первом этаже, слева от входа. За дверью послышался заливистый лай, и через секунду крохотная рыженькая мохнатенькая собачка стала яростно налетать на мои ботинки.

Я наклонилась и хотела погладить старательно исполнявшую свою собачью работу псинку по голове.

— Осторожней, — раздался звонкий голос, — она укусить может.

В ту же секунду «жучка» тяпнула меня за указательный палец. Я вскрикнула и отдернула руку.

— Уж извините, — затрещал голосок, — Пунька с виду хорошенькая, прямо ангелочек, а на самом деле хуже питбуля будет.

Я выпрямилась и увидела девушку; вернее, молодую женщину в халате, туго обтягивающем выступающий живот. Лицо ее пряталось в тени, я не могла в деталях рассмотреть его, но что-то знакомое промелькнуло в облике.

— Вы ко мне? — спросила хозяйка и щелкнула выключателем.

В прихожей мигом вспыхнула трехрожковая люстра, электрический свет залил все вокруг, и я узнала... Жанну.

— Где-то я вас видела, — пробормотала она. — Вы в библиотеку приходили?

Я ощутила невероятную усталость. Ноги налились свинцом, тело потеряло подвижность. Круг замкнулся, я прибежала на то место, с которого начала поиски. Уже ни на что не надеясь, я тихо спросила:

— Вашу маму ведь зовут Лена? Елена Сергеевна Калашникова?

— Ага, — кивнула Жанночка, — да вы входите, небось замерзли, вон метет как! Хотите чайку?

Я вошла.

— Спасибо, честно говоря, я устала и продрогла.

— Вот вам тепленькие тапочки, — засуетилась Жанна, — они из натуральной овчины, засуньте туда ступни, и мигом согреетесь. Давайте еще жилетку принесу, из дубленки. Идите сюда, на кухню.

Продолжая болтать, она втолкнула меня в крохотное пространство, усадила за кукольный столик и захлопотала у плиты. В мгновение ока передо мной оказались чашка, банка с малиновым джемом, масленка, батон.

— Вы хлеб сначала маслом намажьте, а сверху варенье положите, — посоветовала Жанна, — очень вкусно получается, словно пирожное ешь.

Я послушалась, набила рот хлебом и поинтересовалась:

— Ваша мама когда придет?

— Сегодня не скоро, — вздохнула она, — какое-то совещание в префектуре устроили, будто людям делать нечего! Начальникам-то все равно, их потом шоферы по домам развезут, а маме на метро переться, а она и без того устает!

Мы поболтали пять минут о том о сем, наконец я решилась:

— Жанна, а разве ваша мама была замужем за Евгением Баратянским?

Девушка пожала плечами:

— Вроде нет, я внебрачный ребенок, а в чем, собственно говоря, дело?

То ли от того, что я хорошо пригрелась на маленькой замечательно уютной кухне, то ли от слишком сладких, но ужасно вкусных бутербродов с вареньем, то ли от милой приветливости Жанны я размякла и совершенно неожиданно для самой себя рассказала ей о том, чем занималась последнее время.

Жанна слушала молча. Ее прелестные ненакрашенные глаза расширялись по мере моего рассказа, наконец она воскликнула:

— Я помню дядю Женю! Он иногда заходил сюда и какое-то время жил с нами в одной квартире, но потом перестал появляться и исчез очень надолго, лет на десять.

Я кивнула, все правильно, Евгения посадили вновь, только не на десять, а на восемь лет.

— Вы звали его дядей? Родного отца?

Жанна замялась, потом твердо ответила:

— Трудно было называть его папой. Вообще говоря, я его совершенно не волновала, за маму обидно было, она так вокруг этого типа скакала. Хотя со мной история повторилась...

— Почему? — удивилась я.

Жанна усмехнулась и показала на свой живот.

— Вот. Скоро ребеночек на свет должен появиться, девочка, Машенька. Я уже люблю ее больше всех!

— Правильно, — кивнула я, — так и должно быть.

— Мой кавалер, — продолжала она, — женатый человек. Сначала уверял, будто любит, обещал пылинки сдувать, а когда про беременность услышал, денег на аборт сунул и испарился. Как вам такое?

Я вздохнула. К сожалению, это частая ситуация. Зря некоторые женщины строят иллюзии, развести женатого мужчину трудно, тут беременность не поможет, скорей помешает. Лица противоположного пола отнюдь не пылают любовью к новорожденным или будущим младенцам.

— А я плакать не стала! — воскликнула Жанна. — Сама выращу, будет только моя дочка. Мама меня не ругала, потому что сама такая, она все поняла правильно.

Тяжелый вздох вырвался из моей груди. Имей я дочь, рожденную вне брака, я бы изо всех сил постаралась, чтобы она не повторила мою судьбу. А может, не стала бы толкать ее на аборт в случае «безмужней» беременности? Слава богу, жизнь ни разу не поставила меня перед таким выбором.

Жанночка заботливо налила мне чаю и спросила:

— А что, вы уверены, что Евгений убил Семена Кузьмича и ту девушку, его молодую жену?

Я кивнула:

— Абсолютно точно.

— Из-за денег?

— Именно, он в них постоянно нуждается. Простите, если обижу вас сейчас, но Баратянский подлый человек.

— Я тоже так думаю, — подхватила Жанна, — никогда не считала его своим отцом, хотя, наверное, во мне половина от Баратянских.

— Это необязательно, — улыбнулась я, — похоже, вы пошли в маму.

— Надеюсь, — засмеялась она, — я совершенно не способна брать деньги в долг. Меня так мама воспитала: лучше копейка, да заработанная честным трудом, чем украденный миллион.

Я выпила вкусно заваренный чай. Жанночка опять наполнила чашку.

— Значит, вы не поняли, что Елена Сергеевна Калашникова — это и есть Лена, заведующая библиотекой, и приехали, чтобы узнать у нее адрес Евгения?

Я грустно согласилась.

— Только она его не знает.

— Да я уж поняла, что зря заявилась. Извините, отвлекаю вас от дел.

— Ерунда, — отмахнулась Жанна, — до вашего прихода я просто сидела перед теликом. Так вам нужен адрес?

— Да, очень.

— Тогда записывайте.

Я чуть не свалилась со стула.

— Вы его знаете?

— Да.

— Откуда?

— Какая разница? Значит, так, Новопеределкино...

Дрожащими от нетерпения пальцами я вытащила из сумки ручку.

— На этой улице магазин есть, «Перекресток», так вот Евгений живет прямо за ним, такой блочный белый дом...

— Спасибо, — забормотала я, — просто огромное спасибо!

Глаза Жанночки потемнели.

— Не хочу покрывать убийцу. Евгений будет в Новопеределкино завтра, где-то после восьми. Раньше не ездите, его там нет.

Я не стану вам рассказывать, с каким трудом дождалась следующего дня. Пару раз у меня появлялось сильнейшее желание рассказать все Вовке. Останавливало лишь одно соображение: вдруг Жанна ошиблась и Евгения там нет? Сначала я сама проверю правильность информации, а потом сдам убийцу Костину.

К операции я подготовилась самым тщательным образом. Вряд ли Евгений знает всех жильцов в доме, значит...

В восемь вечера я приехала по адресу, поднялась на нужный этаж и приняла нужный вид. Из пластикового пакета вытащила фартук, сняла куртку, повязала передник и набросила пуховик на плечи, не всовывая руки в рукава. В голову воткнула несколько железных бигуди и осталась довольна. Сейчас нажму на звонок.

Евгений предусмотрительно прильнет к «глазку» и что он увидит? Соседку, которая отскочила от плиты. Куртку набросила для тепла, сапоги нацепила, чтобы не пачкать домашние тапочки на лестнице.

— Эй, сосед, — начну шуметь я, — давай открывай, у меня с потолка вода хлещет.

Дальше просто. Он распахнет дверь и скажет:

— Это не я, смотрите, в моей квартире сухо.

Я начну извиняться и приговаривать:

— Простите, наверное, где-то труба лопнула. Я помешала вам отдыхать? Уж извините, я не со зла.

Евгений ответит:

— Ничего, с каждым может случиться.

— Давайте тогда познакомимся, Клава.

— Очень приятно, Женя.

Все, можно уходить, дело сделано.

Полная радужных надежд, я стала жать на черную кнопочку, но безуспешно, за дверью стояла тишина. Испытывая горькое разочарование, я толкнула створку. Внезапно она подалась, квартира оказалась незапертой.

— Эй, сосед, — крикнула я, старательно играя роль, — ну не безобразие ли! Вода так и хлещет! Ремонт только сделали! Эй, ты где? Сейчас мой мужик придет и тебе по зубам надает! Эй!

Выкрикивая эти слова, я заглянула сначала в ванную, потом на кухню. Никого. Я влетела в довольно просторную квадратную комнату и зажала рот рукой. На стуле сидел мужчина, его руки безвольно висели по сторонам. Ноги как-то странно вытянуты, между ними стоит винтовка, правая тапочка отброшена в сторону, и видна голая скрюченная ступня.

Лицо мужчины... Лучше я не стану вам описывать, как оно выглядело, скажу только, что выстрелом Евгению выбило глаз. На ковре белел листок бумаги. Сдерживая тошноту, я рванулась к стоящему в коридоре телефону.

Через час-полтора на лестнице появился хмурый Костин, а с ним группа мужчин, тоже мрачных и неразговорчивых.

— Ты почему в фартуке и в бигуди? — рявкнул Вовка.

Я, заикаясь, стала объяснять суть дела. Маховик начал набирать обороты, сотрудники МВД принялись за работу. Откуда ни возьмись появились свидетели: толстая тетка в байковом халате и старушка в аккуратно обрезанных валенках. Меня провели на кухню и заставили раз, другой, третий повторить всю историю. Чем больше я рассказывала, тем сильней злился Володька.

В какой-то момент нашу беседу прервал тучный парень, бесцеремонно сунувший мне под нос перчатку из черной кожи.

— Ваша?

— Нет, я такие не ношу, — быстро ответила я. Парень исчез.

— Это самоубийство, — заявила я.

— Да? — скривился Вовка. — Отчего мисс Шерлок Холмс сделала такой вывод?

— Ну... он взял винтовку, приставил ее к лицу, а босой ногой спустил курок, — пояснила я, — о таком пишут иногда в детективных романах. Рядом листок валялся, небось предсмертная записка, верно?

Володя кивнул.

— И чего он там написал? — спросила я.

Костин закашлялся, потом сказал:

— Ну, типа, совесть замучила, убил отца и его молодую жену из-за денег, теперь раскаивается и хочет сам себя наказать. Жить с таким грузом на совести не может, ну и далее в том же духе.

— Я сама сумела распутать эту историю, — воскликнула я, — от начала и до конца! Веню теперь выпустят?

Вовка ничего не сказал.

— Ты должен немедленно сообщить куда следует, что он невиновен, — настаивала я.

Тут в кухню ввинтился худой до безобразия дяденька.

— Что у тебя, Семен? — спросил Вовка.

— Ну, пока предварительно...

— Говори.

— Похоже, выстрел был произведен рано утром, в районе восьми. Стрелявший стоял примерно на расстоянии трех метров от убитого.

— Что? — подскочила я. — Вы с ума сошли! Это самоубийство, сразу видно, типичная картина!

Семен сморщился и повернулся к Вовке:

— Это кто? Журналистка?

— Не, — усмехнулся Костин, — так сказать, коллега, начальник оперативно-розыскного отдела частного детективного агентства «Шерлок», а по совместительству мое личное несчастье, госпожа Евлампия Романова.

ГЛАВА 32

Целых десять дней я ходила за Вовкой и ныла:

— Какое убийство? Ваш эксперт напутал!

Костин сначала молчал, потом прочел мне короткую лекцию:

— Судебная медицина — точная наука. Значит, так: различают выстрел в упор, выстрел с близкого расстояния и выстрел с дальнего расстояния. При выстреле в упор срез оружия касается либо одежды, либо кожи человека. Бывает герметичный и негерметичный упор, в связи с использованием в конце ствола насадок: глушителя, дульного тормоза...

У меня закружилась голова, а Вовка безостановочно говорил: узкая кайма закопчения, х-образный разрыв кожи с отслоением ее по краям, проба Владимирского...

— Хватит, — взмолилась я, — значит, это убийство?

— Да, — кивнул Вовка, — которое преступник, не слишком знакомый с судебной медициной, решил выдать за суицид.

— Но кто его убил? — заорала я. — Зачем?

Вовка хмыкнул, вытащил сигареты, потом подмигнул мне.

— Могу рассказать, госпожа начальник оперативно-розыскного отдела, но с небольшим условием.

— Каким? — подпрыгнула я. — Говори скорей.

— Пристрой куда-нибудь крокодилов, мне страшно надоела Юлька, сидящая вечерами в моей ванной, — начал жаловаться Вовка, — мало того, что она притащила туда сто банок с кремами и двести бутылочек с шампунями и гелями, так мне еще теперь нельзя там носки бросить, потому что она начинает орать.

— Да, — закричала я, — да, обязательно, прямо завтра увезу их, только расскажи!

— Ну фиг с тобой, слушай, горе-сыщик, — улыбнулся Вовка. — Справедливости ради следует признать, что ты проделала большую и не совсем бесполезную работу. Итак, Евгений Баратянский... Ты узнала о нем практически все, и сведения о других бабах, которых обманул милейший Евгений Семенович, нам ничего не добавят. Отчего у интеллигентного, никогда никому не сделавшего зла Семена Кузьмича появился такой сын, неизвестно. Дефектный набор хромосом, искривленная генетика, может, у них в роду, этак в семнадцатом веке, имелись разбойники, грабившие людей на большой дороге. К сожалению, мы не слишком хорошо знаем свою семейную историю, лично я не был знаком с дедушкой, а уж чем занималась прабабушка, я понятия не имею!

— Евгению было в кого стать мошенником, — сердито перебила его я, — ну-ка, вспомни, чем занималась его почтеннейшая матушка в блокадном Ленинграде? Отнимала у людей последнее за банку сгущенки.

Володька потер рукой затылок.

— Понимаешь, Лампуша, блокада Ленинграда — темная история. Да, большинство населения погибало в мучениях, но кое-кто из имевших доступ к продуктам, лекарствам и керосину сделал состояние. Мысль об обмене ценностей на еду пришла в голову не одной Розе. Лет десять назад дикий скандал разгорелся на выставке, которую устроил в Москве один весьма почтенный и глубокоуважаемый писатель, можно сказать, совесть российского общества. Он вывесил принадлежащую ему коллекцию картин.

Литератор собирал их всю жизнь и имел на самом деле уникальные полотна. В первый день работы экспозиции ничего форсмажорного не случилось, а вот на второй... В залах появилась группа туристов из Израиля, и один из них, бывший наш соотечественник, накинулся на писателя с кулаками, он...

— Узнал в писателе того человека, которому во время блокады отдал за кусок хлеба принадлежащие ему бесценные картины, — предположила я.

— Точно! — воскликнул Вовка. — В те далекие от нас годы «совесть российского народа» не растерялся и перетащил к себе домой целый склад лекарств, просто ограбил аптеку, а потом менял ампулы и таблетки на пейзажи и натюрморты ранних голландцев.

— Зачем же он выставил картины? — искренне удивилась я.

— Наверное, думал, что никого из обобранных в живых не осталось, — скривился Вовка. — А потом, что можно ему вменить? Один вопит: «Картины мои, отдал их этому гаду в блокаду за порошок стрептоцида!» — а другой преспокойно заявляет: «Вранье, полотно куплено еще в 30-е годы, в комиссионке». И еще, люди же сами меняли картины! И Роза не крала, не грабила, отдавала за золото продукты. Она договаривалась с клиентами полюбовно...

— Она гадина, — прошипела я, — воспользовалась тяжелым положением людей...

— С моральной точки зрения —да, — кивнул

Вовка, — но с юридической все чисто. Люди сами приносили драгоценности. Обмен совершался добровольно, она ни у кого ничего не отнимала силой. Не нравится вам, что за колечко с изумрудом дают килограмм сахара? Не надо, уходите. Пойми, ей невозможно было бы предъявить никакого обвинения.

— Но это подло! — не успокаивалась я.

Вовка кивнул:

— Да, но не противоречит закону. Впрочем, думается, ты права, безудержную страсть к деньгам Женя получил от матери. Но Розалия Львовна была хозяйственной, аккуратной, великолепно умела считать рубли, и она большую часть своей жизни честно проработала в библиотеке. Женя совсем другой. Деньги горели в его руках, сколько ни дай, все ему мало. Добрая мама, забыв о своем скопидомстве, совала сыночку рубли, но у него был просто непомерный аппетит.

Он мог на субботу и воскресенье отправиться к теплому морю, в Сочи, и раздавать на чай пятидесятирублевые купюры. Ты отдаешь себе отчет, что доперестроечные полсотни — это не нынешние полтинники?

Я кивнула:

— Конечно, на такую сумму можно было питаться недели две в семидесятые годы.

— В конце концов Розалии Львовне надоело выплачивать долги сына, — продолжил Вова, — и она запоздало решила заняться воспитанием балбеса, закрыла денежный кран. Наивная мать полагала, что сыночек возьмется за ум, начнет работать, но он спокойно пошел на преступление.

Розалия Львовна кинулась на помощь сыну. Она мгновенно сумела оформить его брак с Леной.

— Но сама Лена говорила мне, что она никогда не была официальной женой Евгения! — подскочила я.

— Ну, она не захотела с тобой откровенничать, — вздохнул Вовка. — Женя расписался с Леной, будучи под следствием, и официально признал дочь. Она Евгения Евгеньевна Баратянская.

— Но...

— Не перебивай меня, — повысил тон Вовка, — знаю заранее все твои вопросы. Почему Розалия Львовна согласилась на женитьбу? Да ради выгоды для сына. Отцу малолетнего ребенка на суде скостят срок, он быстрее попадет под амнистию. Было еще одно соображение. Это сейчас любая баба может заявиться в колонию, держа в руках справку из ЖЭКа, где указано, что она «вела совместное хозяйство с осужденным», и ее моментально впишут в его учетную карточку в качестве гражданской жены. Следовательно, она получит возможность иметь свидания, привозить передачи.

Но подобное положение вещей пришло к нам уже после обвала социализма, а во времена первой посадки Евгения действовали другие правила. На зону допускались только официальные родственники и посылки принимали лишь от тех, кто мог с документами в руках подтвердить родство. Поэтому Розалия Львовна и приветствовала женитьбу сына, но никаких торжеств, естественно, не устраивали.

Более того, она не сказала о «свадьбе» Семену Кузьмичу. Хитрая Розалия полагала, что после освобождения сыночек, наученный горьким опытом, возьмется за ум, разведется с Леной, найдет себе более достойную невесту и заживет припеваючи.

— И ты еще удивляешься, что у интеллигентного Семена Кузьмича родился бандит! — обозлилась я. — Мать-то у него кто! Настоящая жаба!

Вовка развел руками:

— Из песни слова не выкинешь, это рассказала Лена, к которой после освобождения Жени обратилась свекровь с разговором типа: «Дай развод, ты ему не пара».

— И Лена согласилась?

— Да, они развелись, а Жанночка осталась, естественно, дочерью Евгения на бумаге, фактически он о ней никогда не заботился.

Дальнейшее известно. Еще одна посадка, проклятия родителей, бесконечные бабы, долги, неумение и нежелание работать, снова зона, знакомство с Ритой, рождение Люсеньки, не признанной Женей официально, кончина Розалии Львовны, женитьба Семена Кузьмича на Ирочке...

— Он убил их из-за денег, — прошептала я, — родного отца и молоденькую девушку.

— Нет, — покачал головой Володя, — Евгений уголовник, неприятный, морально нечистоплотный человек, но крови на нем нет. Убийца сама пришла в милицию и призналась во всем. Хотя поимка ее была делом дней. Она просчиталась, представив убийство как суицид.

Во-первых, эксперт абсолютно точно установил, что выстрел произведен не в упор. Во-вторых, письмо... Человек, писавший его, думал, что, изменив свой почерк, он введет следствие в заблуждение, еще он полагал, что никому не известен почерк Евгения. Он писал письма Рите, мы их изъяли.

Стало понятно, что записка написана не его рукой, эксперт установил, что почерк женский. Графология не менее точная наука, чем судебная медицина, поверь мне. Не успели мы понять, кто эта женщина, как она сама явилась в дежурную часть. Это...

— Это? — эхом отозвалась я.

— Елена Сергеевна Калашникова. Помнишь, эксперт спрашивал про перчатку? Неопровержимая улика, потерянная убийцей в момент бегства из квартиры, где лежал труп.

— Но почему она убила Баратянского?

— Господи, Лампа, это же ясно! Хотела, чтобы ее дочка получила наследство и зажила хорошо. Лена патологически любит Жанну, а когда поняла, что та беременна и может повторить ее судьбу, просто потеряла голову и решила восстановить «справедливость». Она готовилась почти полгода, купила у барыги винтовку, научилась стрелять, потом утащила у Зои Андреевны, своей знакомой, живущей в доме напротив Баратянских, ключ от чердака, сделала дубликат... Дальше понятно?

— Так вот почему Лена сначала хотела увести меня в сторону и начала рассказывать об истории с Радой Мастеровой и серьгами, — воскликнула я, — вот почему она потом стала твердить, будто уверена в виновности Евгения, что он убийца отца и Ирины!

— Ага, — кивнул Вовка, — пока ты его искала, Лена, со своей стороны, тоже разыскивала бывшего мужа и просто нашла раньше.

— Кто же тогда был человек с телескопом! — воскликнула я.

— Ты о чем? — изумился Вовка.

— Ну помнишь, я рассказывала тебе о том, как Макарычев, работник мебельной фабрики, любитель звездного неба, столкнулся в лифте с парнем, у которого в чемодане лежал чехол с надписью «Карл Цейс». Я подумала, что это убийца, который ехал наверх с винтовкой...

Вовка рассмеялся:

— Знаешь, Лампудель, ты поразительный человек. На бьющие в глаза улики не обращаешь внимания, прицепишься к ерунде и сделаешь далеко идущие абсолютно неверные выводы. Да, мужик с футляром «Карл Цейс» отправился на седьмой этаж. Более того, он потом поднялся еще выше, потому как имел ключ от чердака, который ему официально выдали в домоуправлении. Мы проверили дядьку. Мэрия решила проложить вблизи дома Баратянского шоссе, и там работали геодезисты. Один из них делал съемку с чердака дома, в футляре лежал специальный прибор.

— А зачем он сказал, что там удочка? — ошарашенно поинтересовалась я.

Вовка хмыкнул:

— Пошутил.

Я осталась с разинутым ртом.

Прошел почти год, я обязательно сообщу вам чуть ниже, куда делись крокодилы и как мы живем, но сейчас просто должна рассказать о случайной встрече, которая перевернула все в моей душе. Но сначала о судьбе Лены. Она покончила с собой через несколько дней после ареста, оставив записку, отчего-то написанную печатными буквами: «Совесть замучила, не могу больше, надеюсь, Баратянские меня на том свете простят». В связи с кончиной главной подозреваемой дело было закрыто и сдано в архив.

Итак, спустя примерно год после описываемых событий я отправилась в магазин «Детский мир», к слову сказать, он находится не очень далеко от нашего дома. Ближайшая подруга Юлечки родила мальчика, и мы решили подарить молодой маме прогулочный конверт, подбитый натуральным мехом. Великолепная вещь при нашем неустойчивом климате.

Подъехав к магазину, я хотела было втиснуться на свободное место, но меня опередила красная «Ауди», ловко, прямо перед моим носом, вписавшаяся туда, куда собиралась въехать я. Честно говоря, я страшно разозлилась. Ведь водитель видел, что пытаюсь припарковаться, и нагло помешал мне.

Из «Ауди» вылезла хорошенькая девушка, одетая в норковую шубейку. Она распахнула заднюю дверь машины и вытащила малыша, наряженного в комбинезон. Я вздохнула и стала искать другое место для парковки. Девица отчего-то показалась мне знакомой. Когда я наконец-то вошла в «Кенгуру», наглая владелица «Ауди» громко распоряжалась на весь магазин:

— Это давайте, еще вон те ботиночки, потом курточку, ну что вы несете дрянь всякую! Разве не понятно, что у моей Машеньки все должно быть только самое лучшее!

Машенька спокойно сидела на прилавке, продавщицы сдергивали с вешалок вещи, мамаша без устали подгоняла их:

— Нет-нет, никакой синтетики. Все только самое дорогое, натуральное!

Я подошла и молча встала у прилавка. Девочка глянула на меня глазами цвета ореховой скорлупы.

Я улыбнулась ей. Внезапно глазки ребенка стали быстро темнеть и превратились в карие.

— Это что, — спросила мамаша, — дартс? Ну-ка!

В ту же секунду она схватила стрелочки и стала ловко кидать их в цель.

— Вот это да! — восхитилась продавщица. — Все ровнехонько в середину, я такого еще не видела!

— Я стреляю, как Робин Гуд, — усмехнулась покупательница, — в глаз белке попаду, во мне пропал олимпийский чемпион по стрельбе.

— И где же научились? — проявила любопытство продавщица.

— Кавалер у меня был, — продолжала усмехаться женщина, — биатлонист, вот он и показал, что к чему. Удивлялся потом и восхищался: мне бы такой глазомер, я бы все медали огреб, но не судьба ему.

Ее голос показался мне знакомым. И тут малышка заплакала. Мать быстро повернулась, и я ахнула. На хорошеньком личике покупательницы ярко блестели очи цвета ореха, потом они начали темнеть, темнеть, темнеть. Мать и малышка имели совершенно одинаковые глаза, быстро, в зависимости от их настроения, менявшие окрас радужной оболочки. И я знала, от кого они их получили: мать от отца, девочка от деда... Передо мной стояла Жанна.

— Это вы! — невольно воскликнула я, оглядывая норковую шубу библиотекарши, роскошную кожаную сумку и брелок с ключами от «Ауди».

Жанна глянула на меня потемневшими глазами:

— Я.

— ...Э... — замялась я, — какая у вас очаровательная девочка, поздравляю.

— Спасибо, — кивнула дочь Лены.

— Похоже, у вас все хорошо?

— Просто отлично, — подтвердила она.

Меня слегка покоробили ее бойкие ответы. А как же мама, как же Лена, погибшая в тюрьме?

— Вы, наверное, вышли замуж, — улыбнулась я.

— Нет!

— Но откуда тогда все это? — вырвалось у меня.

Губы Жанны сжались в нитку, но она весьма любезно ответила:

— Да просто мне повезло. После смерти мамы я стала разбирать бумаги и наткнулась на свое свидетельство о рождении: оказывается, Евгений официально признал меня дочерью! Вот я и подала на наследство, других претендентов не оказалось, все мне и досталось. Моя Машенька, мое золотце, ни в чем не будет нуждаться.

Внезапно мне стало жарко, я сначала посмотрела на дартс, потом в уме всплыла только что сказанная Жанной фраза: «Я стреляю, как Робин Гуд».

— Разве вы не знали о своей метрике, — прошептала я, — ведь у вас в паспорте стоит: Евгения Евгеньевна Баратянская.

— А, — отмахнулась Жанна, — мать говорила, что просто заплатила в загсе и меня так записали. А после ее смерти нашелся официальный документ. Что, следовало отдать деньги нашему государству? Ну уж нет, у меня доченька растет, Машуля, все ей, только ей!

Жанна с нежностью обняла девочку и прижала к себе, на секунду их совершенно одинаковые глаза, ставшие снова цвета ореховой скорлупы, слились у меня в одно пятно.

Мне стало душно. Свитер мгновенно прилип к вспотевшей спине, в магазине словно пропал воздух. Я глянула на дартс. Центр круглой мишени был густо утыкан стрелками.

— Это вы убили их, — прошептала я, — Семена Кузьмича и Ирочку, через окно... Вы великолепно стреляете, и это не Лена, а вы купили винтовку с оптическим прицелом, а скорее взяли ее на время у своего друга-биатлониста. Вам повезло, что в комнате в момент убийства профессора случайно оказался Веня, закрывший окно, и следствие вначале пошло по ложному пути. Вы задумали преступление, когда поняли, что у вас родится дочь. Вы решили обеспечить ее, великолепно зная, что Евгений официально признал вас своей дочерью, понимали, кому достанется наследство. Это вы убили Баратянского, своего отца.

Продавщиц как ветром сдуло, они все исчезли в подсобке.

— Вот почему вы дали мне адрес Евгения, услыхав мой рассказ, — словно зомби, бубнила я, — хотели, чтобы я нашла «самоубийцу». Вот по какой причине велели приехать лишь на следующий день к вечеру, вам требовалось время, чтобы пристрелить отца. Господи, у вас его глаза, следовательно, и его подлая душонка! Бедная Лена! Она-то сразу поняла, кто автор затеи, и изо всех сил пыталась выгородить вас, говорила, что Евгений никогда не признавал дочь... Это Люсеньку он и впрямь не признал дочерью, а вам-то дал свою фамилию. Вот почему Лена покончила с собой буквально сразу после ареста, призналась и повесилась. Она боялась, вдруг во время следствия выяснится что-нибудь не то.

— Осел, — выплюнула Жанна, — из-за чего он меня признал, знаете?

— Да, хотел получить послабление на суде.

— Скунс, сучий скунс, — прошипела она, прижимая к себе девочку.

— Лена взяла на себя ваше преступление, — сказала я, — спасла вас, сделала богатой. Вот почему ее предсмертное письмо было написано печатными буквами. Она боялась, вдруг его сравнят с запиской Жени и поймут, что ее не она писала... И кто же бросил в комнате у трупа перчатку Лены? И еще, вы знали адрес Евгения, следовательно, общались с ним. Наверное, он ближе к старости стал чадолюбивым. Начал давать вам деньги, а вы скрывали это от мамы. Ведь так?

Глаза Жанны стали черными — сплошной зрачок.

— Вы сумасшедшая, — звенящим от напряжения голосом заявила она, — трехнутая идиотка. Да, мне достались средства Баратянских, но по закону. Дело закрыто, убийца мертва. Ничего вы не докажете! Ничего! Абсолютно! И потом, вы хотите лишить Машеньку матери?

Внезапно Жанна приблизила ко мне свое хорошенькое личико. Взгляд огромных блестящих глаз вонзился в меня, как нож в масло.

— Имей в виду, — прошипела она, — я отлично стреляю. Тебе лучше сидеть тихо!

Я отшатнулась.

— Не бойся, — хмыкнула Жанна, — не трону. У меня Машенька растет. Ей нужна нормальная мама, а не зэчка. И потом, все, рассказанное тобой, ложь. Евгения убила моя мать! Так-то, живи себе спокойно! Но помни, начнешь на всех углах глупости говорить...

Она подхватила малышку и, оставив на прилавке груду некупленных вещей, ушла.

Никакой конверт я не приобрела, еле живая приплелась домой и рухнула в кровать, заявив домашним:

— Голова болит.

У меня и впрямь началась мигрень. Я натянула на себя одеяло и сначала затряслась в ознобе, потом мне стало жарко.

— Ты спишь? — раздался шепот.

Я всмотрелась в темноту, у окна стояла Лена, одетая в старомодный костюм. У меня парализовало голосовые связки.

— Послушай, Лампа, — тихо, устало проговорила библиотекарша, — я своей жизнью заплатила за счастье дочери. Не лезь!

— Но она убийца!

— Ты этого не докажешь.

— Но она же тебя подставила, бросила у трупа твою перчатку! Зачем?! Ведь хотела представить дело как самоубийство!

— Она ее просто потеряла, — прошептала Лена.

— Но перчатка-то твоя!

— Это я так сказала, — прозвучал ответ, — я сказала, я сказала... что перчатка моя, моя, моя...

Голос начал удаляться, фигура Лены стала таять.

— Оставь их, умоляю, — долетело из тьмы, — за наследство заплачено моей жизнью!

— Стой, — заорала я, — стой!

— Эй, Лампудель, — раздалось над головой, — тебе плохо?

Я раскрыла глаза и села. У дивана стоял Сережка.

— Тебе плохо? — повторил он.

— Это был сон, — пролепетала я, — сон, Лена мертва, она не могла прийти.

— С ума сбеситься! — рявкнул Сережка и ушел.

Я осталась сидеть в подушках. Как поступить?

Рассказать Вовке? Дело закрыто. Могут его возобновить? И что тогда? Жанну посадят, девочка попадет в детдом. Сделать Машу сиротой? Оставить все как есть? Наследство, вот чего хотела Жанна, и она его получила. Неужели ее никогда не терзает совесть? Впрочем, совесть и Жанна — две вещи несовместимые. Жанна настоящий Квазимодо. Квазимодо на шпильках. Хотя это я зря. Горбун-то был добрый человек, страшный снаружи, а Жанна, подлинная красавица, имеет горб на душе.

Промучившись до утра, я приняла решение: никуда не пойду, пусть все остается так, как есть. Только, думается, лет этак через пятнадцать Жанночку настигнет возмездие в лице... ее дочери. Знаете, почему мне это кажется? А глаза орехового цвета, мгновенно трансформирующиеся из светлых в темные, очи, доставшиеся крохотной Машеньке от мамы-убийцы и дедушки-негодяя.

Ох, не зря ученые утверждают: от кого из родителей ребенок унаследовал цвет глаз, от того и характер. Впрочем, не буду прогнозировать плохого, может, Маша вырастет хорошим человеком, во всяком случае, очень надеюсь на это. Ведь, в конце концов, я не стану рассказывать правду только из-за нее, а еще из-за несчастной Лены, заплатившей за благополучие дочери ценой собственной жизни и доброго имени.

ЭПИЛОГ

Веню, естественно, освободили. Уж не знаю, сильно ли он горевал о смерти Ирины. Выйдя из тюрьмы, парень приехал ко мне с тортом и в ходе нашей беседы неожиданно обронил фразу:

— Да, успей я жениться на Ирке, все мое бы было.

Я дернулась, словно наступила на мышь, и постаралась побыстрей избавиться от гостя. Насколько знаю, Вениамин живет неплохо, он купил квартиру в Москве на деньги, фактически украденные у Ирины. Помните историю с перстнем, который Веня продал эстрадной певичке Доре? Вот отсюда и квартирка.

У нас все по-прежнему. Только крокодилов я сдала в зоопарк, их туда взяли весьма неохотно, но все же пристроили в специальном помещении к другим аллигаторам. Крыса же, несостоявшийся ужин Аси и Васи, осталась у нас. Я назвала ее Матильдой и поселила в специальной двухэтажной клетке. Мотя, сначала маленькая, тщедушная, быстро разъелась. Особенно ей пришлись по вкусу собачьи лакомства — сырные дропсы, которые мы покупаем для нашей стаи. Теперь Мотя не прыгает со второго этажа своей клетки на первый, а перетекает, словно капля ртути, такая у нее толстая филейная часть.

Петр Леонидович, брат мужа Нины Ивановны, женился на Кире Григорьевне, о чем мне с бьющей через край радостью поведала председательница. Кстати, о ней. Можно займу еще немного времени и расскажу вам одну историю?

Вчера вечером я гуляла с собаками во дворе. Дело было около одиннадцати. Представьте мое удивление, когда я увидела Нину Ивановну, спешащую к подъезду с сумкой в руке.

— Из гостей идете? — улыбнулась я.

Она неожиданно засмущалась:

— Ну, решила чайку попить, а хлеба нет...

Я усмехнулась, один раз уже встретила ее поздно вечером во дворе и слышала про хлеб, но тогда в пакете отчего-то оказалось тухлое мясо. Впрочем, кажется, и сейчас...

Я задергала носом:

— Чем так противно пахнет?

Нина Ивановна покраснела и схватила меня за руку.

— Евлампия Андреевна, только никому не рассказывайте, хорошо?

— Могила! — заверила ее я.

— За мной ухаживает Олег Николаевич, со второго этажа, с самыми серьезными намерениями, вчера предложил брак оформить.

— Чудесно! — воскликнула я. — От души поздравляю, но при чем тут тухлое мясо?

Нина Ивановна стала пунцовой.

— Олег на пять лет моложе меня, он мне нравится, очень импозантный мужчина, не хочется возле такого плохо выглядеть! Вот я и вспомнила ваш совет про чудодейственные маски из несвежего мяса.

Я чуть не расхохоталась. Кто бы мог подумать, что Нина Ивановна мало того, что запомнит мое вранье, так еще решит применить рецепт на практике!

— И помогает? — осторожно осведомилась я, давя смех.

— Волшебное средство, — воскликнула председательница, — правда, вонючее, спасу нет! Мой кот криком исходит, когда я косметическую процедуру затеваю, приходится его в ванной запирать. И лежать с мясом очень противно, зато какой эффект! Сногсшибательный, посмотрите, какая у меня кожа! Вот и бегаю по вечерам в супермаркет, мне там оставляют свежую тухлятину. Только никому ни гугу, хорошо?

— Ага, — кивнула я, оттаскивая от пакета возмущенно чихающих собак, — молчу, воды в рот набрала.

Нина Ивановна подхватила поклажу и совсем не по-старушечьи резво побежала в подъезд. Я смотрела ей вслед. Может, мне и самой попробовать? Честно говоря, лицо Нины Ивановны выглядело просто великолепно, а ее походка! Да она идет, как молодая женщина, цокая каблучками. Вот это да, у нее на ногах шпильки! Нет, тухлое мясо не имеет с данной метаморфозой ничего общего. Это любовь! Любовь способна творить чудеса, она окрыляет людей. Да, верно, любовь окрыляет, только одних она превращает в птицу, а других в летучую мышь.

Донцова Д. А.

Д 67   Квазимодо на шпильках: Роман. — М.: Изд-во Эксмо, 2004. — 352 с. (Иронический детектив).

Хотите, расскажу дикую историю? Я, Евлампия Романова, дура стоеросовая, согласилась лететь с соседом-предпринимателем в Таиланд. У того заболела напарница. Там я чуть не скончалась от жары, да еще пришлось везти назад двух живых крокодилят. Их заказал профессор Баратянский для своих научных опытов. По прилете в Москву сосед сломал ногу, и аллигаторов к профессору домой повезла я. Но там вместо Баратянского я обнаружила его труп с дыркой во лбу. По подозрению в убийстве арестовали любовника его юной жены Ирочки. Она наняла меня расследовать это дело, так как не верила в вину любовника. В процессе я узнала много неприятного о семье профессора. В частности, что его покойная первая жена во время блокады скупала антикварные драгоценности, меняя их на украденные продукты. Может, кто-то мстит профессору, думая, что он к этому причастен? Но тут прямо при мне убили Ирочку! И что теперь прикажете делать?..

УДК 882
ББК 84(2Рос-Рус)6-4

ISBN 5-699-05503-7

Оформление серии художника *В. Щербакова*

Литературно-художественное издание

Донцова Дарья Аркадьевна

КВАЗИМОДО НА ШПИЛЬКАХ

Ответственный редактор *О. Рубис*
Редактор *Т. Семенова*
Художественный редактор *В. Щербаков*
Художник *Е. Рудько*
Компьютерная обработка оформления *Е. Гузнякова*
Технический редактор *О. Куликова*
Компьютерная верстка *В. Фирстов*
Корректор *Г. Титова*

ООО «Издательство «Эксмо».
127299, Москва, ул. Клары Цеткин, д. 18, корп. 5.
Интернет/Home page: www.eksmo.ru
Электронная почта (E-mail): info@eksmo.ru

Подписано в печать с готовых диапозитивов 03.02.2004.
Формат 70×90 $^1/_{32}$. Гарнитура «Таймс». Печать офсетная. Бум. тип.
Усл. печ. л. 12,87. Уч.-изд. л. 13,3.
Тираж 450 100 экз. Заказ № 2672

Отпечатано в полном соответствии
с качеством предоставленных диапозитивов
в ОАО «Можайский полиграфический комбинат».
143200, г. Можайск, ул. Мира, 93.

Дарья Калинина

в новой серии "Дамские приколы"

Любовник для Курочки Рябы

Если за детектив берется Дарья Калинина,
впереди вас ждет встреча с веселыми и обаятельными героинями,
умопомрачительные погони за преступниками
и масса дамских приколов!

the making of

of

THE

RUGRATS

MOVIE

**behind
the
scenes
at
klasky
csupo**

written by Jan Breslauer

KLASKY
CSUPO
PUBLISHING

"The Making of the Rugrats Movie" Book © 1998 Klasky Csupo, Inc.

Rugrats created by Arlene Klasky, Gabor Csupo and Paul Germain.

© 1998 Nickelodeon, a programming service of Viacom International Inc.
RUGRATS and all related titles, characters, and logos are trademarks of Viacom
International, Inc.
The Rugrats Movie © 1998 Nickelodeon and Paramount Pictures. All rights reserved.

Published by: Klasky Csupo Publishing
                       www.klaskycsupo.com
                       1258 N. Highland Avenue
                       Hollywood, CA 90038

Publishers: Terry Thoren & Tracy Kramer
Creative Consultant: Laslo Nosek
Editor: Eryk Casemiro
Production Manager: Cheri Schotz-Kispert
Art Director: Timothy Georgarakis
Designer: LorenzCo
Designer: Gyorgy Bp. Szabo
Digital Color Pictures: Jerry Mills
Color Retouching: Bela Kerek
Photographer: Vince Gonzales
Research Consultant: Jackie Bustos
Project Coordinators: Patricia Bobik & Jeanna Rice
Special Thanks to: Nickelodeon Movies; Paramount Pictures Corporation; and
                       Hansen, Jacobson, Teller, Hoberman, Newman & Warren Hertz
                       & Goldring, L.L.P.

The author wishes to thank: the indefatigable Tracy Kramer for friendship and
insightful guidance; Eryk Casemiro for deft editing; C. Unter and Robert Wilson for
dexterous collaboration; MB, MB and DC for tender support; and Fran and Alan
Breslauer for everything.

Distributed by: Pocket Books, a division of Simon & Schuster Inc.
                       1230 Avenue of the Americas
                       New York, NY 10020

ISBN 0-671-02809-X

First Hardcover Printing, December 1998
Printed in the United States of America.

Of all the forms of artistic expression, animation for film and television is surely one of the most collaborative. From an idea's inception through its execution and production, hundreds of people — writers, artists, producers, actors, musicians, technicians, executives and others — have a hand in the process. No contribution is too small, whether it's the network head's belief in a concept, an assistant's receipt of scripts, or an artist's choice of color.

Because of this, it would be near impossible to list here all of the people who have helped us "raise" Tommy Pickles from his humble beginnings in a television pilot, staring up at a giant toilet, to his first nude scene on the big screen. Without the love and attention they've lavished upon Tommy, Chuckie and the gang, there would certainly be no *Rugrats*.

So it is with deepest sincerity that we thank all the collaborators past and present, both remembered and not who have helped make our half-pint vision come true.

And, of course, we thank Brandon and Jarrett for being more than inspirational for the birth of *Rugrats*.

Arlene Klasky   Gabor Csupo

CONTENTS

Fifi
Spike's Mom
"Ruff, Ruff"

Spot
Spike's Dad
"Ruff, Ruff"

Spike
The Family Dog
"Grrrr, Grrrrrrr!"

we are family

Though not as difficult as tracing the lineage of the Windsors of England or the Czars of Russia, the lineage of the Pickles, DeVilles, and Finsters make up a veritable grove of family trees. But even though the lines of ancestry can neatly be drawn, to the Rugrats they're one big happy family.

Fluffy
Angelica's Cat
"Meow Meow !"

Tommy Pickles
1-year-old. Leader of the Rugrats. "A baby's gotta do what a baby's gotta do!"

Dil Pickles
Newest Pickle on the block. "Mine! Mine!"

Angelica Pickles
Tommy's 3-year-old cousin & all-around bully. "You dumb babies!"

Didi Pickles
Tommy's mother & home economics teacher. "Oh, Stu..."

Stu Pickles
Tommy's father & toy inventor. "This is the toy that's going to put the Pickles name on the map."

Drew Pickles
Stu's brother, Angelica's father & an investment banker. "How's daddy's little princess?"

Charlotte Pickles
Angelica's mother & business woman. "Hold on a minute, Jonathan..."

Boris and Minka
Tommy and Dil's maternal grandparents. "Oy, vat I'd give to be in the old country!"

Grandpa Lou Pickles
Tommy and Angelica's Paternal Grandfather. "Walked 15 miles through the snow to school."

Chuckie Finster
2 years old and Tommy's best friend. "We're doomed, we're doomed!"

Susie Carmichael
4-year-old defender of the babies & Angelica's rival. "That wasn't very nice, Angelica..."

Edwin Carmichael
Susie's 9-year-old nerdy brother. "If you triangulate the global position of the earth's axis..."

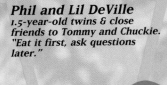

Phil and Lil DeVille
1.5-year-old twins & close friends to Tommy and Chuckie. "Eat it first, ask questions later."

Alisa Carmichael
Susie's 15-year-old sister "Mom, do I have to babysit again?"

Buster Carmichael
Susie's 12-year-old jokester brother. "Gotcha!"

Chas Finster
Chuckie's father. "Gee Didi, do you think it's safe?"

Howard DeVille
Phil and Lil's father & techno-nerd. "Honey, how do you want your eggs?"

Betty DeVille
Phil and Lil's mother & women's rights advocate. "Say do you think we should pen these pups?"

Lucy Carmichael
Susie's mother & doctor. "I can fix that right up for you."

Randy Carmichael
Susie's father. "Daddy's got a Dummy Bears to write."

Shirley Finster
Chuckie's Grandma. "Chas, where are the cookie sheets?"

Marvin Finster
Chuckie's Grandpa. "Shirley always went easy on the boy."

"This is Arlene. She doesn't really like to talk about herself. But I can tell you a few things, because we're closer than you'd probably think. She's got two boys, same as me. She even loaned me all those child development books that she stocked up on when her guys were little. Oh, and she's Jewish, like me, too, and..."

"Uh, Deed, honey. . . This is Gabor. He likes red wine and ambient industrial music (which goes right over my head to tell you the truth). He's not a toy inventor like me or anything, but he does have that inventor spirit. You can tell from the roadster that he sometimes drives (when he's not driving one of his other cars, that is). And the way he tinkers with every part of the animation. Oh, and he's into his kids, like I am, of course."

Arlene Klasky and Gabor Csupo

• Not your standard issue studio heads.

• They launched KLASKY CSUPO in a spare room of their Hollywood apartment in 1982.

• Nothing if not hands-on, they continue to participate in creative decisions on a daily basis.

giving
mirth

1

July, 1998, Los Angeles. Gabor Csupo is planted on a couch near the front of the soundstage, with his eyes and ears fixed on the screen, as footage of the *Rugrats* movie rolls. Three-quarters of the way up the theater-like room, a half dozen technicians man the controls of the main mixing board, while sound editors and others are posted at temporary workstations throughout the room. Arlene Klasky is seated toward the back of the soundstage, her eyes trained on the screen. And scattered around the room are directors, engineers, producers and others — all part of the *Rugrats'* movie team, here for the day's "spotting" session.

The footage rolls. Spike the dog is careening down the road at top speed, straining against his leash as he pulls along the nearly-airborn Angelica. They are in hot pursuit of the missing *Rugrats'* babies. Suddenly, Spike screeches to a halt to sniff a pacifier (a possible clue!) that he's spotted lying in the road. Angelica is pulled headlong by the momentum and ends up cascading over the edge of a hill, until she finally comes to rest at the base of a tree. Thhhhhhwack awackawacka, Ka-thunk.

When the sequence has been screened several more times — with various technicians making adjustments with each pass — the lights come up a notch and an air of expectation settles over the room. Gabor and Arlene who have come together mid-house to confer, turn to

Invasion Hollywood

Only in Hollywood could two young artists start an animation studio in the spare bedroom of their apartment and within two decades emerge as one of the most highly respected and innovative animation studios, proving that all it takes is one part talent, one part persistence and an unpronounceable name.

1982: **Arlene Klasky and Gabor Csupo form KC.**

1983-1988: **KC expands and moves to a new location.**

1988: **KC animates Matt Groening's "The Simpsons" as bumpers for the "Tracy Ullman Show."**

Long form production for HBO: "Alexander and the Terrible, Horrible, No-Good, Very Bad Day".

© & TM Twentieth Century Fox Film Corp., 1990.

"The Simpsons" made into half hour series. First of 3 Emmy Award seasons.

Music Videos for Beastie Boys & Luther Vandross.

TV Titles for: "21 Jump Street," "Anything But Love" and "In Living Color."

the group to give their notes. Gabor feels the music is too loud at one point. Arlene isn't happy with the sound effect that accompanies Angelica's collision with the tree. It sounds too painful, she says, as though it would hurt. Instead, it needs to be more comedic. And Gabor wants one music cue to come in half-a-beat later.

The adjustments are made, and the footage rescreened. More adjustments and then it's run again. Several more such notes — some almost imperceptible adjustments, some larger conceptual concerns — are addressed. Eventually, they move on to another section of the film, and the procedure starts all over again.

This meticulous process is familiar to the impressive group of artists and crafts people at the animation studio known as KLASKY CSUPO, and particularly to those who've worked on *The Rugrats Movie*. They're used to the painstaking care that Arlene and Gabor have lavished on every frame of the film. They know how finely tuned their perceptive abilities are. For even though Arlene and Gabor do have a knack for surrounding themselves with exceptionally talented people, they can still see and hear things that no one else will catch. There's no detail too small, no nuance not worth the time.

That's the way people who are committed to an artistic vision behave. "Mostly, the way that Gabor and I work is that we like to give a lot of creative freedom to a lot of people," says Klasky. "Then, hopefully, they use the best of themselves." "We really got into this business not because we thought we were going to make good money," says Csupo. "We just wanted to be animators, doing cartoons. That was our goal. There is a mission here that we wanted to accomplish." "Basically we just want to do great storytelling and do something new," adds Klasky. "Doing something tilted, that's what we're all about."

How One Yellow Family Led to One Mellow Bunch

Rugrats' co-creator Paul Germain began his career at James Brooks' Gracie Films before falling into the KLASKY CSUPO fold in the spring of 1988. He'd come to supervise the production of the two minute-long "Simpsons" episodes that appeared on "The Tracy Ullman Show." After co-producing several full-length installments of the famous yellow family, and starting a family of his own, Paul joined forces with Arlene and Gabor. Together they shared war stories of being new parents, and forged the development of a television series based on a notion — a baby's point of view. Several pages and as many designs later, the Pickles, DeVilles and Finsters were born.

The Japanese restaurant that serves as the unofficial KLASKY CSUPO company lunchroom is just a *Rugrats'* waddle from the Hollywood Bowl. Arlene Klasky walks into the modest strip mall eatery, on time for a lunch appointment, and makes her way across the tiny front room. Dressed in dark pants and a stretchy mock turtleneck, she is greeted by the establishment's owners, as well as by several KLASKY CSUPO folks who happen to be dining nearby.

Arlene takes a seat at a small table next to the far wall and is settling in, getting ready to order her regular salmon, when... bbbbrrrring, bbbbrrrrring, bbbbrrrrrrring. The cell phone bleats, demanding her immediate attention. "Hello?" she answers, in a soft voice that suggests that she's never quite gotten used to the lack of privacy that comes with having to field calls within arm's length of whatever stranger happens to be in her midst at the moment. It's her sons' nanny on the phone, calling to figure out who's going to shuttle one of the boys to karate class this afternoon. Arlene says she'll take care of it, even though she knows it's going to be quite a trick to break away from the studio.

No one ever said it was easy, of course, the kids-and-career thing. But for Klasky, the two are inextricably linked. "Having my children really changed me," says the former graphic designer, poking delicately at her meal, and choosing her words carefully to

1990: Move to current studio on Highland Ave. in Hollywood.

Interstitial shorts for "Sesame Street."

1991: Arlene Klasky, Gabor Csupo & Paul Germain create "Rugrats" which helps to launch "Nicktoons" line-up for creator, driven cartoons.

1992: KC self-finances 16-minute pilot "Duckman" based on characters created by Everett Peck.

1993: Lily Tomlin's "Edith Ann" is made into 2 half-hour TV animated specials: "A Few Pieces of the Puzzle" and "Homeless Go Home."

"Recycle Rex" a 10-minute educational/musical piece for Disney.

1994: "AAHHH!!! Real Monsters" debuts as second KC show on Nickelodeon.

Full Circle

The gifted visionary Peter Chung, was responsible for the opening title sequence of the Rugrats. In just 46-seconds, Chung introduced Tommy and his fellow Rugrats with a complex cartoon choreography of play. Chung eventually left the studio to produce his "Aeon Flux" for MTV. After several years and a lot of flux, Chung returned as a sequence director on the climatic scene of Tommy and Dil alone in the rain.

"Duckman" premieres on the USA Network.

Tone Casualties, which is KC's own music label, is launched.

1995: "Santo Bugito", KC's first day-time network series, premieres on CBS.

KC Commercials is formed producing campaigns for Coca-Cola, Taco Bell, Oscar Mayer Lunchables, Kraft, 1-800-Collect and interstitial animated sketches of Antonio Prohias' "Spy Vs. Spy" for "Mad TV."

1996: KC signs multi-year deal with Nickelodeon for development and production.

Casual Tonalities launches as KC's 2nd music label.

1997: KC begins production of "The Rugrats Movie" to be released by Paramount in November 1998.

make sure she gets her point across. "I can say that having kids really had a major impact on the direction our careers went. *Rugrats* is really an outgrowth of having children. Not only was I driven as an artist, but as a mother."

Klasky and Csupo (who were married at the time) launched their company in 1982, making a name for themselves with short-form projects, including titles, commercials, logos, trailers and so forth. They received their first widespread recognition in the late 1980s, thanks in large part to their work animating the first three seasons of "The Simpsons."

Around 1990, the *Rugrats* were born. The series was a collaborative creation, based on ideas dreamed up by Klasky, Csupo and then development executive Paul Germain. It centered on the activities of a group of babies and toddlers, led by the ebullient Tommy Pickles and his cohorts, including fearful two-year-old Chuckie, 18-month-old twins Phil and Lil DeVille, Spike the dog and bratty cousin Angelica. Also in the picture are Tommy's parents, toy-inventor Stu and teacher Didi, Stu's brother Drew and his wife Charlotte, Tommy's paternal grandfather Louis Pickles and maternal grandparents, Boris and Minka Kerpacker, and others.

From Rugrats to Angels

David Doyle was Grandpa Lou to all of the Rugrats but is probably best known by baby boomers as Bosley on "Charlie's Angels" — a role that most likely paved the way for his lovably sweet performance of Lou Pickles. It was with great sadness that the Rugrats family learned of his passing. There was great debate of whether to continue the role of Grandpa Lou, or not. But as a lasting testament to the much-loved character he created, it was decided that Lou Pickles should live on. Now Joe Alaskey carries on the legacy.

Germain served as creative producer and story editor for the original 65 episodes of the series, which included plots about fear of potty-training, the death of a pet bug and the conflict over a broken lamp. The show — which would go on to win a CableACE and day-time Emmy awards — premiered on Nickelodeon in a Sunday morning slot in 1991 and was soon given a coveted Saturday evening slot as well.

Beginning in 1994, the *Rugrats* also started to air on weekdays. And while the initial order had by this time been exhausted, the popularity of the re-runs took off exponentially. To say it became a hit is an understatement: Its fan base, despite several years in the mid-1990s in which no new episodes were produced, often borders on fanatical and it has reigned among the most-watched shows on cable television. In 1996, the series was put back into production. Three half-hour specials were also ordered. Then, new episodes began hitting the airwaves in 1997.

The *Rugrats* franchise now includes the requisite toys, videos and coloring books, as well as more exotic tchotchkes like dog bowls and even toothpaste. There's a comic strip running in newspapers, and even "*Rugrats*: A Live Adventure," a live touring stage show put on by Nickelodeon and Pace Variety Entertainment. And then, of course, there's the November 1998 release of *The Rugrats Movie*.

New episodes of Rugrats begin airing in September on Nickelodeon prime-time.

KC produces "Stressed Eric," with Absolutely Productions for the BBC.

Gabor Csupo opens "Lumpy Gravy," a West Hollywood bistro "where art, music and food collide."

1998: *August 12th, "Stressed Eric" is "Americanized" and airs for 6 consecutive weeks on Wednesday nights at 9:30 on NBC, marking KC's 3rd prime-time show on a non-cable network.*

6th season of "Rugrats" premieres on August 15 on Nickelodeon.

On September 1st "The Wild Thornberrys" premieres as first 22-minute animated show for Nickelodeon Primetime.

Rome Wasn't Built in a Day...
No Matter What They Say!

Nor was The Rugrats Movie. It took over 28,000 bagels (109 gallons of cream cheese), 12 truckloads of paper, 9600 take-out food containers, 87 bushels of pencil shavings, 1,100 pounds of chocolate and over half million phone calls to birth the movie.

"The Rugrats Movie" premieres on November 25, 1998.

"You know, we wanted to show the world that we can do movies as successfully as TV shows," says the Hungarian-born animator, Gabor Csupo. He is sitting in a black chair in an office with a decor made busy by high tech and art. He talks quickly, in language still shaded by an accent, and seems as unguarded as Arlene Klasky is careful. He is brusque where she is gentle, and will go on, passionately and at length, about the topics that he holds most dear — including making movies. "The process is different, and it's more challenging," he continues. "There are more chances to fine-tune everything. You can put every frame the way you really want it — not like on a TV show, that you just have to let go on a lot of things, because next Friday it's on the air and it has to leave the house. So, it's artistically a lot more satisfying."

The making of *The Rugrats Movie* has taken about two years. But in another sense, it's been two decades in the making: from the early daydreams, through founding the company, building success and moving on to increasingly greater challenges, including film.

Klasky and Csupo had a vision, and it is their grand idea that has made it possible for so many artists and others to do what they do best, create. But they also owe a debt to those who've nurtured the business behind the art — including, most significantly, their long-time manager-advisor, Tracy Kramer. A maverick and highly unorthodox entertainment industry operative who prefers to go unnoticed whenever possible, Kramer has been with Arlene and Gabor almost from the start. His relationship with them has been pivotal to the studio's emergence.

The core team responsible for the studio's growth was galvanized in 1994 upon the arrival of animation entrepreneur, Terry Thoren who assumed the role of President and CEO. Having established himself as a key animation producer, Thoren took the job in part because he saw KLASKY CSUPO'S success in television giving them the potential to head toward film. "I think Arlene and Gabor always knew they would make feature films, because they had so many things going on creatively. It wasn't like some companies that sit down and plan their business first, and when they solidify their business plan they go create. At KLASKY CSUPO, it's the creative process first, then we build the business plan."

With a creative plan to hatch and the savvy legal guidance of Jeannie Newman and Craig Jacobson to guide them, the crayon scribbles were on the wall for KLASKY CSUPO.

Tracy Kramer, KLASKY CSUPO manager-advocate-advisor

· *A mahatma of the entertainment industry, he goes to great lengths to remain invisible.*

· *Has a great passion for, and fierce devotion to: (1) true artists and (2) Cuban cigars. (Shipments of Cohibas and/or Monte Cristos may be sent c/o Toltec Artists, L.A., CA.)*

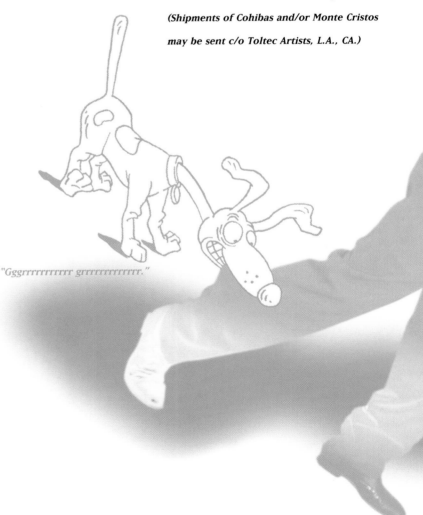

"Gggrrrrrrrrrrrr grrrrrrrrrrrrr."

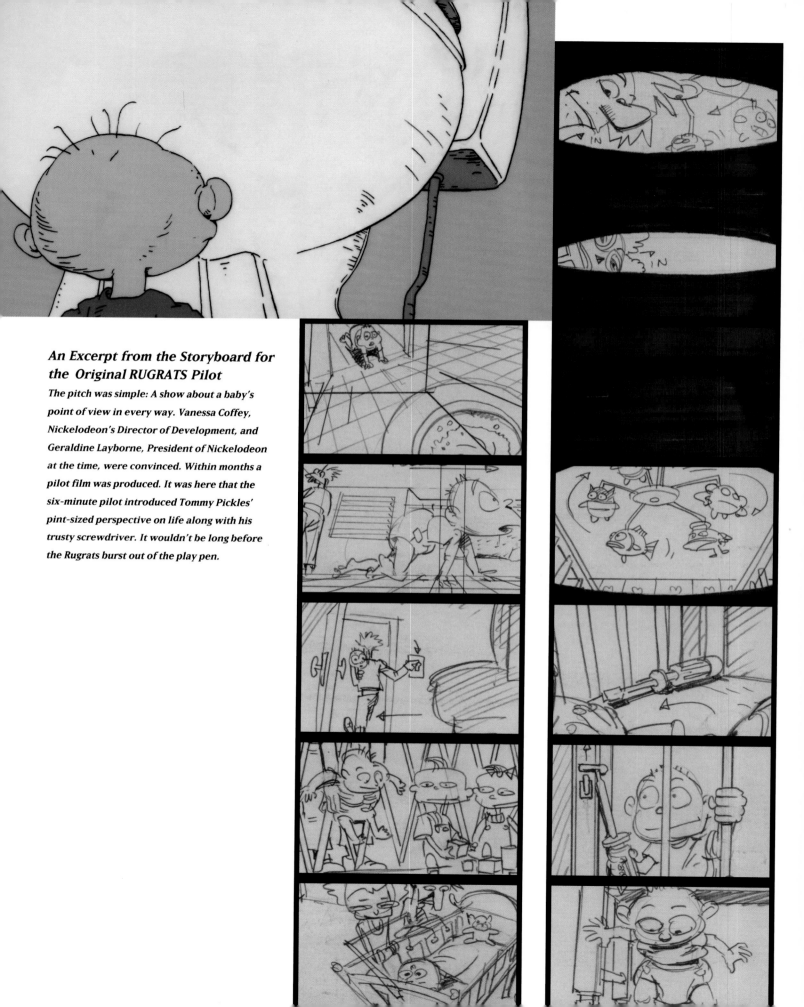

An Excerpt from the Storyboard for the Original RUGRATS Pilot

The pitch was simple: A show about a baby's point of view in every way. Vanessa Coffey, Nickelodeon's Director of Development, and Geraldine Layborne, President of Nickelodeon at the time, were convinced. Within months a pilot film was produced. It was here that the six-minute pilot introduced Tommy Pickles' pint-sized perspective on life along with his trusty screwdriver. It wouldn't be long before the Rugrats burst out of the play pen.

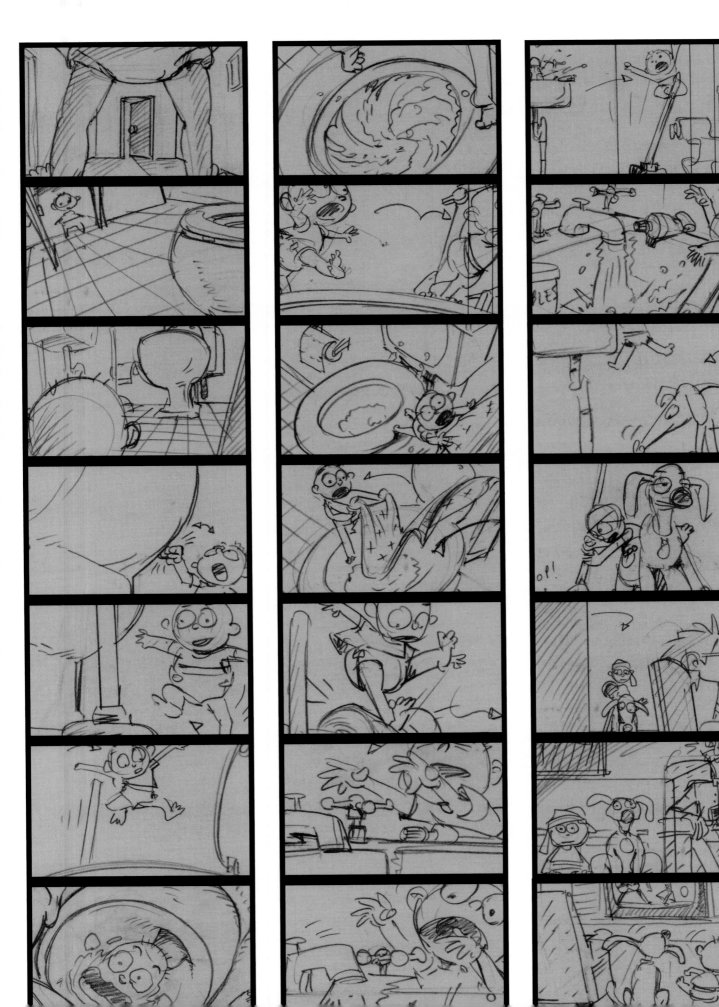

"One of the qualities of KLASKY CSUPO is that they have a really healthy hotbed of organized chaos. I remember all these people coming over when we were working on the theme song [for the TV series]. They all had different ideas on how to go with the music and it was kind of like, 'Wow, this is wild.' Everybody forged opinions about everything even if it wasn't their area of expertise. That's kind of how it works over there. People that are working in inking or painting can offer suggestions to people in sound design, and people that are working on the music can offer suggestions to the story writers."

— composer
Mark Mothersbaugh

three tykes and you're sprouts

2

February, 1995, Los Angeles. The Mignon Romanian restaurant at the corner of Fountain and Vine may have been in the heart of geographic Hollywood, but it was no Hollywood watering hole. Actually, it was easy to miss the place — which was a good thing since it helped keep it off the industry's radar. That's also why it was one of the regular lunch spots favored by Gabor Csupo, Arlene Klasky, Tracy Kramer and Terry Thoren.

The four met up one February afternoon and the chat soon turned to the topic of making a *Rugrats* movie. Arlene and Gabor had wanted to break into features for longer than either cared to remember. They'd been talking about it in earnest at least since the days when they were running the business from their kitchen table. Both of them yearned for the broader palette that film would offer. They wanted to expand beyond the confines of TV, to create work that was visually innovative and arresting. Above all, they wanted to make an animated feature that would speak to today's kids and parents.

Since Klasky and Csupo first met up with Kramer in the late 1980s, the three had spent many hours envisioning a movie. Over meals, on the phone, at each other's houses, the talk had inevitably worked its way around to the

Terry Thoren, CEO/President

- *An animation magnate: founder/honorary chairman of the World Animation Celebration, founding publisher of* Animation Magazine, *and former producer of the International Tournees of Animation.*
- *A pack rat par excellence. He keeps anything relating to animation history — even his old Day Runners.*
- *Has three sons but has never been mistaken for Fred McMurray.*

Grand Plan and making movies was always part of that. More recently, Kramer — who had gone on, since those early days, to become KLASKY CSUPO'S ever-present advisor and invaluable agent-manager — had been out there pounding the pavement, making calls and taking endless meetings with studio executives and others, laying the groundwork that would allow a film to happen. Clearly, KLASKY CSUPO were hearty enough to make a real go of it. All they had to do was convince the right people.

Unfortunately, Nickelodeon, which owned the *Rugrats* copyright, wasn't yet sold on the idea of taking the Pickles, Finsters and DeVilles to the big screen. "Not everyone was totally comfortable with the idea of a children's television show going from the small screen to movie theaters," recalls Thoren, who was then about to go to Toy Fair (a major licensing and merchandising convention) in New York and have another go at Nick. "But, we planted the seed that we could make a movie at a very reasonable rate."

As it turned out, it wasn't long after the Mignon lunch that the ice started to thaw. Nick's Jerry Beck, who happened to be a former employee of Thoren's, had talked up the idea to Nick Movies' executive Debbie Beece. She, in turn, had taken it to her boss, Herb Scannell. Then, in May 1995, KLASKY CSUPO, Paramount and Nickelodeon got together and hashed out the specifics. Shortly after that, two Nickelodeon feature films were announced: "Harriet the Spy" and the *Rugrats* movie. Still, KLASKY CSUPO didn't have a real green light. It would be another year before the *Rugrats* would have the okay.

One thing that Klasky and Csupo knew for sure, even back in late '95, was that the movie was going to be about bringing a new baby into the *Rugrats'* world. As the (now-divorced) parents of two sons themselves, they knew that there was a wealth of material there. "Your life changes if you're a parent, if you're a brother, if you're a grandparent," says the sensitive and usually very private Arlene Klasky, as she sits in her sunny and simple corner office, with family photos on her desk and a slightly-larger-than-life Tommy doll staking claim to the couch. "Really, it's just this little creature — somebody who doesn't talk, all they do is cry — but they demand so much incredible attention that everything is just turned topsy-turvy. It's really the hardest thing. When my first child was born, our dog got so depressed because all of a sudden, he wasn't my baby anymore. He went and just sulked on his bed."

"When I look back, one of the hardest periods was when they were really young, because babies are just demanding in a different way," she continues. "They're crying and you can't stand their crying, so you've got to do anything just to get them to stop, to please them. I remember my aunt telling me, 'Don't pick the baby up when it cries because it's going to get used to it and then it's going to demand you and it's going to cry.' But I couldn't do it because all the books that I had read — like Didi reads — say to pick the baby up."

But you've got to know more about a movie than just that the Stork's going to make a delivery. So, in early 1996, KLASKY CSUPO began pitching potential story lines. "Everybody has a different opinion what the first animated movie [from Paramount and Nickelodeon] should be about because it's the first one," says the typically intense and ever-pacing Gabor Csupo, who's alit for a moment on a black leather couch in his office, with its floor-to-ceiling wall of edgy artworks and an alcove full of *Rugrats* knickknacks. "Always half of the camp liked what the other half didn't. So it was a long process until we came up with something which everybody liked."

"Stu, we're going to have a..."

About a year into the production of the movie, the idea came about for a special half-hour episode for television in which Didi would learn that she's going to have a baby. After exhaustive discussions about how to deal with the subject, the idea arose to have our characters explore the meaning of family with Didi's big news as the final moment. The task fell into the hands of Jon Cooksey and Ali Matheson, story editors of the television series. And so, another branch of the Rugrats family tree was about to sprout.

"This is Eryk. He works with the screamriders and music and stuff. I like him 'cause he gots the same hairs as me."

Eryk Casemiro, Co-Producer

· *Worked with Lassie, Wayne and Garth and "Kids In the Hall" before co-habiting with cartoons.*
· *Looks too hip to be an exec.*
· *Has a large green inflatable dinosaur, Pee-wee Herman poster, Campus Queen lunchbox and many other objets de kitsch in his office.*

In an effort to justify the leap from TV to film, the first couple of treatments developed that spring went pretty wild. "There was a diamond thief and an evil doctor and all this kind of stuff which they found a little bit too forced," recalls Csupo. "We had stories which were a little bit more goofy, too cartoony, not so realistic. But we just wanted to make it so big and adventurous for the *Rugrats*, with such a big scope, that we were drawing on a lot of things."

They were told to bring it back down to earth. "In retrospect," says Csupo, "I think it is kind of the right attitude anyway. We actually agreed with that, but we were just looking for something big because we thought, 'Oh my God, what is there that the *Rugrats* can do? Get lost in the back yard between two bushes?' Big deal. Come on, they're not going to go to New York and have their adventures. It's very difficult because, let's face it, it's a bunch of babies. And if you want it to be realism, then what kind of adventure can it be?"

In April 1996, Development Executive Eryk Casemiro (the film's Co-Producer) joined KLASKY CSUPO. Outgoing, affable and hip, Eryk, the-anti-exec, studied film in art school and looks more like someone you'd run into prowling the aisles of a record store than a Hollywood power broker who can fire off memos with the best of 'em. He has an infectious smile and easy laugh that help explain his knack for working with writers and other creative types. Casemiro was asked to turn his attention to the movie soon after he arrived and that proved to be a turning point in the scripting process.

One day in the spring of 1996, not long after Casemiro had begun working on the movie, he was sitting in his office with Klasky, Csupo and writer Stu Krieger, who penned the movie's early treatments. They were bantering about ideas, trying to make headway in the latest of a string of scenarios. "At that point, the movie was not really about the birth of the baby," Casemiro recalls. "His arrival was really the climax of the story. Didi delivered the baby toward the end of the picture."

What eventually dawned on them was that they needed to have Dil poke his squiggly mug into the world earlier in the story. "It was a big event but it wasn't properly structured to be the big event," says Casemiro. "And one of the first things I came in saying was, Well, a new baby's a huge story; this is a great jumping off point."

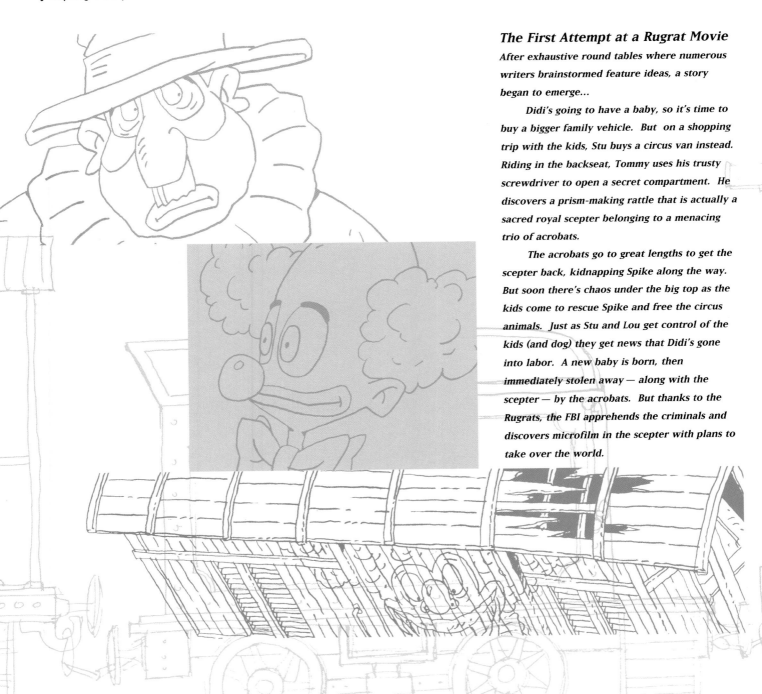

The First Attempt at a Rugrat Movie

After exhaustive round tables where numerous writers brainstormed feature ideas, a story began to emerge...

Didi's going to have a baby, so it's time to buy a bigger family vehicle. But on a shopping trip with the kids, Stu buys a circus van instead. Riding in the backseat, Tommy uses his trusty screwdriver to open a secret compartment. He discovers a prism-making rattle that is actually a sacred royal scepter belonging to a menacing trio of acrobats.

The acrobats go to great lengths to get the scepter back, kidnapping Spike along the way. But soon there's chaos under the big top as the kids come to rescue Spike and free the circus animals. Just as Stu and Lou get control of the kids (and dog) they get news that Didi's gone into labor. A new baby is born, then immediately stolen away — along with the scepter — by the acrobats. But thanks to the Rugrats, the FBI apprehends the criminals and discovers microfilm in the scepter with plans to take over the world.

"This is Hal. He's gotta make sure those dumb babies gets doned on time."

Hal Waite, Co-Producer

- *Has an amazing memory for dates, probably because he's had to make sure so many deadlines have been met.*
- *Keeps a pair of shaman stones (which look something like black iron walnuts) on his desk.*
- *Sounds and appears supernaturally calm, particularly for a co-producer.*

Another question was what the *Rugrats* would expect from a new baby. "We started talking about childhood stuff, and I mentioned that I was six years old when my mom told me that I was going to get a little brother," says Casemiro. "And when she came home from the hospital, I remember being just completely devastated because my expectation had been that he was going to be, you know, a peer, not an infant."

Meanwhile, with the creative work well under way, KLASKY CSUPO also needed to get its act together on the organizational side of the film. To solve that, Thoren hired Co-Producer Hal Waite, who started

work, coincidentally, the same day as Casemiro. A veteran of both Nickelodeon and Amblimation (Steven Spielberg's former London-based feature animation studio), Waite had served as Production Manager on the film "We're Back" and was well-versed in the complex workings of making animation. An amiable man with a sang-froid (or is that inner peace?) that has lowered the blood pressure of many a person, Waite knew that developing a feature budget was a huge job that couldn't, well, wait.

The tricky part, of course, is that all of this was going on while KLASKY CSUPO was still minus an official go-ahead. "We didn't really get the green light to go forward with the scripting until August 19th of '96," explains Thoren, a friendly but all-business guy's guy who has a predisposition to watching movies over the glow of his laptop. "So every dime that we spent prior to that moment was our risk. Companies, in order to have opportunities, have to target a certain amount of their revenue toward development. Way back when, Gabor and Arlene invested their own to make a 35mm short about a character named 'Duckman.' It wasn't until they did that, that executives understood what they were talking about and saw how great a show it could be. They understand how important it is, sometimes, to take a risk."

Yet Another Attempt at a Movie Idea
Didi brings Tommy to the doctor, and shows Tommy the ultrasound of his new brother which creates great anticipation in Tommy. The baby is born and soon Tommy is hurt by all the attention being lavished upon his new sibling.

After seeing a story about monkeys on television, the Rugrats decide to bring Dil to the zoo and give him to the monkeys. When Chas takes the Rugrats to the zoo, the kids wander off and accidentally get shipped off in a box to the distant jungle reserves of Baylankan.

The adults are soon en route to the distant locale, where they discover the children in the hands of monkeys who have saved the Rugrats from the nearby volcanic activity. It's during this adventure that Dil finally bonds with Tommy and the gang.

Are We Ready for a Baby?

Although the desire to introduce a new baby brother was there from the start of the film's development, just who this baby brother would be remained a mystery. Would Dil talk to the other Rugrats? Would he be more primitive? How mobile could he be if he could barely hold up his head? Would he crawl? Through it all, two things were certain: Dil would cry and Dil would poop.

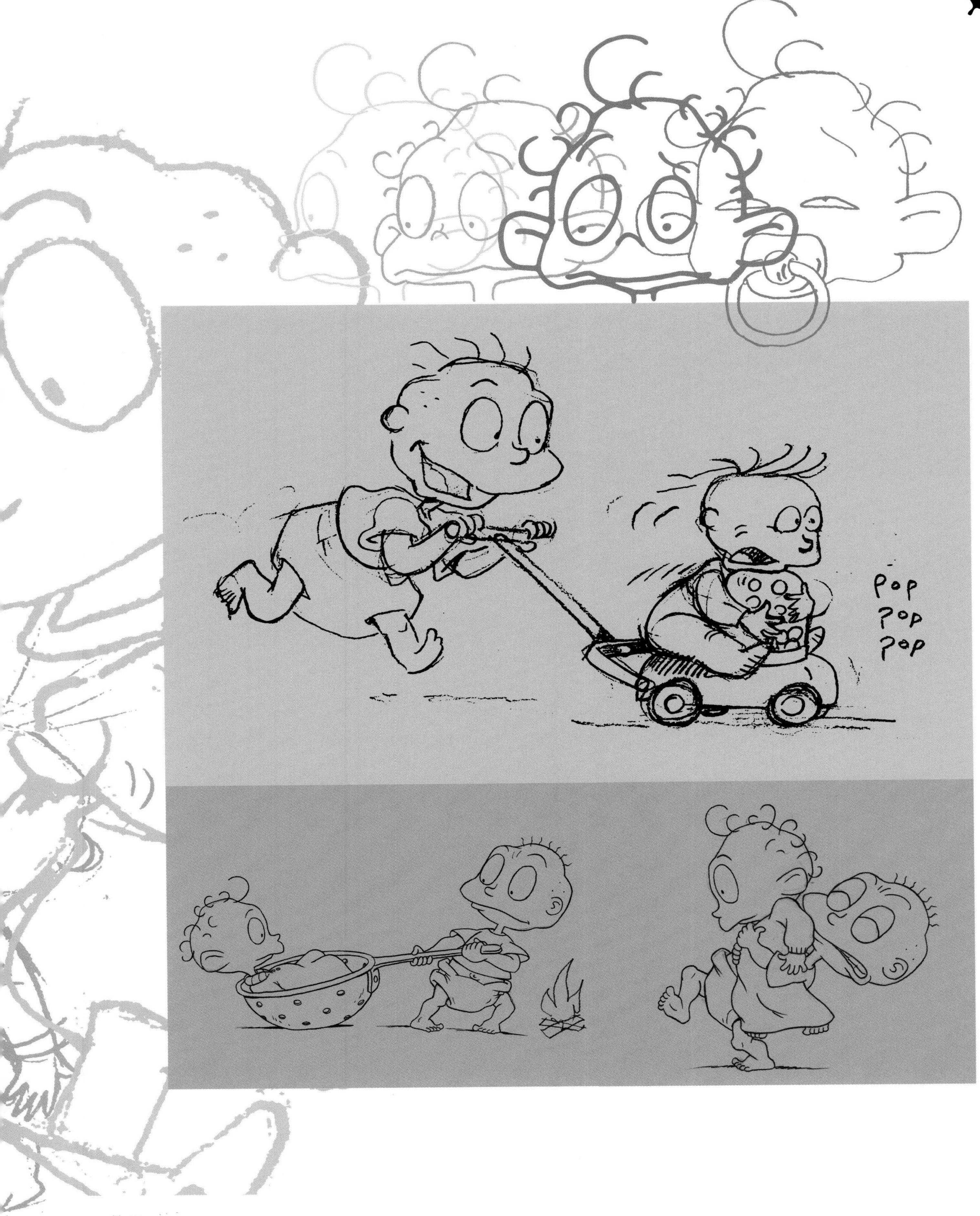
pop
pop
pop

A Dinosaur With Wheels

Back in summer of 1996, the creative team faced one of many tough challenges: how to incorporate the Rugrats' favorite toy into the movie. And, on a glaring hot, mid-August afternoon, the idea of the Reptar wagon was hatched. Soon, designs were underway.

Woof to Wolf

Early outlines noted a wild dog in the woods that would stalk the Rugrats as they try to make their way home. But along the way, the idea of using a wolf emerged. It magnified the danger and also and served as a nod to children's literature.

Ooo Eee Oo Ah Ah

"Why would there be monkeys in the world of the Rugrats?" someone asked. Didn't matter. The film-makers wanted monkeys and were convinced they could work. What no one could have anticipated was that these same monkeys would hijack a train, kidnap a baby, steal a doll and perform a number from the soundtrack. But it was not without some evolution.

Rosie, Arnold, David and Whoopi

The desire to put top name actors into the film drove the creation of several new characters, including the Park Rangers. Once again, KLASKY CSUPO designers batted around dozens of ideas until the challenges of availability were solved and the film's rangers were found.

~~Tab Lloyd, Scoop Hunter,~~ Rex Pestor

Naming the new Pickles baby was a breeze compared to naming the film's most smarmy and obnoxious character. The role proved to be no less difficult to cast. Numerous submissions and designs flew around Hollywood until the perfect Rex was found.

CHUCKIE
This place gives me the juice bumps.

PHIL
Maybe we should go back.

LIL
Very back!

TOMMY
We can't go back now, you guys. Okeydokey Jones never goes back … Hang on to your diapies, babies. We're going in.

3

FADE IN:

INT. COFFEE SHOP — 9 A.M., AUGUST, 1996. DAY 1

Four tired guys — writers J. DAVID STEM and DAVID N. WEISS, and directors NORTON VIRGIEN and IGOR KOVALYOV — are slumped into a booth in the coffee shop of the Holiday Inn in Santa Monica. They are staring at the greasy eggs on their plates, saying little. Their preoccupied expressions suggest they're thinking about why they've been sent here to work for a few days, away from the distractions of KLASKY CSUPO. They know they must make progress on *THE RUGRATS MOVIE* script. They know that they have to finally crack the plot.

> VIRGIEN
>
> You know, they need to be brought together, Tommy and Dil...
>
> WEISS
>
> But if they're going to come together, to work toward something, then they sort of need to start apart, right? I mean, we've been sending them all off here and there, focusing on the adventure. But maybe the thing is the other way around...
>
> STEM
>
> (finishing WEISS' sentence)... And what we need to do is reverse it, so that they have to work together to get home, right? Yeah, that might work. Maybe we've been just approaching it from the wrong direction...

"This is Dave.
He's a screamrider."

"This is Dave.
He's a screamrider,
too."

David N. Weiss and
J. David Stem, writers

· *They've been working together as a team for*
six years now.

· *They come to work in the morning and don't*
get much done before lunch. After lunch, they
throw away what little they did before lunch
and start over.

· *Weiss talks too much. It's hard to get Stem to*
open up at all. On average, however, they're
one fine conversationalist.

KOVALYOV (V.O.)

Well, after that Dave and Dave finally started writing a lot, and fast. I was worried until then, but finally it seemed like maybe it was starting to work. It was about five pages long. I thought that there were too many words in it but I think that a lot of the time. So I didn't say anything. The idea was that the kids were going to get lost somewhere, and in order to get home, they're going to have to overcome the sibling rivalry, and work together again as friends.

June, 1998, Los Angeles. It's a midweek morning and J. David Stem and David N. Weiss, a.k.a. the Daves, are kicking back in the spacious white-brick-walled room that serves as their office, in a quiet back corner of the KLASKY CSUPO annex building. Weiss sits behind a computer desk plastered with photos of his wife (lovely, in a white wedding gown) and kiddies (a toddler girl, a newborn boychik). Stem, meanwhile, is parked in front of his comparatively spartan work area, with his long legs stretched out and his feet propped up on Weiss' desk. Hanging on the wall, and hard to miss, is a big erasable writing board. There isn't any actual writing on the board at the moment. But you take it on faith that that's not usually the case.

Weiss is the designated kibbitzer of the team, and does his best to make a visitor feel welcome. A wiry guy with curly brown hair and Eveready bunny energy, he has a personality that verges dangerously near perky. Still, the film school graduate and veteran of such features as "All Dogs Go to Heaven" takes his work very seriously. He can talk nonstop about the *Rugrats*, if you let him. And he keeps kosher, too. Such a nice boy.

The concise Stem plays Woodward to Weiss' Bernstein. A lanky bachelor with a careful goatee and a single tiny earring, he's not the kind of guy who reveals much about himself at first pass — other than that he's done stints in both advertising and journalism. Stem is given to occasional disappearances — as he ducks out of the room, mid-conversation, for a sip of water and a moment alone — that suggest a somewhat private personality. Either that or he's parked at a meter.

The Daves first met about six years ago while writing for a sketch comedy show called "Roundhouse"...

> STEM
>
> We were hired as separate writers, but we shared an office and just ended up getting along really well.
>
> WEISS
>
> I stole a lot of material from David and it served me well...
>
> STEM
>
> I was stealing material from other writers so it didn't matter.
>
> WEISS
>
> ...We thought, hey, maybe we should do this officially. We wanted to get rid of the guilt, so we teamed up.

Fittingly enough, their teamwork reflects their personae. It's what you might call an 'alone together' way of working, starting with a brainstorming session. "You need a sounding board," explains Weiss. "The cracking of the story process is just nightmarish separately." Then the Daves divide in order to conquer. Each takes a scene or two and goes off on his own to write. They reconvene later and go over what they've come up with.

WEISS

WEISS

We have our own punch up room. Two brains firing at the same problem is much better, and there's no doubt that we've gotten much better at playing to each other's strengths. I tend to talk a lot.

STEM

I sit and stare and hope an idea comes to me. It's not actual thinking; it's more staring into space. Other people can't tell the difference.

Stem and Weiss first came to KLASKY CSUPO in 1995. In early 1996, they were hired to put the *Rugrats* series back into production. Then, in the summer of 1996, Weiss and Stem moved off the series in order to work full time on the movie. "There's a real learning curve to the show," says Co-Producer Eryk Casemiro, "A certain rhythm and a certain point of view that is really hard to grasp." The three have been through the rigors of a Hannukah special and a Mother's Day special, and Casemiro felt that Weiss and Stem were the right team for the movie.

"What they wanted was a big adventure," says Weiss. "They didn't want to go into outer space. The story had to abide by the rules of the *Rugrats* universe, which — although fanciful and allowing for some wacky adventures that stretch reality — is a definite type of reality. The kids get into crazy, dangerous situations and perhaps they don't fall down where they probably would, but they don't get into a rocket ship and go to Mars ..."

Thirty Boards That Sold A Movie

What started out as a two-page story premise in the summer of 1996 soon turned into a 30-page, well-detailed outline of what the script would become. It was at this point that some executives at Paramount and Nickelodeon still hesitated and asked, "How will this movie look different from the television series?" These 30 storyboards captured the intended cinematic vision and convinced the powers that be that this was a movie worth making.

"...Because it's really about what's happening in their minds," adds Stem. "The imaginary adventure stuff works well in the series, but you can't get away with it in a movie because it doesn't have any real consequences. If the big adventure that's happening to the characters is only in their heads, the audience is going to be sitting there going 'Who cares?'"

In the wake of their August anti-holiday at the Holiday Inn, they had a basic scenario in hand. Then, during the next month or two, the Daves endured yet another hotel internment. But they also had some key breakthroughs, wrestling with problems that were different from what they'd been used to on the TV show. "Characters in a good movie are going to grow and change," says Stem. "But the problem is, we have a movie here that comes out of a TV show. The characters, if they grow and they change, still have to go back to a series, because the television series is go-ing to continue after the movie. So you can't just completely change your characters." Weiss adds, "Tommy has a much bigger spectrum to cover in the movie: He's jealous, he's wondering whether his parents have enough love for him — all those questions that come up for the existing baby when you bring a new baby into the world."

In mid-October 1996, KLASKY CSUPO made a multi-part pitch at Paramount in which they not only explained the final treatment, but also showed a series of presentation boards that more or less saved the day. We had the task to convince a lot of executives why the little tykes needed to go beyond TV. But once they saw the kind of enhanced look that KLASKY CSUPO had in mind for the film (with sophisticated color, added dimensions and many other innovations) and heard the compelling storyline, it clinched the deal.

"I remember the one pitch which we had to do for (Paramount Motion Picture Group Chairman) Sherry Lansing," recalls Gabor Csupo. "She had already read the outline, so she walked into the room kind of already knowing the story. As we went through the details, she had a couple of little questions. We

answered all that and we showed her the boards and she seemed really happy."

At that point, the Daves started going full steam ahead on the actual script. Between KLASKY CSUPO, Paramount and Nickelodeon, there were a lot of cooks in the kitchen, and therefore countless note sessions and revisions.

Ultimately, writing the movie was no mere trip around the playpen. Yet both Daves drew energy from their sense of being part of a project that would linger in many kids' memories for years. It wasn't just that the characters were so beloved, although that certainly mattered. It was a sense that, when it came to the *Rugrats*, there was actually some truth in those old maxims about universal meaning.

WEISS

People relate to the attitudes of these kids and the way they look at the world. There's this innocent, skewed perspective looking up at things. They're innocent and vulnerable, and they get it wrong so much of the time. They get it the way that we probably got it ourselves. So you root for them.

STEM

Really, when you think about it, the five main characters of the show represent the core of what's inside everybody. Tommy sees the world the way we wish the world could be. And there's the Chuckie part of you that's afraid. There's the Phil and Lil sort of hedonistic part that just wants what it wants when it wants it. And there's the Angelica part...

WEISS

Sheer evil. We all have a little bit of that.

STEM

So really, life itself is like an episode of *Rugrats*.

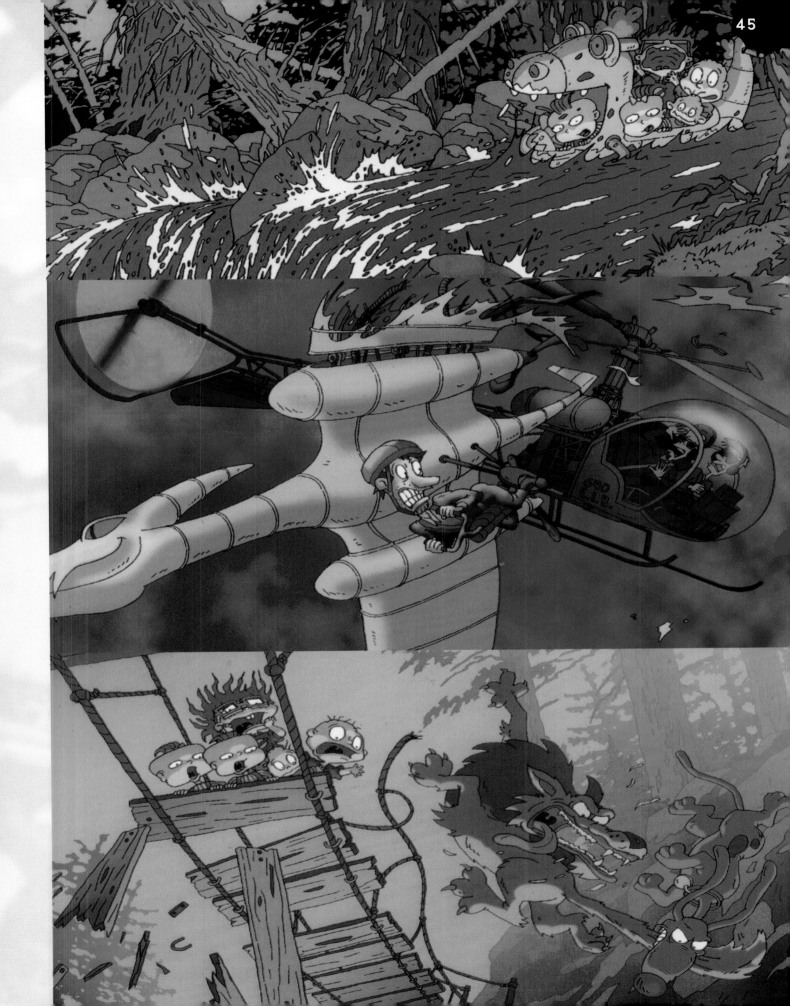

"This is Igor, the director. He's Russian."

"This is Norton, the director. He's rushin' too."

Igor Kovalyov and Norton Virgien, Co-Directors

- *Both have experience as animators, dads and workaholics.*
- *Born to work together: Igor grew up in Kiev, and Norton once ate Chicken Kiev.*
- *They share a strikingly similar taste in wire-rimmed glasses.*

4

August, 1997, Los Angeles. The air conditioning inside the darkened screening room on the Paramount lot seemed to be going full tilt, but there were sweaty palms nonetheless. The KLASKY CSUPO cadre — Gabor Csupo, Arlene Klasky, Terry Thoren, Tracy Kramer, Hal Waite, Eryk Casemiro, the Daves, Norton Virgien, Igor Kovalyov and several others — sat in tense silence, watching as the film of black-and-white line drawings flickered by onscreen. But they were too jittery to appreciate their own work. This was the second screening of the animatic — the still-to-still version of the movie's storyboard — and they were particularly anxious to find out how Paramount's Sherry Lansing and the other honchos in the room were going to receive their latest efforts.

"We were all really nervous," recalls Arlene Klasky. "And the lights came up and she just gushed. She said 'You have a wonderful movie.' She was just so warm and encouraging about the film. That was a great moment for us."

"It was definitely epiphinal," concurs Eryk Casemiro. "Her notes at that point were thoughtful, appropriate and very legitimate notes from the eyes of a filmmaker, and not just 'Can we have another song?' or 'Can we have more starring roles?' I was relieved. We were on the right track."

In the Nick of Time

"We wanted to enter the animated features arena in a way that would reflect a statement about what's different about Nick versus everyone else. This is the first animated feature about a contemporary family. In the word 'contemporary' is embedded what we're trying to do in the animated feature arena.

"On the one hand, you've got this tradition of historical myths, and on the other, this very real what's-in-your-life point of view that's very much Nick and very much Rugrats. And that's what we want the animated feature to be. This is about sibling rivalry, and what happens with your friends when that happens.

"Second, we're always looking for something that has a different style, and certainly Rugrats has that. It's an almost postmodern style. Third, we want to use rock and pop as a backbone. It accentuates our contemporary postion, that we want to be in people's lives today.

"Lastly, Rugrats is creator-driven. We're not going to create animation by committee. We don't sit around a table and then it goes to some team of staff directors. This is about a creator who has a passion for a vision and realizes that vision with a specific and unique production team."

— *Albie Hecht*
President of Film and TV Entertainment
Nickelodeon

It was a well-earned moment of quiet triumph, in the dog days of a smoldering summer. It hardly seemed as though 10 months had gone by since the first time KLASKY CSUPO had shown the finished treatment and presentation boards to Lansing. Yet to have come this far in less than a year also seemed impossible. Either way, 1997 was definitely going to be a year to remember.

Back during the first few months of 1997, the script was still undergoing polishing. "Even in March, the script was long," says Casemiro. "It still had some trouble spots." Recording sessions for the dialogue had begun in March, but within a month it had become clear that their work was far from done.

By April, though, the Daves weren't around: They'd gone to work on the TV sitcom "Cybill." So when KLASKY CSUPO decided the script needed one more polish, they tapped the husband-and-wife team of Jon Cooksey and Ali Marie Matheson — the same duo who'd taken over running the *Rugrats* TV series after the Daves first went to the movie. Heartfelt moments were this couple's strong suit, and that's exactly what the script doctor ordered. So during April, they set to work, adding new bits and burnishing some of the more intimate moments.

Then, in mid-May, after Cooksey and Matheson had made their contributions, the KLASKY CSUPO team took one last pass through the script themselves, cobbling together a 'best of' version that incorporated many of Cooksey and Matheson's suggestions. All this tinkering, of course, meant that there had to be more re-recording. "We kept working the radio play (voice track), and we were re-recording lines through the end of May," says Casemiro.

The protracted process was probably a necessary evil. "A lot of animated films have been less successful than they should be because people don't do that extra work on the script," says Co-

Director Norton Virgien, who was one of the three original directors on the *Rugrats* television series when it first began. "They don't add the things that are necessary and fight those battles. And, you do sometimes need to get a little too much material to know what is necessary and what isn't."

At KLASKY CSUPO, in fact, the play's the thing. "Igor and I, when we were looking at scenes, tried really hard not to forget the story, not to get caught up in making a funny bit of entertainment that wouldn't advance the story," says Virgien. "We've tried really hard to be the studio that remembers that movies are about stories and not only about drawing."

Meanwhile, as the script continued to be fine-tuned, work had already begun on the storyboarding (black and white sketches of key plot moments). "After we'd done 50% of the storyboard, we got the final script and threw out 50% of what we'd already done," says the Ukraine-born Co-Director Igor Kovalyov, who first came to work at KLASKY CSUPO in 1991. In order to get the schedule back on track, the storyboarding and layout phases of animation overlapped from July 1997 through February 1998, allowing the directors more time to rework key plot points.

New Growed Ups On The Block
In May of 1996, the husband-wife writing team, Jon Cooksey & Ali Marie Matheson, joined KLASKY CSUPO as staff writers on the fourth season of the television episodes. Their first episode: "Radio Daze". Within months, they were running the writing of the television series, script doctoring the feature, and writing the Rugrats' Live Adventure.

June, 1998, Los Angeles. It's an election day morning in L.A. and Norton Virgien is still sporting his "I've voted, have you?" tag when he breezes into the upstairs conference room in the KLASKY CSUPO main building, set for a chat about *The Rugrats Movie*. "The two directors thing was a question mark for both Igor and myself when we started because I don't think we had ever worked closely together before," Virgien admits, with the diplomacy, slightly boyish charm and guileless smile that have no doubt, delivered him through many a sticky situation. "I can make decisions very quickly by myself. But with two guys, we discuss it."

"And it's not just two," he continues, with the kind of understatement usually reserved for international detente. "Arlene and Gabor are both artists and creative and filmmakers themselves. As producers, they have a strong influence over all the

Of Paramount Importance

"I am wildly enthusiastic about the movie. I think the creative team has done an extraordinary job of keeping the creative integrity of the Rugrats. I find it funny and really touching. Adults will love it also because it deals with sibling rivalry, and how, when there's a new brother or child, we all feel displaced.

"We all knew it was going to be fun and funny, and that the animation would be great, but the scope and the element of heart exceeded even my highest expectations. We believe in the Rugrats franchise in an enormous way. They've created eccentric, unique and original characters. And I think when you give an audience of any age people you can care about, then it becomes a hit.

"It's a very special movie to us. It's one of the highest priorities we have. Our marketing team is tryng to show that this is not just another episode, but really something special. The good news is that you have the base of the audience, the devoted fans. But you have to say to them, OK, this is something that you can't see on television."

— Sherry Lansing,
Chairman of the Motion
Picture Group
Paramount Pictures

decisions also. My feeling — and I think Igor would probably agree — is that we've actually found many more moments of creative spark because we were working together then when we worked apart."

Kovalyov — who had been scheduled to join Virgien in the hot seat but who's been M.I.A. for the past half-hour — chooses this moment to poke his head into the room. A gracious and nimble man who looks as if he never stops to eat, he offers profuse apologies for his absence. Once he sees how well Virgien is handling matters, though, he ducks right back out again, presumably to attend to some pressing director business. Kovalyov makes two more such appearances, before perching reluctantly in a seat — nearly an hour later than originally planned. (A cultural difference perhaps?) But then, that's the nature of the Virgien-Kovalyov teamwork: They each do what they're best at. And Virgien is clearly the schmoozer of the two.

Kovalyov, however, was no stranger to collaboration before coming to KLASKY CSUPO. "I was working with my friend in Russia, working together, but I never had this experience in America," he says. "It's a very good experience working with Norton. It's very interesting. We're absolutely different, Norton and me, and we can see the movie absolutely differently. When we were starting, we were ready to fight. It's art, so it's very subjective, very individual. He might be feeling one way and I might be feeling another, but we try to find compromise."

Virgien and Kovalyov opted against the route usually taken by animated feature co-directors, which is simply to divy up the sequences. Instead, they worked together on everything — a choice that at one point caused project executives to question whether it was slowing down the work too much. But KLASKY CSUPO stood firm that the benefits outweighed the costs. "Our decision was not to split up the film by sections which is often the most efficient way to work," says Virgien. "That's another reason why

I work long hours, actually."

Fortunately, Virgien and Kovalyov's skills were well balanced. "We do have very different styles," explains Virgien. "So the reason this works is that we're both fairly easy-going about our egos. We try to find ways to defer to each other in different areas of strength. I was perhaps more active when the story was being assembled and the story boards were being viewed, partially because I'm the native English-speaker of the two of us. For dialogue and things like that, Igor always defers to me. It just happens to be my strong area of interest."

While Virgien focused more on script and story, Kovalyov spent more time on matters of visual composition. Says Kovalyov: "For me, it's a more interesting period of the process in post-production. I really like to work on it: How long should this scene be, how should we shoot the next one, what kind of cut? It's very important, editing. For me, it's like music."

In fact, Kovalyov often worked directly with Art Director Dima Malanitchev. A personable man with an obvious sense of style — not to mention the artiest collection of office doodads in the KLASKY CSUPO complex — Malanitchev was one of Kovalyov's collaborators back in Russia and came to KLASKY CSUPO in 1994. Malanitchev was responsible for the provocative color palette used in *The Rugrats Movie*, as well as countless design elements — from the way Chuckie's hair now responds to the elements, to the panoramas created in Photoshop that form the backdrop to the *Rugrats* outdoor adventures.

Ultimately, both Virgien and Kovalyov found their sensibilities coming closer together than they'd ever anticipated. Says Virgien, "Two directors is almost a practical necessity sometimes."

chuckie's
four words

That's me, Chuckie Finster, talking at the beginning of the movie. They picked me to tell the story about me and Tommy, and Phil and Lil and oh, yeah... Dil. There probably wouldn't be any movie if it wasn't for baby Dil. See, first the writer-peoples decided Tommy should have a baby brother. Maybe they thought we wasn't getting into enough aventures, or maybe they wanted Tommy to hafta share stuff, or maybe... they just likes babies. Yeah! That's it. They likes babies a whole lot. And if four babies is good, maybe five is betterer, or eleventy or twenty...

Anyways, then the drawer-peoples — you know, the ones who drawer me, and my sneakers and my favoritest shirt — started thinking 'bout what baby Dil would look like. There's a whole lotta drawer-peoples who make us all look good. Lil likes 'em cause they make her look prettyful. Phil likes 'em cause they drawer a nice, wiggly wormy. Well, akshully, the peoples who make wormies wiggle are called the aminators. They're the peoples who makes us walk. And in the movie, they made the Reptar wagon go really fast and made us run away from the scary monkeys and the big bad woof and... Whew! I'm getting kinda scared just 'membering it all!

Maybe I should talk 'bout the nice directors instead. They're kinda like the mommies and daddies of the movie. They takes care of everyone and sometimes helps the drawers decide what to draw, or they helps the writer-peoples think of something funny to say. Mostly they make sure everyone is doing what they're 'opposed to be doing to make the movie. And then the music man writes songs and pretty music, cause kids really like that.

The bestest part about working on *The Rugrats Movie* was being with my friends. The worstest part was when I had to be mad at Tommy. That was kinda hard. But I figured the peoples who made up *Rugrats* wouldn't keep two bestest friends mad at each other for long, and I was right. We founded out that Tommy Pickles would never turn his back, or his bottom, or anything else, on his friends! Not me, or Phil and Lil or Dil, or even Angelica. So all those peoples I was telling you about made sure that everything worked out okay. And when we're all together at the end, I felt juicebumps. Not the scary kind, the good kind. The kind that sometimes makes you cry and hafta wipe your nose a little.

Hey... I think that's what the movie peoples wanted.

the silly "Shower"

"gosh, you can hardly tell she's gained any weight."

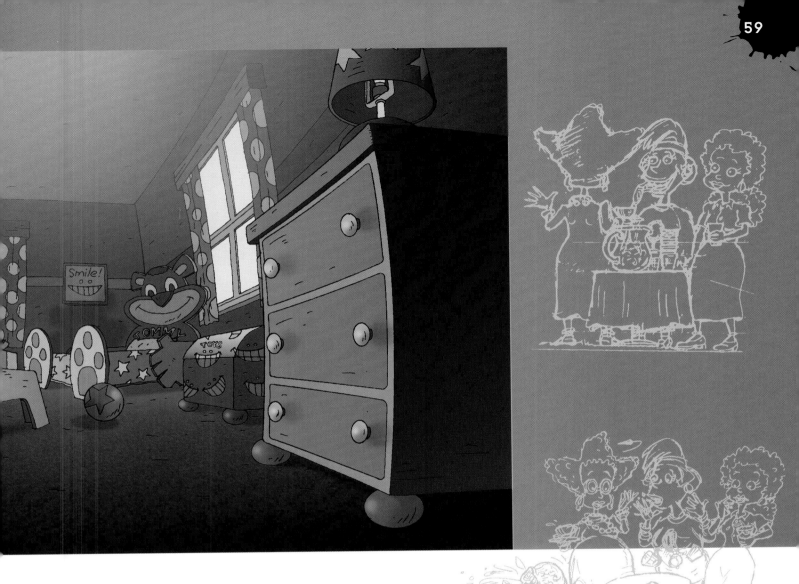

bonk!

"not yet.

but they're

givin' her this

big party,

so i'm pretty

sure today's

the day!"

"it's **time!**"

"everybody to
your stations,
people!"

"deed, start
your breathing!"

"i wouldn't be in such
a big hurry if i were
you, tommy.
'cause when the
new baby gets here,
she's gonna get
all the toys and the
love and the attentions."

oh, mrs. pickles,
you weren't due
til next week, now dear.
geez, well,
guess we could try
and squeeze you in
somewhere, huh?"

hehoo!

a fresh
new pickle

heehe hoo! Oh, oh! aaaaaaaagh!

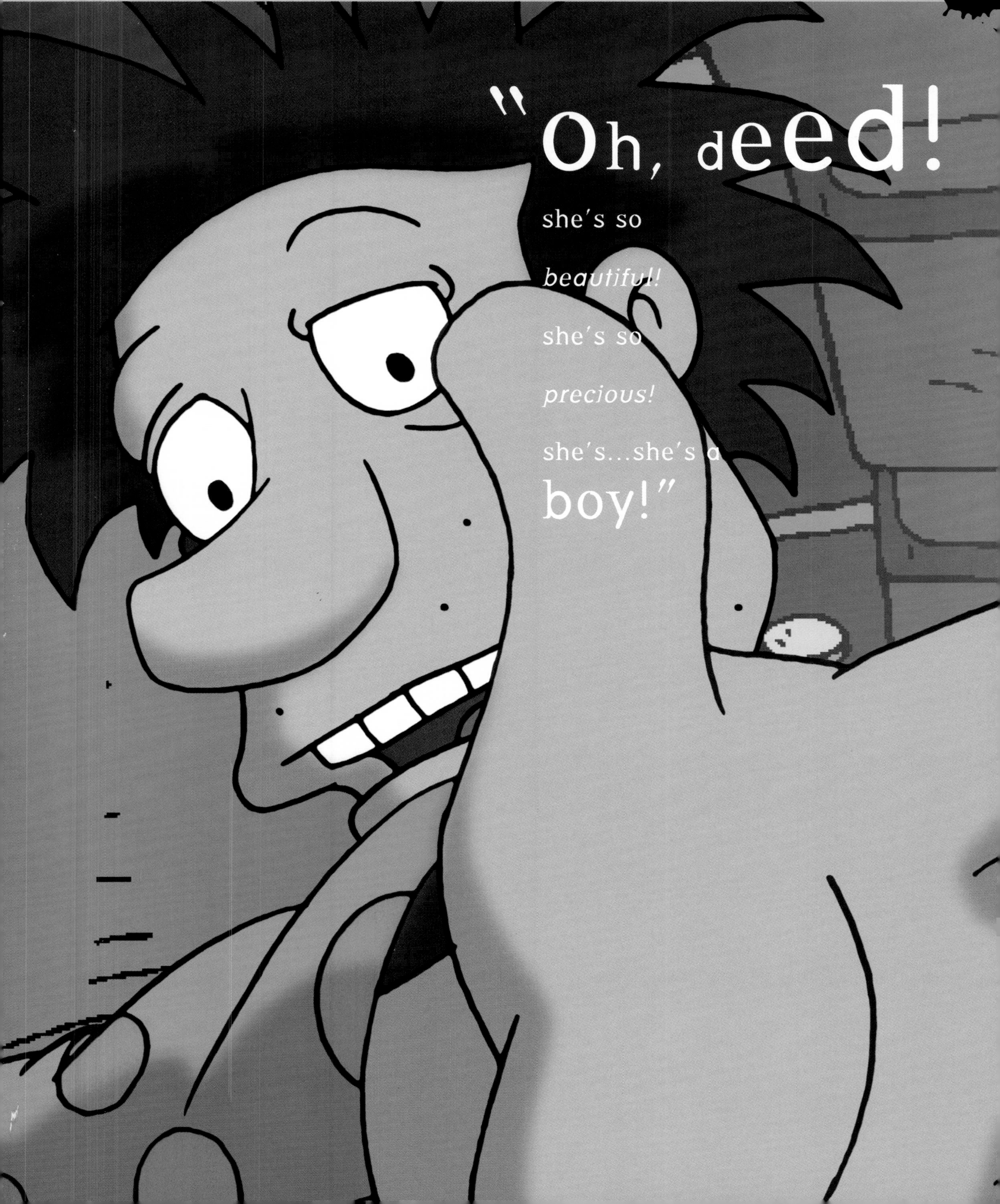
"Oh, deed!
she's so
beautiful!
she's so
precious!
she's...she's a
boy!"

"tommy,

i want you to meet

someone very special.

this is your brother, dylan.
dil, this is tommy."

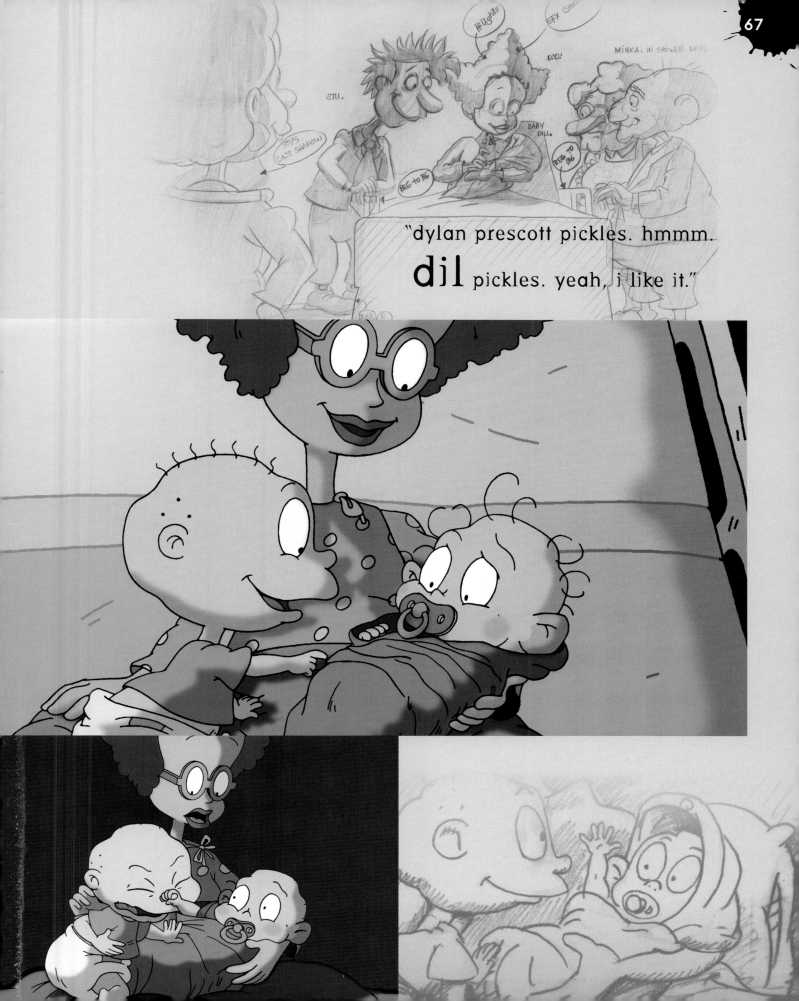

"dylan prescott pickles. hmmm. **dil** pickles. yeah, i like it."

PANEL: 13A

baby
blues

"he hasn't stopped **crying** since we

brought him

home!"

"what's your brother

so sad about?"

"I dunno. but whatever it is,

it must be really bad!"

"maybe he's broked!"

"and then

the wizard

looked down at

the little boy

and said,

'your wish has been

granted'

and the little boy

looked up ..."

Waaa!

"deed! help!"

"baby please rest your head.

now it is time for bed.

please stop, don't you see,

i want mom and dad for me."

mine!. mine! mine!"

"mine!"

"tommy! dil! boys!

what are you doing?

dil, what say we give

tommy a little turn with

the bear, huh?

...or not!"

run away reptar

"they took cynthia, spike!

c'mon!

your're gonna be my butthound.

we gotta search every

doghouse, playhouse,

treehouse and dollhouse!

i want those fugitives back in

custerdy!"

"pop!

where can they be?"

"einstein here lost the kids!"

"where are we?"

"it looks kind of like the park."

"only biggerer!"

"this place is biggerer

than the park and the backyard

all put together!"

"pooping!"

"well, I guess we'll have

to change his diapie."

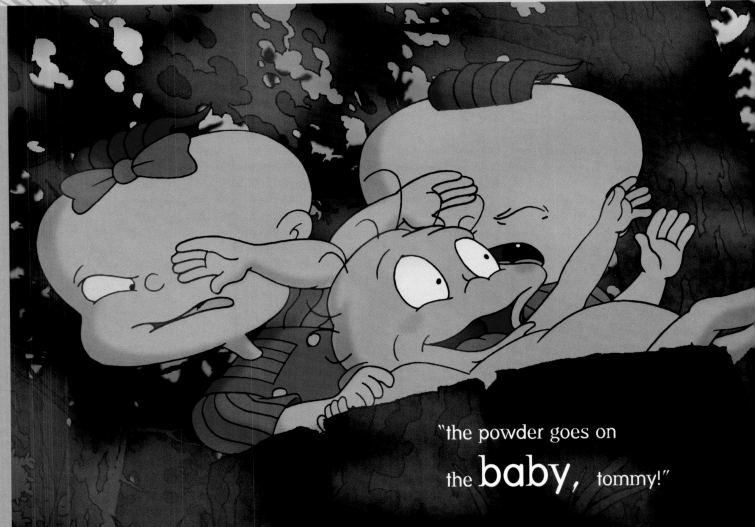

"the powder goes on

the **baby,** tommy!"

meet the press...

"... young tammy, baby dale,

"mrs. pickle,

did your son have any

enemies?"

the twins, bill and jill,

little chunkie,

and poor amelia,

all vanished

without a trace."

"alright, the pups are in the woods!"

"you men, follow those tracks!

we'll head to the ranger station

and start a search from there."

off to see the "lizard"

"a lizard?"

"you know, a big guy with a

pointy hat, that grants wishes!"

"i saw feetprints

like that in our story book.

a woof made 'em and then he

ate that little red riding girl."

"'sides, it's hot (phew) 'sploring in

the woods all day.

ahhhhh, little breeze... feels good...

just what i needed. Oh, thank you, dil."

"a pirate's life

is a life for me.

yo ho ho
and a buttle
of yum."

meet the monkeys

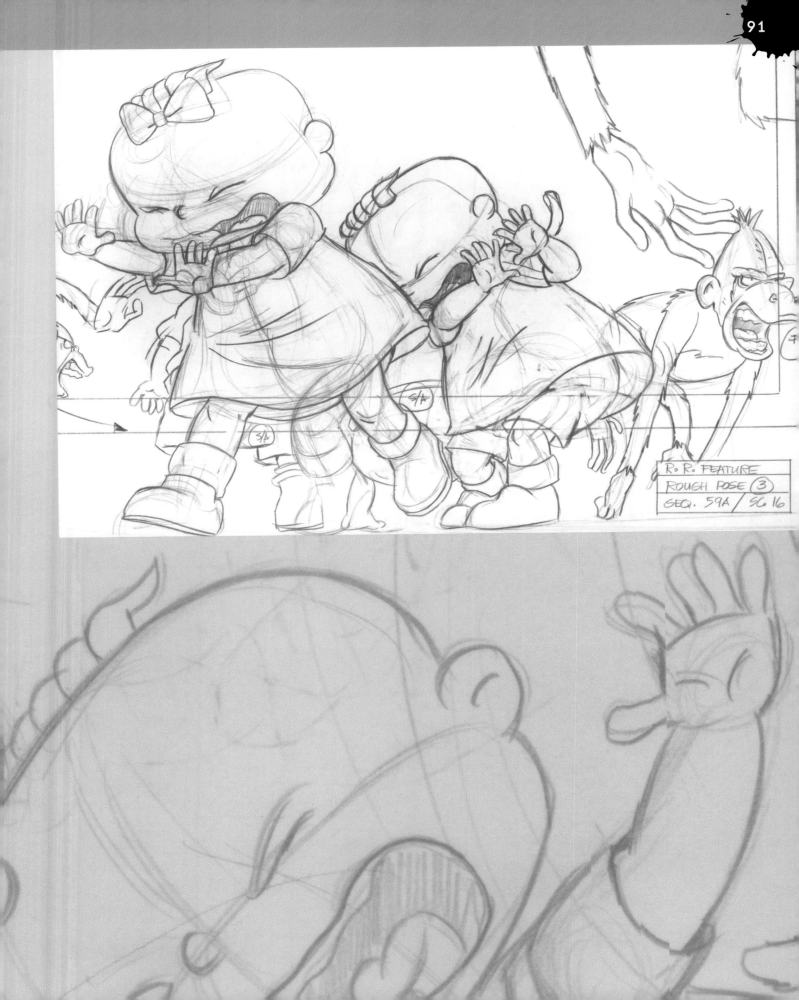

"my brother

turned into a

monkey?!"

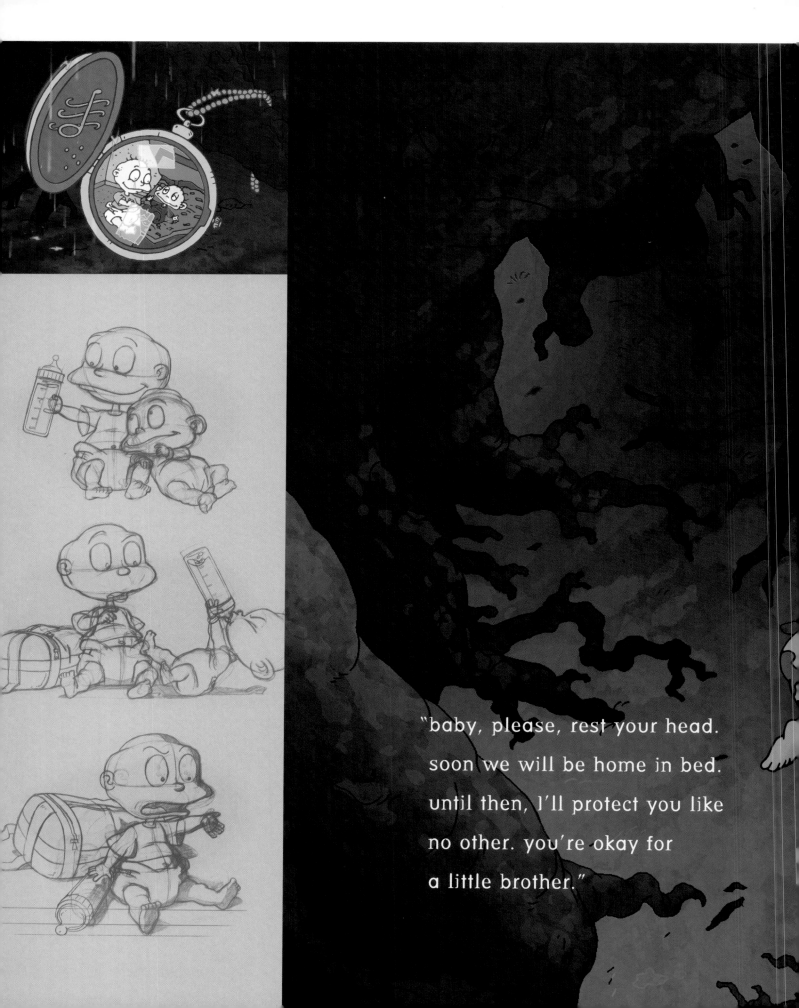

"baby, please, rest your head.
soon we will be home in bed.
until then, I'll protect you like
no other. you're okay for
a little brother."

tOmmy learnS "sponsitility"

escape

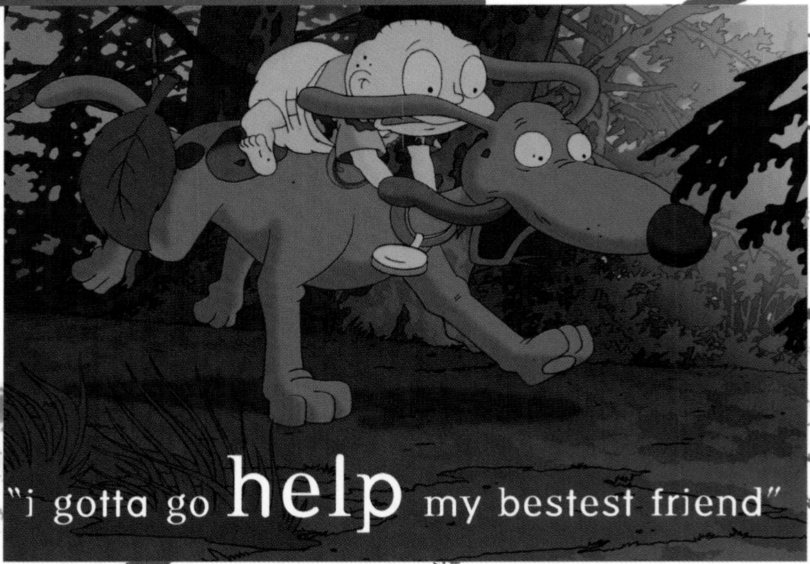

"deed, i found 'em. they're over by the rangers' station. i'm goin' innnn... help!"

the
rescue

"but if you think things
were ever really the
same again,
you're wrong.
instead, because of
baby dil,
they was even
better."

"Gabor collects avant garde music. I put out an album in Japan called 'Musik for Insomniacs.' It was the first album that we called 'space age bachelor pad music': wallpaper, kind of futurist, simple math melodies. This solo album was pretty obscure, and it was kind of surprising that Gabor even heard it. We've been working together ever since."

— *Mark Mothersbaugh*

5

October, 1997, New York city. Mark Mothersbaugh, Eryk Casemiro and Music Supervisor Karyn Rachtman arrived, slightly jet-lagged but wired, outside the doors of the midtown recording facility known as the Hit Factory around 10 a.m. on a gray Manhattan Saturday. Caffeine in hand, they filed into the front room of the warehouse-like structure, past the imposing walls, covered floor to ceiling with gold and platinum albums (Alice Cooper... Meatloaf... Diana Ross... The Village People... Madonna). They headed down the hall to the elevator, then up to a fourth floor studio big enough to accommodate a Broadway orchestra (which it often does). This was the day they were set to lay down most of the tracks for the pivotal nursery song number. And while no one copped to it, there were fingers crossed that the ambitious session would come off as planned.

After a half-hour or so, the artists began to arrive, some with pals or kids in tow. "Patti Smith brought her nine-year-old girl in and they both had that early morning bed head, with their hair all flattened out on one side," recalls Casemiro, with an affectionate chuckle. "Patti was talking about how much she loved this show and 'that girl Angela' and her daughter said 'It's Angelica, Mom.' They were so funny. Cut from the same cloth." And so it went for the rest of the day, as Lisa Loeb, Gordon Gano, B-Real and others traipsed on through.

It wasn't a money gig that had brought the cream of pop's crop into the recording studio on a weekend morning. Nor was it star billing. Each singer had only one or two lines to call his or her own. Yet even those who couldn't be there were eager to pitch in: Lenny Kravitz sent in his track from the Bahamas, and Jakob Dylan and Beck were booked to record theirs when they got back to L.A.

Mothersbaugh and his collaborators had called in their chips, cajoled and wheedled to bring together the right mix of talent to make the ambitious musical number work. "We wanted some celebrities, so we thought, 'What's going to happen if we just call people up and ask them?'" says Mothersbaugh. "We thought we better not let lawyers get into it, 'cause that'll just muck it up. People will all want to get more money."

Ultimately, they were able to pull it off thanks as much to Tommy Pickles and his pals' clout as their own. "We just started pulling out our Rolodexes and all our friends who were singers and in the industry — every single person I called — wanted to sing," says Mothersbaugh. "It was either because we'd never worked together before, or we'd worked together in the past, or most of the time, because they had kids or knew kids that loved *Rugrats*, or they loved *Rugrats*.

"Patti Smith, for instance, jumped at it because her daughter was a *Rugrats'* fan and she wanted to come sing on a *Rugrats'* song," he continues. "She got into it so much, she started doing all this ad-libbing. She was great. Everybody had a lot of fun. It was one of the most pleasant experiences I've had, even though it took, like, 12 to 15 recording sessions to get everybody on tape, and flying back and forth between New York and L.A. But it turned out to be just this really magical experience."

Call it kismet or call it shrewd, but the mix of Mark Mothersbaugh's music and the *Rugrats* — from the beginning of the television series through the film — has proven one of the

Mark Mothersbaugh, Gabor Csupo and Igor Kovalyov discussing the music for the movie.

franchise's signature strokes. Of course, if you're in the market for typical toddler tunes — the kind of plinkety-plinkety whoopsie-daisy klinkety-klank that crams the Saturday morning airwaves — you don't call Mark Mothersbaugh.

The tail end of the 1980s was on its last wag and the *Rugrats* TV series was just getting underway. Csupo tracked down Mothersbaugh, ostensibly to see about getting permission to use a track from his "Music for Insomniacs" CD for the new series. "Gabor asked if he could use one of the songs for the theme song for this show that he was starting to work on," recalls Mothersbaugh. "I said, 'Let's get together and talk,' and I saw the early sketches for *Rugrats*. They hadn't even figured out who all the characters were yet or anything. We started talking about music and I said, 'Let's try something new.'"

Not surprisingly, Mothersbaugh's TV scoring ending up scoring big. So, years later, when it came time to decide who'd do the music for the film, he was the obvious choice. "Using Mark to write most of the songs was great because we were completely in sync," says Klasky. "He thinks the same way we do. He's so easy to work with. He doesn't have a big ego about 'It's got to be this way.' He really wants our input and he likes to work collaboratively."

At the point at which he joined the movie team, decisions about how much music was going to be in the film were still being made. The key question at that time was about the use of songs. "We never wanted to do a musical in the traditional sense, where they burst out in song," says Klasky. "But it sort of came down from above that we had to do it. We wanted to do it our way, and they wanted the characters singing."

The creators were worried that singing *Rugrats* would violate the conventions that had already been

Devo Tea

Akron, Ohio in the early '70s wasn't exactly a hotbed of the avant garde. But it did produce five guys in red plastic hats and bright yellow nuke suits who called themselves Devo, as in 'de-evolution,' so they said, or devotedly devious, or devoid of devoir or something like that. Proudly working-class, archly artsy and way too astute for their time, they were a klatch of closet eggheads who transformed themselves into the most inventive techno pop band of the late 1970s-1980s (which is probably damning them with faint praise). Founded by brothers Mark and Bob Mothersbaugh and Gerald and Bob Casale and Alan Myers (who was replaced in 1988 by David Kendrick), the group released the single 'Jocko-Homo' in 1976, their debut album "Q: Are We Not Men? A: We Are Devo!" in 1978, and nine more records after that.

Mega-famous for more than a few moments thanks to their hit "Whip It," Devo also shot a number of short films, including "The Truth About De-evolution." And they made forays into other mediums as well, prefiguring their 1990s half-life in the entertainment industry. "There was no such thing as music videos at the time, so we were just making these short films," recalls Mark Mothersbaugh, who first met Gerald Casale when they were both art students at Kent State. "We were inspired by Pop artists like Andy Warhol. He got to do everything. I thought that was what the Pop movement was all about. . . to free you up from just being a specific craftsman in some area. So we were making films, we put out records, we did live shows, choreographed them and designed our own outfits, and did our own art work for our album covers. We did everything ourselves."

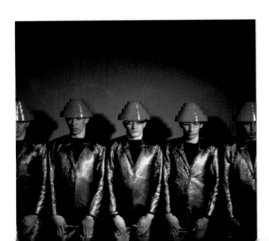

Where am I?
How did I get here?
Today is very different than yesterday.
So this is the world?
I miss my old womb
This wallpaper here just ain't the same
This world is something strange
I'm wet,
I'm cold,
I need a change,
This world is something new to me.
Oh, my head!
What is this?
I can't take it!
Me either!
I'm hungry,
I'm tired,
I'm irritated,
But I love the extra leg room.
Man! They cut my cord!
Consider yourself lucky!
This world is way too big
And populated by fuzzy pigs,
This world is
something new to me.
This world is such a gas
P.U., Where's your class?
This world is something new to me.
Quiet!
Can't a guy get some shut-eye?
It's so noisy in here
I can barely here myself suck.
The food here tastes pretty good,
My compliments to the chef.
And you gotta holler to get fed
Well I could get used to that.

This world is way too bright,
Can't somebody turn down the light?
So that's what that thing looks like
All things here are meant for play,
It's gonna be a real cool day.
This world is
something new to me.
This world is
something new to me.
This world is
something new to me.

This World Is Something New To Me

"Today is very different than yesterday."
Patti Smith

"So this is the world?"
Lou Rawls

"I need a change."
Lenny Kravitz

"How did I get here?"
B Real
Cypress Hill

"I miss my old womb."
Laurie Anderson

"This world is something strange."
Fred Schneider
B-52's

"But I love the extra leg room!"
Lou Rawls

"This wallpaper here just ain't the same."
Gordon Gano
Violent Femmes

"And you gotta holler to get fed!"
Dawn Robinson
En Vogue

"I'm cold."
Phife
A Tribe Called Quest

"Where am I?"
Lisa Loeb

"I'm hungry!"
Beck

"We knew that there would be babies in bassinets and we wanted them to sing a song saying what kids would think about when they're one day old. They've spent nine months in this perfect environment. Now, all of a sudden, they're in this bizarre place where their umbilical cord's been cut. So I just kind of wrote a song about 'How did I get here and where am I?' That was where the song came from, and it was really easy. All the lyrics just fell into place."

— Mark Mothersbaugh

"I'm irritated."
Jakob Dylan
Wallflowers

"This world is such a gas!"
Fred Schneider
B-52's

"Consider yourself lucky!"
Iggy Pop

"P.U., Where's your class?"
Kate Pierson &
Cindy Wilson
B-52's

Mutant Moderne

The building stands carcinogenic chartreuse and round, like the errant tier of a Martian wedding cake, on a busy section of L.A.'s fabled Sunset Strip. This is the mothership Mothersbaugh, a.k.a. Mutato Muzika. Launched in the early '90s and run by the brothers Mothersbaugh and Casale, the day-Glo warren of suites and sound studios houses a thriving company that produces scores for film, commercials and television — including, of course, "Rugrats." "I like my life now much better than when I was in a band," says Mark Mothersbaugh, who also created music for CBS' "Pee wee's Playhouse." "I happen to prefer writing music for film and TV. And I don't feel like I have to censor myself when I write music for kids."

"There's something to be said for standing up in front of 150,000 people," he continues. "Anybody that gets a chance to be a rock star for 15 minutes, which is about how long I got to be a rock star, I think you should do it. It's a cool experience. But you figure that it's all 'Spinal Tap' after a while and there's nothing you can do about it. So it's kind of fun when you're in your 20s. And then when you're in your 30s, it sucks. And if you're in your 40s and you're still doing it, then I feel sorry for you. That's all I can say."

It's much better to find a new m.o., a la Mutato, where even crafting tunes for advertising has proven to be a kick. "When I got into commercials, we were constantly packing in subliminal messages like 'Chose your mutations carefully,'" he confesses. "we'd play it back for our clients and I'd be sitting there, the song would be playing along, and there would be all these clients tapping their pens on the table. Then I hear 'Chose your mutations carefully' and my engineer would look over at them and they're still tapping their pens, and he'd be like, 'Yeah, that's great!' The only true way to effect change in our culture is through subversion." Perhaps most amazing of all, no one ever caught on. "Nobody ever said anything," adds Mothersbaugh, sounding a little disappointed. "Never once."

established for the characters. Klasky and Csupo wanted to avoid the Big Musical Moment syndrome. "Arlene and Gabor are not fans of the traditional Broadway musical style," says Casemiro. "I don't think they like the aesthetic. It took me years to accept it. It was like 'It's so stupid, people break out in song.' However, the one thing that I brought to the table was that when we looked to put songs in, you had to have a reason for the song and not just stop for the song. And that kind of reasoning is still happening in the movie."

June, 1998, Los Angeles. Mark Mothersbaugh is sunk butt-deep in an overstuffed purple velvet couch in his Mutato Muzika office, giving graciously of his time and thoughts. Dressed in a vintage blue shirt and black slacks, with arty silver glasses that play off the color of his hair, Mothersbaugh's style is as effortless as it is deft. That's no shock. But what may surprise those who know him only as the Devo guy, is that this quietly genial man (who seems almost shy, really) is both eclectic and intellectual. He segues easily between topics as abstract as life and art, and as concrete as the upcoming *Rugrats* movie scoring sessions, where he'll be guiding an 80-piece orchestra.

The challenge has been to move up to an orchestral score without abandoning the trademark *Rugrats* sound. "When we saw the first bits of film coming back, with color in them, they looked so magnificent," recall Mothersbaugh. "We realized how different it was going to look, and that it was not going to be like this two-dimensional TV show blown up big. So we needed the music to be big too.

"There's a sound universe that we created for the *Rugrats* when we first started on the show and it included instruments that were kind of like the ones on this album, 'Musik for Insomniacs,'" he continues. "So even though there is an orchestra, there're these human voice sounds like 'bah' and 'dow' and 'doh' that we use to make base notes."

It's an unusual, complicated and provocative kind of sound. Which is exactly the point. "The problem with most animation, especially for kids, is that people tend to talk down to kids in kids' shows," says Mothersbaugh. "It's like adults don't pay attention to what kids are experiencing or seeing. By the time you're four years old, unless you're living in a cave somewhere, you've heard on the radio or on TV about mass murderers and Bosnia and atomic bombs and unibombers and illegal aliens and ozone layers. You don't know what an ozone layer is, but you know that we're missing it and it's bad. These kids see this stuff and they don't ignore it when it goes by. When you're that age, you absorb everything."

Photo Credit: Dean Karr 1997

On Your Marks! Ready! Set! Go!

Go! I am Reptar hear me roar.
I am Reptar king of dinosaurs
What be going on over here?
Coming through top speed better stand clear!
Ooh! You know you better I step in ware
We bout to blast betta prepare.
Excitement!
Yes! I hope you know we come
through to cause chaos
Like Darth Veda turn on your radar
On the down hill racin' I'm holing my head!
The situation made ma paro check
what the toy said.
I am Reptar hear me roar.
I am Reptar king of dinosaurs
So what we gonna do tell me where we gonna go?
So fast when I blow dry yo' afro
Get out the fast lane that's if
you're moving too slow
On your marks ready set go!

The Perfect Children's Toy

Inventor Stu Pickles couldn't help but create what he believed would be the perfect children's toy — a dinosaur-shaped theme ride on wheels. It rolls, it jumps, it floats, and it talks, thanks to the vocal talents of recording artist, Busta Rhymes. Rhymes did triple duty writing and performing the "Reptar Rap" (On Your Marks! Ready! Set! Go!) for the movie soundtrack as well as providing a series of sound bytes that emanate from the dinosaur's voice modulator...
'We're going somewheres'
'Nincompoop'
'I am Reptar hear me roar'
'I am the perfect childrens toy' etc...

"From my childhood, I remember that I always liked dark and mysterious things and dramatic colors. I was not interested in blue, yellow, pink. So I didn't want this film to be about mechanical colors: childish orange, blue and green, like Crayolas. I wanted the colors to be more adult: gloomy, moody and more atmospheric, with more natural colors and less of those typical cartoon colors. We decided not to go for that Saturday morning show thing, but with more adventurous, dramatic and sometimes dangerous colors."

— Dima Malanitchev
Art Director

deliverance

6

May, 1998, Los Angeles. It was the usual sunny-smoggy summer outside and the usual creative apiary inside. Arlene Klasky, looking uncharacteristically girlish in a pleated skirt and fishnet tights, was seated in a chair on the right, just inside one of the multi-terminal computer cubicles, upstairs in the main building. The characteristically black-clad Gabor Csupo was a few feet away, on the left, perched on the corner of a desktop. And packed sardine-style around them were a half-dozen or so of the movie's animators and sequence directors.

All eyes were fixed on a monitor playing the latest version of the movie's birth canal sequence. A burst of darkness filled the screen, followed by a panoply of colorful images tumbling forth and whizzing by: elegant architectural columns, dinosaurs in skeletal 3D,

monkeys, geometric shapes, Stonehenge, dolphins, DNA molecules, a sphinx and countless amorphous designs.

As the kaleidoscopic footage played over and over again, Arlene and Gabor made comments. Arlene was pleased and said so, while gently urging the artists to strive for a more dreamlike quality. Gabor thought the dinosaur's movements needed to be choreographed differently — perhaps it could turn and then head out of the frame, he offered, or lead out on the beast's red eye. He suggested a different lens, so that there'd be more distortion. Arlene asked about the light source,

Reader Pop Quiz

Answer the following as quickly as possible. Do not confer with others for help with your responses. And no fair consulting the history of the human race either.

(1) What comes to mind when you hear the phrase 'birth canal'? The intense pain of labor, maybe? The bundle-of-joy's eye view, coming down the pike, perchance? Or how about the trek as emblem of the meaning of the universe and the sum of all civilization since the dawn of time eternal?

If you answered to all three, congrats. You're pentium, dude! Heck, you could even be a CGI animator at KLASKY CSUPO. But don't pat yourself on the hard drive just yet, bytebrain. Now you've got to render all those ideas visually — and come up with a birth canal sequence that's unique, evocative and startling. In other words, you've got to actually give form to Arlene Klasky and Gabor Csupo's vision for this pivotal moment in the film. So, you want a hint? Well, you can bet your pocket protector that you should take some major creative risks. That's what they want you to do. In fact, nothing bums out Klasky and Csupo more than when their artists don't go for it.

and if it should be more diffused. Gabor questioned the speed of the monkey section. And so it went.

This was about the umpteenth session of its kind, or so it seemed, and there were plenty yet to come as the summer wore on. It was a technically complex and symbolically potent sequence they were working on, after all, and getting it right was tricky. In fact, the jury was still out on whether it would be in the film.

"We wanted to have some kind of grander statement about [Dil's] entry into the world," explains Klasky. "That's why we wanted to have the birth canal sequence not be cartoony looking. We wanted it to be very dreamlike, to carry the weight and meaning of a new human being coming into the universe. If we're going to have the birth, let's make it something. We all felt it was such a special moment in a family's life."

In a way, the birth canal sequence was what the movie was all about. "The film is really about the birth of a new human being and how that human being within a family impacts the dynamics of everyone around them," says Klasky. "It's about, in a way, the meaning of life. I mean, a baby comes into this world and it seems like an everyday event. Babies are born every day, every minute, every second around the world. But when you bring it all back in, it's probably one of the most important events to ever happen in a family and in the universe, to bring a being into the world. And Dil represents this."

Tech Talk

ROBERT WILSON, INDEPENDENT 3D ANIMATION CONSULTANT: Let's tell everyone who you are and what you do.

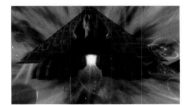

JERRY MILLS, DIGITAL PRODUCTION MANAGER, THE RUGRATS MOVIE: I'm basically responsible for all the 2D ink and paint software & hardware here. I'm responsible for the CGI software and hardware, and I'm kind of the liaison between all the digital equipment and the editorial staff. I was involved in designing this system. We were also intimately involved in the storyboard (see next page for an excerpt from an original storyboard) and layout stage, then the animation stage and the final production stage.

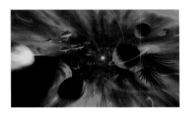

RW: Now let's get to the good stuff. What kind of equipment are you using?

JM: Production-wise, the main tools are in US-Animation (a 2D animation program), Alias/Wavefront Power Animator (a 3D animation program) and Adobe Photoshop for background processes. We use an Avid product for transferring information from the US-Animation software to the Avid editing system. We use different softwares for backup purposes and archival purposes.

RW: How are you using the 3D software?

JM: Mostly for all the vehicles in the movie, like the Reptar wagon and Dactar and Stu's Citroen. The Reptar wagon, for instance, is integral to the story and it would be very difficult and not very satisfying if it were animated by hand. Almost entirely, that's been animated in 3D. But it's not all that readily apparent unless you're really tuned into that type of thing. We have a great 3D shot of a mobile over Dil's crib, and we've even animated the background in the Pickles' living room.

RW: How much animation are you doing in-house?

JM: A lot of the animation is actually made down in Korea. Backgrounds are being done here, rough layout poses are being done here, but animation and clean-up and paint are being done in Korea. So it's unique to be working on a project of this level where probably 50% of the workforce is actually 6,000 miles away. There are a lot of hurdles to overcome as far as how we communicate and how we get the information back and forth. We don't have a T1 line running from here to Korea. We've come up with solutions that will move bulk information as quickly as possible but as cheaply as possible. We're moving gigabytes of information back and forth from LA. to Korea, and we're probably spending less than $200 a week doing it. And we're doing it in a timely fashion.

RW: How much information are you talking about?

JM: This picture has, I think, 120,000 frames in it, 7,500 feet, 120,000 unique images that are probably made up of 300,000 different drawings and effects and whatnot. We store 200 gigs on-line, and we probably move 10 gigs a week back and forth between here and Korea. Ultimately, I think we've generated somewhere around one and a half terabytes of information, 1,500 gigabytes of information total. So there's a lot of information. If you're talking about floppy disks, you'd have a trunk full. And we can find all of it, too.

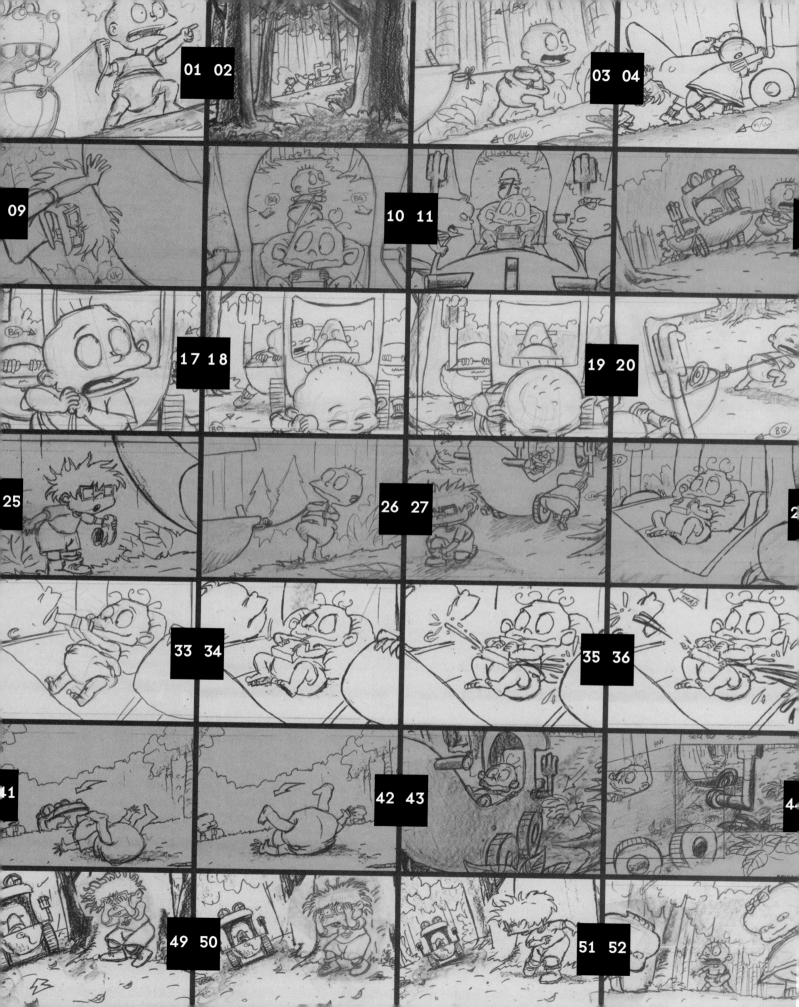

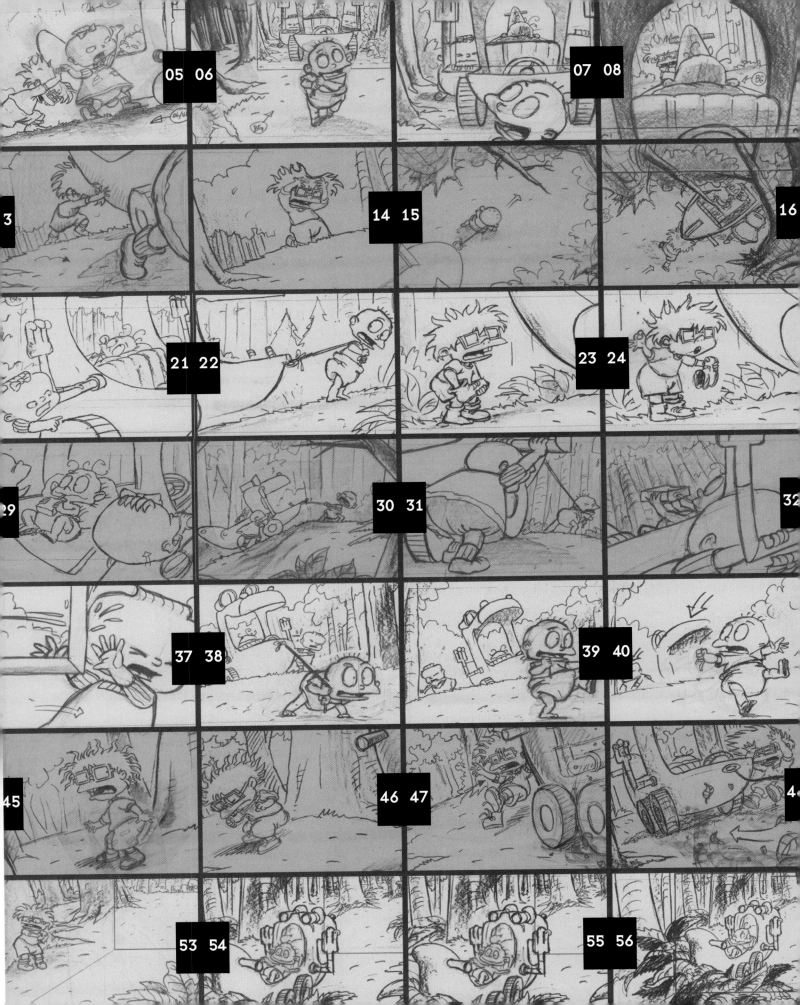

As Arlene Klasky and Gabor Csupo gave notes on that May afternoon, Hal Waite hovered toward the back of the pack. He took it all in, and not without a bit of worry. This was shaping up to be one of the toughest — and most costly — sequences in the movie. They had been working on it for a year, and it still wasn't right. He knew they had to keep at it, and to spend whatever it took. Still, he was also feeling encouraged. For Arlene and Gabor seem more pleased than not, and the notes weren't as drastic as they'd been.

As Co-Producer, it was Waite's job to make things happen. "A big part of my job was to be able to predict what's going to happen well ahead of time," he says. "Animation is like steering an ocean liner. You've got to know where you want to be going two weeks from now. I operate by foresight, trying to anticipate things so they don't turn into crises.

Waite was there to smooth the transition from creative vision to celluloid reality, and the birth canal sequence was a characteristically KLASKY CSUPO kind of challenge: innovative, artistically-driven — and constantly being perfected. That's why, when Waite came on board in the spring of 1996, his task hadn't been just to find a way to make a movie, but to find a way for KLASKY CSUPO to make a movie. "The first thing I focused on really was figuring out the way people worked — how Arlene and Gabor like to work as creative producers — because part of setting up a plan is understanding the process," he says. "Every studio's a little bit different in that regard. I had to get inside KLASKY CSUPO and figure out how KLASKY CSUPO works. What I found out quite quickly is that it's a pretty collaborative project here."

At the same time, Waite had had to wrangle together a feature budget. "I spent a bunch of time looking at the different hardware and software options out there, figuring out what would work, and initially putting together a whole bunch of planning," he recalls.

Months of research, in fact, went into the first budget presentation at Paramount, in October 1996. "We had a production process plan all worked out," he says.

Between October and March, KLASKY CSUPO put in a lot of hours working to justify the budget they'd presented. And the effort paid off. The plan got the okay in March of 1997. "Ostensibly it ended up coming in at exactly what we delivered to them." Due in large part to having to re-record the voice soundtrack (thanks to script modifications), the film eventually ended up costing only a little more than was budgeted.

On March 1, 1997 Grimsaem Animation Co. was established as the feature film division of Sunwoo. This new team helped to put in place the system for establishing an effective digital process for the movie. Every frame of animation for The Rugrats Movie has been drawn, painted and photographed in Seoul before making its 6,000 mile journey back to Los Angeles for the post-production process (sound effects, music, editing).

With twenty years of experience behind them, the Sunwoo companies have emerged in the field of television and now movies as one of the premiere sources of animation production in Korea. Their skill and dedication have proven essential to KLASKY CSUPO'S success.

The Rugrats Movie Brain Trust: Tracy Kramer, Terry Thoren, Albie Hecht, Gabor Csupo, Arlene Klasky, Julia Pistor, Eryk Casemiro and Hal Waite.

tOmmy

"Transforming into Tommy is easy after all these years. I guess it's because I have that child inside of me - I think most adults do."

— *E.G. Daily*

"hang **on** to your diapies, babies... we're **going** in!"

"waah!

dil

"Dil had to be lovable like the other Rugrats, but also younger and more annoying."

"When the baby isn't crying, it is burping and gurgling and just saying a couple of words."

— Tara Charendoff

waah! "waah!waah!"

"you got

angelica

"For me, those experiences are really exciting because I was always a real goody-goody as a kid, more like Chuckie. To get to be Angelica is great. She acts the way I feel when I'm on the freeway and somebody cuts me off."

— Cheryl Chase

anything

good to eat in this dump ?"

Chuckie

"Since we play babies, there are lots of burps and yells and cries, and sometimes, accidental burps come out, and spit too, again just like babies. It's a good thing they have that little screen over the microphone to keep the spit off."

— *Christine Cavanagh*

"you want **nanners?** well come and get 'em!"

phil & lil

"The biggest difference doing the voices for the TV show and the movie? The food, definitely the snacks. They served much better snacks when we were doing voices for the film."

— *Kath Soucie*

"somehow it's not as much fun around here anymore."

"any further and i would have needed a fresh diapie"

spike

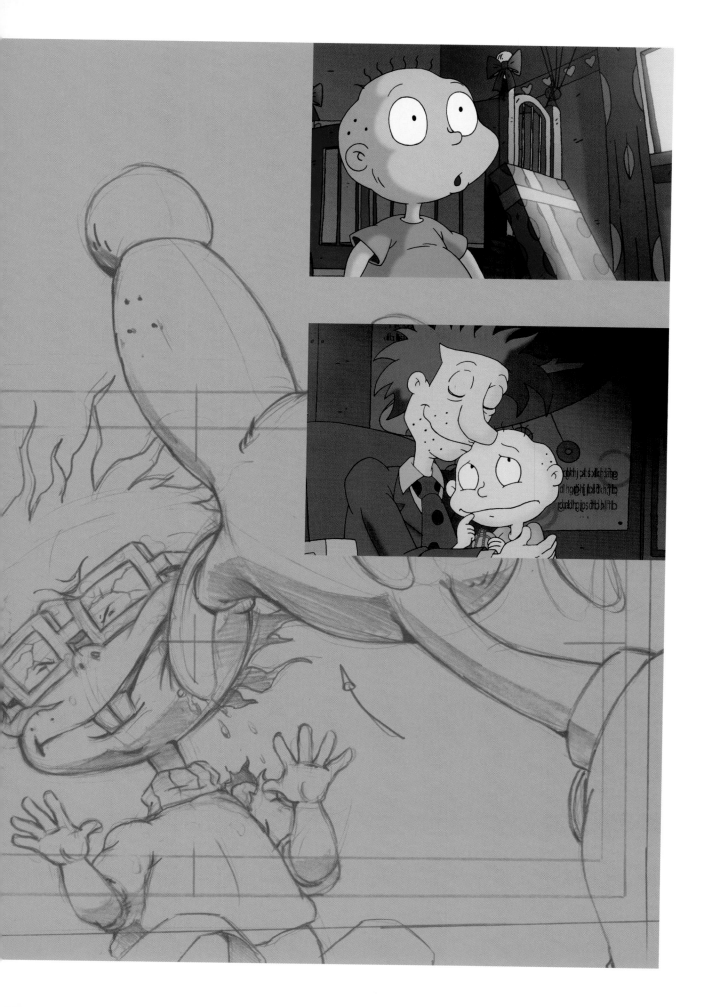

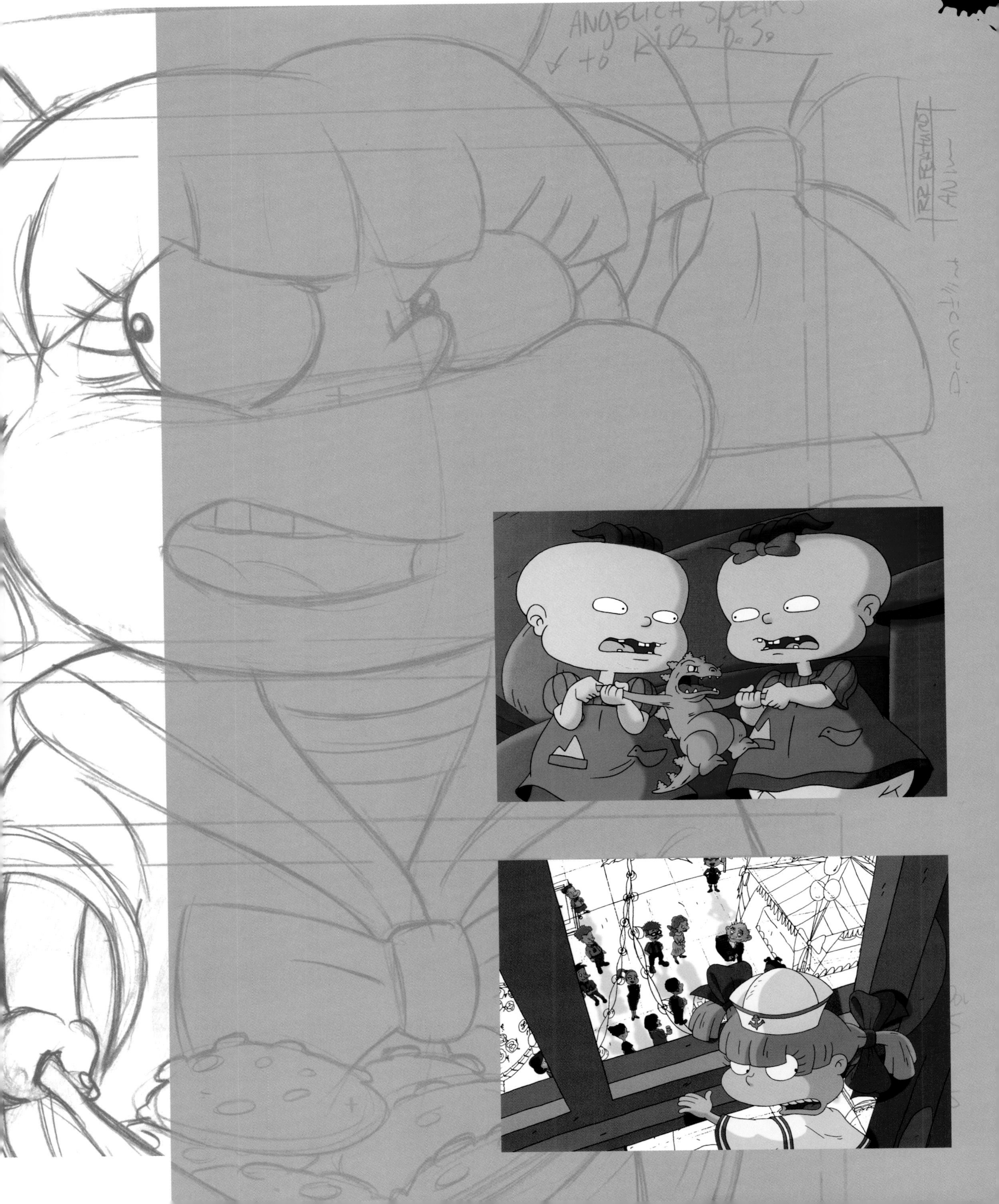
ANGELICA SPEAKS
to KIDS O.S.

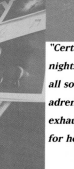

"Certainly memorable are shipping nights when, by 11 p.m., we were all so tired, giddy and pumping adrenaline that, in spite of utter exhaustion, we lie awake in bed for hours, praying that all the tough, snap decisions we had to make (while the courier was waiting downstairs in the lobby) were the right ones."

— Tony Vian
Storyboard Artist

"The amazing thing about animation is it's an unbelievable collaborative effort. It takes literally hundreds of people to make this thing happen. There were certain artists here who were dragging themselves in and out of the studio everyday, enough to go home and sleep and turn around and come back again. That's what you do when you work on a film. But animation is so long term, it's not like a live-action shoot where you go work three or four or five months and you put up with that because you know you're going to get a month off when you're done."

— Hal Waite
Co-Producer

"Arlene was firm with us: Dil should not crawl, should only lie down or lean against a pillow or something. I feared we were going to animate a vegetable, but lo and behold, Dil became a wonderful, horrible and amiable character. By limitation Dil became the more interesting — and so different from Sweetpea, Baby Herman, Pebbles or Bamm-Bamm!"

— Paul Demeyer
Sequence Director

finishing tuchas

7

Early June, 1998, Los Angeles. The capacious studio theater on the Paramount lot was chock full of moms, kids and others who'd been recruited for the Saturday afternoon sneak preview. On the big screen in front of them was the latest version of the animatic, with only about 40% of the color complete, and a temporary sound track. To be sure, it wasn't the easiest way to watch a movie, with the images alternating between finished footage and the static line drawings that were still standing in for as-yet-unfinished scenes. But if you could hack the eye strain, you could certainly get a feel for what the finished film would be like.

A number of studio executives and the usual KLASKY CSUPO cadre were also there that day, clustered mostly near the back. Only Arlene Klasky was seated up near the front, getting more nervous by the moment. "I went with one of my sons," she recalls. "He was, like, turning around, looking back, and I saw kids getting up, leaving. I thought, 'Oh, this is terrible.' I felt really bad because here we were with Paramount putting so much energy behind it, and all this talk that kids were going to love it. And I'm thinking, 'Have we been fooling ourselves?'"

As it turned out, not in the least. As the film rolled along, Arlene's anxiety started to

ease. Hardy laughs, gleeful chuckles and other sounds of delight were heard in the theater. Those kids who'd gone bounding up the aisles turned out to have been in search of bathrooms.

After the film was over, market researchers zoomed to the front of the house and began passing out questionnaires. But the KLASKY CSUPO-istas didn't need to wait for the evaluation cards to know that they'd scored. The giggles and applause, as well as the fewer-than-usual number of walkouts, said it all. "The audience sunk into it and I was thinking 'This is going to work,'" recalls Nickelodeon's Albie Hecht. "If they love it in this form, they're going to love it even more when it comes out."

Although the screening had been held mostly for marketing reasons, Paramount's Sherry Lansing decided to give the filmmakers a few notes anyway. It could be a little shorter, she said, and there was one musical number that might need to go. But all in all, the movie passed with flying colors — which was a good thing, given that there were only a few months left to work on it.

Later June, 1998, Los Angeles. Here we go again, down the birth canal one more time...

Another afternoon, another computer cubicle. The colors have become much more luminescent, the lighting improved and motion blur added since the last time the sequence rolled. The dinosaurs have acquired meat on their 3D skeletons, and the dolphins are cavorting with new verve too. Gabor thought the monkey was still looking a little fake, and Arlene wanted to see still more texture, and maybe more color, on the dinosaur's eye. All in all, though, it was looking good, as Gabor told Hal Waite and the half-dozen animators and sequence directors hovering nearby.

Now, Gabor continued, they could do a little playing around with other factors — like the opening (should it start from black, or fade-in?) and the overall speed (take it down from fifteen to thirteen seconds maybe?). After 15 minutes or so of this, Gabor

President of the Angelica Fan Club
Karen Rosenfelt
A combination of savvy studio executive and cool creative consultant, Rosenfelt never wavered whether in sweating out weekend-long story meetings or fulfilling her obligation as fan club president: ensuring Angelica got ample screen time and a proper comeuppance.

and Arlene decided they wanted to look at the footage on the Avid editing machine, where they could get a better idea of what it's actually going to look like. So the meeting moved, en masse, to an editing room down the hall.

Directors Norton Virgien and Igor Kovalyov, who'd been finishing up another confab nearby, joined the group. Then, with everyone seated on and around the small couch across from the TV monitor in the room with the big editing counsel, the footage played. Norton suggested that it might work to have the entire sequence start slowly and then pick up speed. Yes, agreed Arlene, as long as the images were still intelligible...

[That familiar bbbbbbring, bbbbbbbbring rings out of the palm of Arlene's hand. She flips opens the tiny cel-phone that's almost always clutched in her grasp and holds it close to her face. "Hello?" she says. It's one of her sons, of course.]

The birth canal talk continued through Arlene's conversation, slowing only a bit. When she was able to gently pry herself away, she rejoined the conversation, which had now worked its way around to the matter of the frog. It was looking better, said Klasky, but it still seemed a bit blurry. And why was there a frog there anyway? Kovalyov offered that it had something to do with evolutionary build in the sequence of creatures, that there had been more amphibians, but the frog was the only one left now...

And so it went, until Hal Waite, ever the voice of reason and scheduling, began to bring the session to a close. He asked the animators how long it would take to turn around the changes that Gabor and Arlene had requested. They were coming down to the wire, as he gently reminded them.

Terry Thoren and Gabor Csupo review poster concepts.

Hall of Residents

Herb Scannell, President, Nickelodeon
The biggest growed-up at Nickelodeon and greatest Devo-tee. As the leader of all that is Nickelodeon, Scannell did quadruple duty helping the half pints tumble onto the big screen.

Julia Pistor, VP, Nickelodeon Features
As The Rugrats Movie toddled along, Nickelodeon Features assigned Pistor to the film as chief baby-sitter to Tommy and the gang. Julia guided the film through production to the final homestretch of promos, previews and premieres.

The Name Game

When naming a baby one generally has 9-months in which to make a decision. A decision that usually involves very few people. Naming the movie was even tougher — despite the 24-month production period and as many executives and artists tackling the problem. But on August 11, 1997 the great title debate was settled.

A WHOLE NEW PICKLE

IN THE SANDBOX

RUNAWAY RUGRATS

RUGRATS RUN RAGGED

RUGRATS AND A PICKLE

ROLLAWAY RUGRATS

RUGRATS: THE MOVIE

THE RUGRATS MOVIE

RUGRATS: THE BIG ROMP

A RIDICULOUS RUGRATS A'VENTURE

UH-OH, TROUBLE

MONKIES DANCIN' ON MY HEAD

BABES IN THE WOODS

RUGRATS: THE BIG CARTOON

HECK ON WHEELS

PICKLES AND ICE CREAM

RUGRATS: THE MOVIE EBIC

BUSTIN OUT OF THE TUBE

The KLASKY CSUPO team continued to plug away as the summer began to swelter. Meanwhile, the marketing machine, headquartered at Paramount, was getting up to speed. Plans for a media blitz, as well as the promotional tie-ins now essential to any animated film, were well underway. "We're making an animated movie about a contemporary family with a contemporary problem and that's a first," says Terry Thoren of why it's such a big deal. "We were told that *Rugrats*, the picture, is one of the most important thing they're working on right now — our little studio!" adds Klasky. "It's like a dream come true. It's amazing. Maybe it's because it's animation, and animation has the potential of big bucks. And everybody knows it and is on the bandwagon now."

For whatever reason, things were racing ahead faster than you can say Pickles. Indeed, by the summer of 1998, a sequel to *The Rugrats Movie* was already in

the works. And it was moving along much more quickly than the first film had, with the initial draft of another Dave-and-Dave screenplay finished by early July. "It's been a lot easier," says Klasky. "I know we've gotten where we are ten times faster."

The secret of such success? Ultimately, it seemed to lie, as Angelica might say, with a bunch of bald diaper bags — and the folks behind them. "*Rugrats* is really an outgrowth of having children, and also that I had a great interest in children and animation," says Arlene Klasky. "Both Gabor and I pretty much use our kids as most people who work in animation use their kids, as their gauge." "Kids are so much more intelligent than most people are willing to treat them," adds Gabor Csupo. "You know, they want to give them goofy little silly stuff. But they are capable of taking in a lot more than that. That's the kind of approach we're coming from."

Questions? Comments?

Things I didn't like:

Too long for these hard seats. (8 yrs old)

A lot of adults heads in the way. (10 yrs old)

When Dil hiccuped. (8 yrs old)

My feet got cold (7 yrs old)

Angelica messing up Susie's song (8 yrs old)

Having to leave. (4 yrs old)

There were too many birthing-room jokes in the Lipschitz Center (42 yrs old)

The trees were too green. (35 yrs old)

The kid behind me kicking my seat (43 yrs old)

Angelica's mean-spiritedness (33 yrs old)

Betty's purple sweatshirt (27 yrs old)

There's no overture. (62 yrs old)

film credits
(Not Final)

Music By
Mark Mothersbaugh

Written by
J. David Stem & David N. Weiss

Art Director
Dima Malanitchev

Co-Producers
Hal Waite
Eryk Casemiro
Julia Pistor

Executive Producers
Albie Hecht
Debbie Beece

Produced by
Arlene Klasky
Gabor Csupo

Directed by
Norton Virgien
Igor Kovalyov

Production Manager
Sean Lurie

Sequence Directors
Evgueni Delioussine
Paul Demeyer
Raymie Muzquiz
Peter Shin
Andre Svislotksi

Additional Sequence Directing
Toni Vian
Vitaly Shafirov

Digital Production Manager
Jerry Mills

Supervising Picture Editor
John Bryant

Supervising Sound Editor
Kurt Vanzo

Executives in Charge of Production for Klasky Csupo
Tracy Kramer
Terry Thoren

Executive in Charge of Production for Paramount Pictures
Mark Bakshi

Voice Talent
Tommy Pickles	E.G. Daly
Chuckie Finster	Christine Cavanaugh
Philip Deville	Kath Soucie
Lillian Deville	Kath Soucie
Betty Deville	Kath Soucie
Dil Pickles	Tara Charendoff
Angelica Pickles	Cheryl Chase
Didi Pickles	Melanie Chartoff
Minka	Melanie Chartoff
Stu Pickles	Jack Riley
Grandpa Lou Pickles	Joe Alaskey
Drew Pickles	Michael Bell
Grandpa Boris	Michael Bell
Chas Finster	Michael Bell
Charlotte Pickles	Tress MacNeille
Howard Deville	Philip Proctor
Igor	Philip Proctor
Suzie Carmichael	Cree Summer
Dr. Lucy Carmichael	Hattie Winston
Dr. Lipshitz	Tony Jay
Aunt Miriam	Andrea Martin
Rex Pester	Tim Curry
Ranger Margaret	Whoopi Goldberg

Ranger Frank	David Spade
Reptar Wagon	Busta Rhymes
Lt. Klavin	Margaret Cho
Air Crewman	Roger Clinton
Express Truck Driver	Charlie Adler
Reporter #1	Steve Zirnkilton
Reporter #2	Robin Groth
Reporter #3	Angel Harper
Nurse	Edie McClurg
Woman Guest	Mary Gross
Male Guest	Kevin McBride
Serge	Abe Benrubi
Circus Announcer	Gregg Berger

Nursery Song Babies
Beck
The B-52's
B Real
Jakob Dylan
Phife
Gordon Gano
Iggy Pop
Lenny Kravitz
Lisa Loeb
Lou Rawls
Patti Smith
Dawn Robinson

Monkey Vocals
Bob Dunn Animal Rentals
Mark Watters Animals

Voice Direction by
Charlie Adler
Norton Virgien

Casting Director
Barbara Wright

Casting Coordinator
Stephan A. McKenzie

Casting Assistants
Simone Raclin
Beth King

Storyboard Artists
Peter Avanzino
Peter Chung
Sam Cornell
Vitaly Shafirov
Gyula Szabo
Robert Taylor
Toni Vian
Kang Lin Zhu

Additional Storyboarding
Marco Cinello
Alex Dilts
Charles Klein
Jeff McGrath
Shawn Murray
Mark Risley
Monika Tomova
Bonita Versh
Rossen Varbanov
Barry Vodos
Dave Williams

Character Designers
Steve Fellner
Konstantin Valov

Background Designers
Alex Dilts
Brian Rich

Prop Designers
Craig Simmons
Beverly Chapman

Baby Dil & Reptar Wagon Designed By
Igor Kovalyov

Additional Designs
Louie Del Carmen
Laslo Nosek
Sharon Ross
Sergey Shramkovski
Gena Kornyshev
Jeffrey Varab
Steve Small
Todd Waterman

Character Layout Supervisor
Andre Svislotksi

Character Layout Artists
Erban Detablan
Ernie Elicanal
Gerry Galang
Freddie Fernandez
Ray Indolos
Mike Kim
Eric Lara
Young Soo Lee
Tom Madrid
Dan O'Sullivan
Benjie Pabulos
Jessie Romero
Kang Lin Zhu

Background Layout Supervisors
Mark Marren
Panagiotis Rappas

Assistant Background Layout Supervisor
John Woo

Background Layout Artists
Young Baek
Bill Bon
Marco Cinello
Carol Datuin
Butch Datuin
Paul Gil
Fides Gutierrez
Bela Kerek
Ki Suk Lee
Willie Martinez
Larry Miravalles
Joey Otacan
Leo Quintua
Jae Heung Ryu
Amado Sangalang
Poe Tan
John Yee

Effects Animation Designer
Dexter Reed

Workbook Director
Mark Marren

Additional Workbook Direction
Steve Loter
Wes Smith

Animation Timing Supervisor
Raymie Muzquiz
Debbie Baber

Animation Sheet Timers
Ray Claffey
Phil Cummings
Jaime Diaz
Neal Warner

Additional Animation Sheet Timing
Richard Kim

Track Reading
Glenwood Editorial Inc.

Head Checker
Diane Matranga

Checkers
Sean Dempsey
Karen Hansen
Glenn Higa
Lin-Z Rogers
Carol Yao

Systems Engineer
Jaime Diaz

Lead Technical Directors
Steve Mills
Celine Petker

Technical Directors
Mike Giles
Alexandria Goedrich
Bert King
Dan Larsen
Kurt Reinholtz
Denise Wogatzke

Assistant Technical Directors
Gabriel Calderon
Beth Morris

Digital Background Painters
Olga Andreyeva
Gena Kornyshev
Mickey Rose

Digital Painters
Sam Ades
Mike Giles
Shawn Ahn Lee
Devala Marshall
Fabio Novias

CGI Conceptual Designer
Dale Herigstad

CGI Animation By
Alisa Klein
Mark Lefitz
Nadja Bonacia
Jim Ovelmen
Joe Tseung
Dot The i Productions

Assistant Systems Administrator
James Jan

Digital Scanners
Tom Bonzon
Devala Marshall

Supervising Production Coordinators
Ramsey Naito
Patrick Stapleton

Production Coordinators
Krista Albitz
Maria Guerra
Andy Haug
Ed Johnson
Robin Kay
Penelope Thornton

Production Secretary
Lisaann Dupont

Production Assistants
Andre Christou
Jessica Dalton
Douglas Lee
Melaney Love
Will Smith
Roger Stigliano
Kelly Yoon

Writer's Assistant
Kathy Maher

Additional Layout by
Stardust Pictures
London, England
Panagiotis Rappas
Darren Vandenberg
Brendan Houghton
Dave Mcfall
Alan Kerswell
Katerina Manolessou
Neal Petty
Katerina Kremasoti
Mark Broeking
Hara Cfryi
Lee Taylor
Martyn Jones
Chris Haralambous
Gayle Martin

Overseas Animation Supervisor
Annie Elvin

Overseas Layout Supervisor
Simon Ward-Horner

Animation and Digital Paint Production
Grimsaem Animation Co., Ltd
Seoul, Korea

Executive Producer
Han-Young Kang

Supervising Director
Jong-Chul Park

Managing Director
Joo-Suk Kim

Directors
Sung-Woo Lee
Choong-Young Lee
Dong-Yuel Baek

Production Manager
Jae-Ho Ahn

Translators
Mi-Hwa Rhu
Jin-Sook Han

Production Coordinator
Byueng-Gon Kim

Production Administration
Jong-Su An
Ho-Sun Rhu
Jin-A No
Hyun-Ki Kim
Hee-Su Cho
Chang-Yoi Choi
Hee Kyung Huh
Ho-Jung Kim
Ynag-Hyun Shin

Animators
Jae-Woung Kim
Hyuk-Jae Kwon
See-Chang Lee
Young-Hwan Chun
Sun-Jin Yang
Sang-Sul Shim
Kyeung-Man Im
Byeung-Kwan Lee
Kyung-Suk Min
Kyung-Yoen Kim
Gi-Dong Lee
Kyung-Sup Jung
Won-Ghu Kang
Jae-Jung Kim
Jin-Chul Yang
Seung-Ki Cho

Model Checkers
Su-Mi Jo
Jung-Hwa Song
Yeo-Hee Im

Mung-Wha Kim
Yeung-Ok IIan
Gi-Ran Kim

Assistant Animation Checkers
Joo-Youel Pee
In-Soo Park

Assistant Animators
Jin-Sin Cho
Eun-Kyoung Choi
Moung-Hwa Hong
Jin-Hyi Lee
Hea-Suk Sim
Jae-Won Jang
Jung-Hee Sin
Bu-Wha Kim
Jung-Ok Bae
Jung-Sun Kim
Jin-Hee Jung
Seoung-IIee Son
Houn-Jung Yu
Choel-Young Lee
Hyang-Seon Lee
You-Seon Choi
Seon-Ja Choi
Jeong-Nam Heo
Doo-Suk Kim
Gu-Mi Jun
Sook-Kyung Lee
Hyang-Suk Lim
Eun-Kem Jun
Ju-Youn Lee
Nan-I Lee
Hyun-Ju Kim
He-Jung Yang
Hong-Bok Kang
Joung-Mi Kuk
Koung-Sin Kim
Bo-Koung Kim
Mun-Jung Kim
Jung-Seon Kim
Ji-Young Lee
An-Gyue Lee
Seon-Ok Yu
Pu-Young Chang
Eun-Mi Kim
In-Suk Yun
Eun-Koung Park
Eun-Joo Kim
Eun-Suk Choi
Young-Sil Lee
Jong-Hyuan Han
Su-Young Chae
Hea-Young Yu

Final Checkers
Seug-Kuk Kim
Koung-Ho Kim
Dan-Ae Won

Line Tester
Jong-Tae Kim

Sunwood Digital International
Technical Director
Sang-Wook Park

Assistant Technical Director
Hae-Jung Yun

System Administrators
Bu-Ryl Yoon
Su-Yong Lee

Scanners
Yeon-Suk Oh
Jeong-Hyun Oh
Yong-Jin Lee
Inn-Za Choi
Cha-Ho Sin

Painters
Woo-Sin Jang
Ja-Eun Im
Yeon-Jung Kim
Seoung-Hwan Kim
Kyung-Hee Park
Woo-Sung Jung
Sang-Hyun Lim
Young-Ah Shin
Jung-Young Shon

Sunwoo Entertainment, Los Angeles
Production Executive
Jae Y. Moh

Production Coordinator
Diane Oh

Production Accountant
Jane Kim

Additional Animation Production in USA
Klasky Csupo Commericals
Executive Producers
Elizabeth Seidman
John Andrews

Executive Assistants
Kim Tatum

Animators
Bonita Versh
Rebecca Bristow
Eduardo Olivares
Tom Decker

Assistant Animation Direction
Cecilia M. Laureys
Renate Kempowski

Assistant Animators
Julius Aguimatang
Lynn Walsh
Catherine Choi
Eric Lara
Jessie Romero
See Young-Sara Yoon
Christine Mallouf

Picture Editors
Kim Rettberg
Peter Tomaszewicz

Assistant Picture Editors
Vince Gonzales
Linda Sundlin

Sound Editors
Dave Cohen
Tammy Fearing
Beth Sterner

Assistant Sound Editor
Gus Medina

Foley Editor
Scott Curtis

Sound Effects Editor
David Eccles

Additional Sound Effects Editors
Rick Arbuckle
Daniel Ben-Shimon
Daniel Cubert
Robert Duran
Robert Hache
Derek Pipert
Derek Vanderhorst

Dialogue Editors
Jeremy Pitts
Mike Myles
Michelle Rochester

Recording Engineers
Kurt Vanzo
Peter Carlstaedt

Music Editors
Mike Baber
Kim Naves
Jennifer Blank

Paramount Production Accountant
Nicholisa Contis

Paramount Assistant Production Accountants
Steve Boyd
Tony Crisione

Klasky Csupo Production Accountant
Robin Hewitt

Klasky Csupo Assistant Production Accountants
Donna Ferman
Jennifer Wegrzyn

Executive Consultant
Paul Germain

Assistants to Producers
Lisa Offe
Norma Castillo

Production Executive Assistant
Cari Mossman

Special Thanks To
Toltec Artists
Peter Chung
Vanessa Coffey
Vicki Ariyasu
Karen Rosenfelt
Chuck Swenson
Herb Scannell
Kathrin Seitz
Laverne McKinnon
Gerry Laybourne
Jarrett, Brandon & Ruby

Legal Services Provided By
Hansen, Jacobson, Teller, Hoberman, Newman &
Warren Hertz & Goldring, LLP.